ニヒリズムとテクノロジー

NIHILISM AND TECHNOLOGY NOLEN GERTZ

ノーレン・ガーツ◉著

南沢篤花◉訳

Nihilism and Technology

By Nolen Gertz

はじめに

本書は筆者のトゥウェンテ大学（UT）での研究と、ニヒリズム研究の成果である。前者については、テクノロジーを広範な角度から眺め、UTでその洞察を発展させてきた。工業デザイン、ヨーロッパの行政学、コミュニケーション科学、科学哲学、テクノロジー、および社会学と広範な分野で授業を受け持った経験から、さまざまな背景や専門知識を持つ学生や教員たちと議論を戦わせ、私なりの見解を発展させることができた。この過程では特に、UTの学生や教員が、過去から現在にかけてのテクノロジーが生み出した危険をいかに総合的に判断し、それでいて将来そうした危険な状況を避けるべく、新しいテクノロジーや新たなテクノロジー・ポリシーをいかにつくり上げていけばいいかを、非常に楽観的に、一貫した視点で見通していることを直接体験する素晴らしい機会となった。

私たちがテクノロジーの世界で生きる、「テクノロジー的な生き物」であることに疑問が呈されたことは、ほとんどなかった。それよりも、学生や教員がともに主として答えを探ろうとしていたのは、「（特定の）テクノロジーがいかにして世界をよくするか」ということだった。私が、自分とテクノロジーとの関係に疑問を持ち始めたのは、そうしたテクノロジー的な解決策しか考えない楽観的な考え方がきっかけだ。背景や専門分野が異なっていても、皆一様に、そこにしか目が行かないことに気づいたのである。実際のところ私も、マルティン・ハイデガーやジャック・エリュール、ルイス・マンフォードなど、テクノロジーに悲観的な思想家たちのことを授業で教えているときでも、パワーポイント（PowerPoint）やワード（Word）、グーグル（Google）、ブラックボード（Blackboard）といったテクノロジーを使っていた。その結果、人間でいるためにはテクノロジーが不可欠で、自分自身との関係も世の中との関係も、テクノロジーが仲介してくれるという見方にいつしか染まっていたと思う。だからこそ、テクノロジーに踊らされるのではなく、こちらがテクノロジーを形づくるために、「テクノロジーによる仲介」をよく研究しなければならない、と考えるに至った。

そしてニュースクール大学で受けた研修によって、このテクノロジー楽観主義の考え方は何か間違っているのではないかという、ずっと抱えてきた疑問を避けて通れなくなった。プライベートでも仕事でもどんどんテクノロジーに依存するようになっていたが、もうテクノロジーとの関係については楽観的でいられなかった。フェイスタイム（FaceTime）で兄弟や姉妹と通話していても、どこか違和感がある。ツイッター（Twitter）で時事問題を追いかけるのも、面倒だと感じることがよくあった。学生に合わせて、グーグルの画像検索で見つけたポップカルチャーで埋め尽くされたパワーポイントのスライドを使ったことが何度かあるが、喜んでそういうスライドづくりをしたことは一度もない。こうしたテクノロジーは私の日常生活のそこここにある。しかしそれらは、単純に日常生活上の避けられないものというだけで、そうした進歩を大歓迎してはいなかった。テクノロジー礼賛というわけではなく、かといって、嫌ってもいなかった。テクノロジーとともに暮らし、テクノロジーを通して生きる暮らしに、ただ従っていただけだ。

それと同時に、自分があの手この手を使って、息子をテクノロジーに近づけないでおこうとしていることにも気づいた。たとえば『アナと雪の女王』よりも本物の森を、『パウ・パトロール』〔2013年にカナダで制作されていた幼児向けテレビアニメ〕よりも公園の遊び場を好きになってほしかったのだ。息子はテクノロジーが好きで、それらを使うのを止められないことはわかっていた。テクノロジーに親しんでおけば、息子が今日の「テクノロジーの世界」で人より抜きん出て役に立つこともわかる。しかし、息子は少しばかりテクノロジーを使いたがりすぎていて、私が取り上げるとひどく駄々をこねる。息子はテクノロジーに夢中になりすぎる傾向があった。そして、子どもの養育問題の解決策としてテクノロジーに頼るのは、少々安易すぎるのではないか、とよく思うようになった。言い換えると、私は息子に、私ほどテクノロジー依存になってほしくなかったのである。

このような葛藤を経験したおかげで、テクノロジー楽観主義に関して私が懸念しているのは、自分たちの問題の解決策をテクノロジーに求めることが間違っているかどうかではなく、そもそもそれを問題と見ること自体が間違っているのではないか、と考えるに至った。日々の体験に問題を感じれば、解決策を探すのは当然で、二度とそういう体験をしないよう解決策を検討するだろう。そして、テクノロジーに解決策を求めるということは、私たちが問題だと捉えた体験回避の手段とテクノロジーを捉えることになる。だが、ひとたび問題だと思う体験がテクノロジーで避けられることがわかると、「少々好ましくない体験」を避けるのにもテクノロジーが役立つはず、と思わずにはいられなくなる。最終的には、テクノロジーが自分の体験を望みどおりに形づくるのに役立つ、とさえ思うようになる。このような形で問題解決の方法を模索していると、たとえば「バスに乗って会社に行きたくない」という問題に直面して、通勤手段に対する破壊的事業を展開しようとするベンチャー企業や、もう誰もバスに乗らない世界をビジョンに掲げるベンチャーに出資するようになる。

一見すると、そのようなビジョンにも通勤手段の破壊にも、あるいはそうした問題解決策の探り方にも何も悪いところなどないように感じるかもしれない。しかし問題は、こうした発想が自己発見ではなく、テクノロジーによるユートピア実現の思想につながってしまい、そもそもどうしてバスに乗るといった体験が問題だと感じるのか、自分に問うことをしなくなることだ。問題の解決策が見つかれば、問題の再発は避けられ、自分にその体験をあらためて問いかけることはない。テクノロジーを用いて、問題の起こらない世界、問題と思う体験や好ましくない体験がすべて避けられる世界をつくろうとすることは、自省のない世界をつくろうとしている、と見ることができる。

つまり、私が懸念していたのはテクノロジーではなく、人間（側の考え方）だったということだ。どうして人は問題解決ばかりに目が向き、その解決をすぐテクノロジーに求めるのか。このように考えるようになったのは、問題解決に向かう姿勢は、テクノユートピア思想に向かうばかりでなく、「テクノニヒリズム」にも向かう可能性があることに気づいたためだ。哲学的にも語源学的にも、「ユートピア思想」と「ニヒリズム」――「どこでもないこと」と「何でもないこと」――は、1つのコインの表裏みたいなものなので、この思考の流れは驚くにはあたらないだろう。完璧な世界を求めるということは、今いる世界とは別の世界を求めることであり、今いるのは不完全な世界なので、別の世界に置き換えなければならない、と考えることだ。

以上が、フリードリヒ・ニーチェを参照して「ヒューマン－テクノロジーの関係」を分析する本書を執筆した動機である。ニヒリズムは、悲観主義とディストピア（ユートピアと反対の、大きな問題を有した社会）思想か、楽観主義とユートピア思想のいずれかに結びつく可能性があることをニーチェは明らかにした。ひどくネガティブで陰気な人と、やけにポジティブで陽気な人はどちらも同じく現実に否定的であり、単純にその表現の仕方が正反対なだけという可能性があることが、ニーチェの分析からわかる。

ニーチェが分析していたのはテクノロジーではなく、道徳や宗教とニヒリズムの関係だが、この分析はテクノロジーにも当てはまる。私たちは、テクノロジーを通じて倫理的な目標を追求している。テクノロジーはユーザーの信仰を育み、ユーザーの献身を引き出している。こうした構図から、テクノロジーにニーチェの哲学・思想が当てはまると確信した。もう少し一般化して言うと、ニーチェが問題視していたのは、「キリスト教道徳の世界」と、現代の「テクノロジーがモラルに影響を与える世界」に共通する「問題解決の思考」の中心にある、生を否定するニヒリズムなのである。

本書はニーチェの思想に対する新たな解釈を探るものではない。そうではなく、人とテクノロジーの関係について、ニーチェの哲学をヒントに、その優れた批判的視点を養うことを目指したものだ。本書ではニーチェのニヒリズム思想の私なりの解釈を披露しているが、それはニーチェの哲学について絶対的な視点を提示するためではなく、私なりにニヒリズムの見方を発展させていくためだ。また、本書を読むにあたって留意いただきたい点がもう1つある。私が本書を通じて「私たち」という語を使っている場合、私たち人間、あるいは西洋人や英語話者に共通する普遍的な傾向や体験を語っているという意味ではない。あくまで「私」とか「彼ら」という語を使ったときに起こる混乱を避けるためである。読者の皆さんには、私が本書で語っているのは、「私」だけに当てはまる傾向や体験、または私以外のすべての人たち（「彼ら」）に当てはまる傾向や体験ではなく、私とそれ以外の無数の人たち（「私たち」）に共通する傾向や体験だと思ってもらえるとありがたい。もちろん、「私たち」という語を使っても混乱を招くかもしれない。だがそれでも「私たち」という語を使う方が、デメリットよりもメリットが大きいと考えている（もちろん、あなたが幸いにしてニヒリズムと無縁の暮らしを送っているなら、「私たち」から自分を除外して考えてもらっていい）。

つまり、この本は学術面でも文化面でも、対象とするグループを特定していない。ニーチェ流に言うと、本書はあらゆる人のための、そして誰のためのものでもない1冊の書である。

日本語版を読むにあたって

本書は全9章からなりますが、大まかに3つの役割に大別できます。

第1章は、本書が何をどう論じるものであるのか、その全体像について書かれています。この章を読むことで、著者の意図が明確にわかると思います。

続く第2章と3章は、本論に入る前に哲学的な基礎知識を知っておくための章です。第2章はそもそもニヒリズムとは何かについて解説されています。ニヒリズムとひと口に言ってもいろいろな解釈がありますが、本書で扱うニヒリズムとは、フリードリヒ・ニーチェが論じたニヒリズムのことを指します。第2章ではその基礎を比較的コンパクトに概説しています。第3章は、テクノロジーに関する哲学理論を紹介しています。著者自身が述べているように、マルティン・ハイデガーが主に『技術への問い』で述べたテクノロジー論を、テクノロジーについて哲学の観点から検討するための「通過儀礼」として取り上げ、これに反論することにページが割かれています。そのうえで、より現代テクノロジーに即した哲学的解釈であるドン・アイディの理論に触れ、ニーチェおよび著者の考えと結びつけます。第3章はやや難解な記述があるため、4章以降の興味がある分野を読みながら、その背景にある著者の思想の骨子を確かめたくなった際に3章に戻ると理解しやすいかもしれません。

第4章から9章までが本書の本題です。これらの章では、身近なテクノロジー(特にインターネットを介したもの)がいかに人をニヒリズムに導くかを論じています。各章の扉ページに記載してあるとおり、ネットフリックス、ユーチューブ、フェイスブック、フィットビット、ポケモンGO、エアビーアンドビー、ウーバー、ティンダー、Siri、ツイッターなどのサービスや、その背景にあるAR、VR、アルゴリズム、AI、ソーシャルネットワークといったテクノロジーの仕組み、さらには荒らし行為やネットリンチのような行動を例に挙げ、著者の言葉を借りれば「ケーススタディ」として問題点を掘り下げていきます。

本書ではテクノロジーとの共存を模索しながらも、批判的な思考を養うことを目的としているため、刺激的な主張がたびたび現れます。受け取り方や、今後どう行動すべきかは読み手に委ねられていますが、テクノロジーとの向き合い方を考えるきっかけとなりましたら幸いです。

編集部

凡例

・本書では、訳注および編注を〔〕内に記載しました。
・引用元の文献の邦訳がある場合は、邦訳をそのまま引用し、原注に該当箇所を記載しました。
・原書に倣い、原注は各章末に記載し、参考文献は巻末に記載しました。
・傍点は日本語版独自の強調です。ただし引用箇所は邦訳の傍点をそのまま反映しました。
・ニーチェの邦訳では、善悪の価値評価について、貴族的価値評価（貴族道徳）では「よい／わるい」と表記し、奴隷的価値評価（奴隷道徳）では「善い／悪い」と表記するのが通例ですが、本書では善悪の価値転換そのものは主題でないため、ニーチェによる定義に触れる箇所のみこの表記に従いました。それ以外の箇所では一般的な言葉として扱い、「よい」「悪い」という表記に統一しています。
・索引は原書を参考にしながら、日本語版独自に作成しました。

ニヒリズムとテクノロジー

CONTENTS

第5章 ニヒリズムと「データドリブン」テクノロジー …191

第6章 ニヒリズムと「娯楽経済」テクノロジー …235

第9章 神は死んだ　グーグルも死んだ…401

ニヒリズムとテクノロジー

CONTENTS

第1章

ニーチェなら現代テクノロジーをどう見るか?

1.1 ── テクノロジーは人を「解放」するか

リビングで家族がくつろいでいる。母親と娘はソファにすっぽりと収まり、そこにもとからいた父親は居場所を乗っ取られそうになっている。娘は幸せそうにペットの犬を眺め、その犬はおもちゃを噛みながらソファの周りを警備するのに忙しい。この幸せな家族が幸せにくつろぐ、幸せな家庭の幸せなカーペットのすぐそばの床に、ホッケーのパックを大きくしたような機械が鎮座している。黒いその機械は、陽光に包まれたあたりの雰囲気に対して、無機質な対照をなしている。その機能はよくわからないが、この機械がこの家族をこれほど幸せにできるところを見ると、この機械がなければこの家族の幸せはきっと消えてしまうのだろう。

これはルンバ[1]（Roomda）のことだが、私は掃除機を宣伝したいのではない。まず言及したいのは、テクノロジーのトレンドの宣伝に関することである。ルンバのような現代のテクノロジーは、どんどん普及が進んでいるために、広告主はほんの少しヒントを与えるだけで、そのテクノロジーが実現する暮らしを提案することができる。ルンバの広告は、画像だけで皆に知ってもらいたいことがすべて伝わるので、文字も必要ない。部屋の片隅にあるホッケーのパックを大きくしたような黒いやつが働いてくれるので、私たちは働かずにすみ、その代わりに娯楽にいそしんで、人間でいられる幸せを味わえる。

ここではこれを、テクノロジー・デザインにおける「解放としての余暇」のトレンドと呼ぶ。このトレンドの裏にある発想はいたってシンプルだ。私たちを雑事から解放し、私たちが人間でいるために必要な余暇の時間を持てるようにすることこそが、テクノロジーの役割だということらしい。これは、ルンバだけに見られる発想ではなく、オンラインショッピングや音声アシスタント、予測アルゴリズム、あるいは自動運転車、自律動作ロボット、自律制御ドローンの開発にも見られる発想だ。テクノロジーが私たちに代わって掃除をして、買い物をして、天気をチェックして、文章を書いて、車を運転して、労働を肩代わりして、場合によっては人を殺してもくれるかもしれない。

テクノロジーにできることがこんなにも増えているので、私たちはどの仕事が人間のしなければならない仕事として残されているのか、疑問に思い始めている。言い換えると、テクノロジーは恐るべきスピードで進歩し、人間に代わって仕事をこなす能力が上がり続けているのに、人間がテクノロジーと同様に進歩していて、テクノロジーにどっぷり依存しなくていいくらい高い能力を身につけているとは言いがたい、ということだ。繰り返すが、テクノロジーの能力が高まるにつれ、テクノロジーは私たちの日常にどんどん入り込んでくるようになり、どこまでがテクノロジーで、どこからが人の仕事かますますわからなくなっている。テクノロジーは人と無関係に進歩できるとか、何もかもテクノロジーまかせにできるようになると考えるのはおそらく間違いで、人とテクノロジーの区別は単純に二元論的な考え方では説明できないものだろう。

テクノロジーに対する現代の考え方――デザイン面でも、哲学的な観点でも――では、人とテクノロジーは区別して考えるものではなく、「テクノロジーは常に人の暮らしを形づくる役割を果たしてきたもの」と捉えられている。テクノロジーがなければ自分らしくいられないわけではない。テクノロジーが人を、映画『ウォーリー』で描かれていた役立たずのデブに変えてしまうのではないかと心配するのはやめた方がいい。それよりも、『2001年宇宙の旅』で描かれていたように、先史時代の祖先の発見した道具と、現代の宇宙開発はつながっていることを認識した方がいい。テクノロジーは常に人類の発展の一部だった。それを踏まえて、テクノロジーが人に及ぼす作用を心配する前に、テクノロジーのことをより深く理解しようと努め、より積極的にそのデザインに関わる努力をすべきだろう。なぜなら、好むと好まざるとにかかわらず、テクノロジーはこれまでも、これからも、人類の発展の一部であり続けるのだから。

現代のテクノロジーに対するこの考え方は、決してテクノフィリア（新技術への強い傾倒）を応援するものではない。テクノフォビア（科学技術恐怖症）から1歩引いてみよう、というものだ。この立場を取る現代の思想家たち――ピーター・ポール・フェルベーク、シャノン・ヴァラー、ルチアーノ・フロリディ、ブルーノ・ラトゥールなど――であれば、自分たちは単なるテクノリアリスト（現実に即してテクノロジーを冷静に判断する立場）だと主張するだろう〔それぞれの人物の主張は後述〕。テクノロジーを愛したり嫌ったりしても役に立たないのだから、それよりも、自らテクノロジーを学んだり、開発者と関わってデザイン・プロセスに積極的に参加したりすべきというわけだ。だが、そうした研究や開発に積極的に関わっていくには、必然的にテクノロジーについてじっくり考える時間とエネルギーが必要だ。別の言い方をすれば、そのために私たちを解放してくれるテクノロジーを開発しなければならないように思える。そしてゆとりの時間を持ち、テクノロジーについて考えて、私たちを解放してくれるテクノロジーを開発し、それによってゆとりの時間を持ち……。

一方、過去のテクノフォビアの思想家たち――ジャック・エリュールやマルティン・ハイデガー、ヘルベルト・マルクーゼ、ルイス・マンフォードなど――が問題にしたのは、テクノロジーが人類の発展に貢献するかどうかではなかった。問題なのは、「○○をするために」という現代のテクノロジーに対する見方が人類の発展を歪めてしまう可能性がある、という点だった。現代のテクノロジーは、私たちが目標に到達する手助けを目指しているようには思えない。それよりむしろ、人の代わりに目標を定めたり、テクノロジーがその目標に到達するには、人の手助けが必要な目標を人間に提示したりすることを目指しているように思える。だからルンバの所有者は、ルンバが「好きなやり方」で働けるように自宅を整理整頓しなくてはならない。ちょうどスマートフォンの所有者が、電池残量と通信量の上限に合わせて自分たちの活動を組み立てなければならないのと同じように。確かに私たちは、自分のニーズに合うデバイスを購入している。だがひとたび購入すると、そのデバイスに夢中になるあまり、デバイスに働き続けてもらえるよう新たなニーズをつくり出しては、デバイスへの思いを長続きさせようとしているのではないだろうか。

テクノロジーは人にゴールを示し、人の活動を形づくるだけでなく、私たちの価値観に影響を及ぼしたり、新たな判断を生み出したりできる。効率や客観性といった価値においては、テクノロジーの方が人間より優れていると考えざるを得ない。そのために人は自分たちの問題は置いておいて、技術的な解決策ばかりに目を向けがちだ。さらには、人間は非効率で偏りがあるから、より信頼性が高いテクノロジーに置き換えるべき問題児である、と自分たちのことを卑下する傾向が高まりつつある。同様に、ソーシャルメディアの利用により私たちは、プライバシーや友達の価値を常に定義し直し続けている。フェイスブック（Facebook）もコミュニケーションの一手段であるからには、ほかのコミュニケーション手段と同様、プラスとマイナスの面があると人は思いたいのだ。

現代の思想家たちは自分のことをテクノフィリアではなく、テクノリアリストだと考えているだろうが、それと同様に、過去の思想家たちも自分のことをテクノフォビアとは思っておらず、テクノリアリストだと考えていたはずだ。テクノロジーの利点と考えられていることに疑いを持つと、ラッダイト〔19世紀初頭のイギリスで機械化に反対した熟練労働者の組織〕や恩知らず、あるいはパラノイド的な陰謀説支持者とみなされるかもしれない。そのような理由もあって、以前の思想家たちはおそらく、テクノフォビアという表現が出てきたこと自体が、現代のテクノロジーが私たちに及ぼす影響の予兆だと匂わせていた。つまり、現代の思想家たちは過去の思想家たちを、「テクノロジー的」であることの意味を理解していないと批判するのに対して、過去の思想家たちは現代の思想家たちを、「人間的」であることの意味を理解していないと非難するだろう。

これら2つの見方の対比は、単に難解な理論の反駁(はんばく)ではない。テクノロジーが人の暮らしにどのような影響を及ぼすかを決めるプロセスに、積極的に関与できるのに、テクノロジー企業を人類の敵とみなしてしまうと、テクノロジーの開発を私たちと一緒にではなく、テクノロジー企業で勝手に進めることを許してしまうリスクを冒すことになる。その一方で、テクノロジーが私たちの目標、価値観、判断を知らず知らずのうちに歪めているのであれば、テクノロジー企業と結託すればするほど、人々はテクノロジー的な考え方に洗脳され、結果的にテクノロジーに対して批判的な目を向けられなくなる。だから、テクノロジーは人間性を抹殺するような余暇を提供するものではなく、「解放としての余暇」を与えてくれるものだと確信するためには、どちらの見方が正しいのか真剣に考えなくてはならない。

1.2 ── テクノロジーと価値観の衝突

「人の行いは人間を解放に導くのか、それとも人間性の抹殺に導くのか」という問いや、「人はより自由になるのか、それともより思い込みに縛られるのか」といった問いは、何もテクノロジーに関することだけから発せられたものではない。19世紀にはカール・マルクスが資本主義に関してこの問いに答えようと試み、フリードリヒ・ニーチェはキリスト教に関してこの問いに答えようと試みた。マルクスにとって資本主義のイデオロギーは、懸命に働きさえすれば誰でも裕福になれると労働者に信じ込ませつつ、実際には資本家に搾取されて、労働者の人間性が失われていくものだった。[2] しかも資本家は利益を労働者に渡そうとしないばかりでなく、他者と分け合おうともしないため、資本家が互いに争うことは避けられず、そのため労働者にも競争を推奨する。その結果、労働者階級に革命思想が芽生え、資本家は自らを破滅させることになるとマルクスは主張した。[3] 言い換えると、ブランドが「競合他社は人を欺いている」と宣伝すればするほど、人はその広告とブランドを疑わなければならず、ひいては資本主義のイデオロギー自体に懐疑的になるということだ。

結局、マルクスが予言した革命は起こらず、人が資本主義を信用しなくなることもなかった。

ブランドに対する信用が消えることもなく、人はますますブランドに寄り添うようになり、ブランドと一体になってブランド戦争に身を投じ、資本主義ではなく自分たちを壊す選択をしてきた。そのことは、ニーチェにしてみれば驚きでも何でもなかっただろう。人はイデオロギーに目をくらまされ、騙されて、外からの影響によって真実が見えなくなっている、とマルクスは考えた。それさえわかればすぐに結束して立ち向かえるのに、と。だがニーチェは、人が目をくらまされ、騙されているのは、自らそうしたいからだと考えた。ニーチェによると、外側の危険な影響よりも、内側の危険な影響に目を向けるべきだという。人は人生を、自分を環境に適応させて成長していくための課題の源だとは考えていない。それよりも、まるで苦難の源のように考えたがる。それこそが問題だとニーチェは考えた。この傾向があるために人は、人生に背を向け、目を逸らす機会をすんなり受け入れてしまう。と同時に（それがたとえ絵空事だとしても）、よりよい暮らしが得られますよ、と喧伝するイデオロギーをもあっさり受け入れてしまう。そんな暮らしは、死によってしか得られないものだったとしても（キリスト教の天国の概念を指している）。

ニーチェ哲学の視点から、私たちが理解し、戦うことを学ばなければならない相手は、資本主義的な搾取ではなく、ニヒリズム（虚無主義）だ。というのも、人間のニヒリズム――人生に背を向けたがる傾向――により、1人の人間として自由になって責任を負うことよりも、搾取される方をそもそも好むため、人が搾取に反旗を翻すことは考えられない。人は周りに支配されるのではなく、自分で自分を支配したいものだとマルクスは考えた。しかし、人がどれくらい他人に支配される状況を好むか、というニーチェの視点がマルクスにはなかった。ニーチェ曰く、人は、自分の苦難をその支配者のせいにできる支配者、つまり、すべきことを指示してくれて、自分で決断しなくていいよう重荷を取り除いてくれる支配者を求めているという。

ニーチェはその著作の中で、人が人生に背を向けるさまざまな形、自分から目を逸らして自分を欺くさまざまな形を分析している。人はさまざまな形で余暇を求めるが、それはより人間らしくなるためではなく、人間であることを避ける手段だとニーチェは言う。人は、「これは人としての生き方に反するかもしれない」などと思いながら日々の活動を行ってはいない。人というものは、日常の活動を、人生で掲げるべき唯一の目標「よい存在でいること」を達成する手段と考えて生活しながらも、一方で平凡さを嫌い、そうした行いを価値化する道徳的枠組みを発展させていく。ここでニーチェが重視するのは、矛盾ある人生を生きることである。ニーチェが人間のパラドックス的な価値観――人であることが不得意であることを、道徳的であることが得意だと定義する価値観――の系譜をたどる際に、異教信仰に対するキリスト教の勝利に焦点を当てたのもそのためだ。ニーチェは自身の文献学の専門知識を使って、人間の倫理観は、人間としての普遍的な体験や理屈に照らして到達したものではなく、相反する価値観のあいだの対立による産物であることを明らかにしている。この対立は遠い昔に見事に勝敗がついてしまったために、ほかの価値観の存在すら考えることができなくなってしまった、というのがニーチェの見方だ。

「よい」に複数の衝突する意味を持たせられるなら、「進歩」にも複数の意味を持たせられるはずだ。したがってニーチェは、人間がキリスト教の夜明け以来進歩してきたかどうかは問題にしていない。ニーチェが問うたのは、「進歩」の定義の仕方であり、この定義が、「人であること」の意味と合致しているかどうかだ。だから私は思う。ニーチェなら――ニーチェはテクノロジーについて特に書き残したわけではないが――テクノロジーの進歩が人間の進歩に沿っているかどうかの問いに答えを出す手助けをしてくれるだろうと。道徳的な進歩と、人間の進歩の関係を、当たり前のこととして受け止めてはいけない、常に疑問を持っていかなければならない、とニーチェは教えてくれる。さらにこの問いを、テクノロジーによって人がよりよくなるかどうかという問いに単純化してしまわないよう手助けしてくれるのもニーチェだと考えている。ニーチェを参照することで私たちは、たとえば、気分の変化をモニターしてレポートしてくれるテクノロジーで命が救われる[4]ことがあるかどうかだけでなく、そうした監視技術を利用して気分の変化をモニターし、それを刺激してやる気にさせられるテクノロジーを使えば、どういった類の命が救われるかまでわかるのではないだろうか。

1.3 ―― 本書の概要

この本は、人間のニヒリズムがどのようにテクノロジー的になったか、またテクノロジーがどのようにニヒリスティック（虚無的）になっていくかを探究することを目指している。テクノオプティミスト（テクノロジー楽観主義者）vs.テクノペシミスト（テクノロジー悲観主義者）の、延々と続く、テクノロジーの進歩によって人がよりよくなるか、より悪くなるか、という議論からは離れたいと思う。それよりも、「進歩」「よりよい」「より悪い」といった概念をどう定義するかを深く掘り下げていきたいと思っている。そして、そうしたイデオロギーがもたらす世の中の結果を、テクノロジーがどのように形づくるか、イデオロギーがどのように定義されれば、そうしたテクノロジーが生まれるのかを突き詰めて考える方向に読者を誘（いざな）っていきたい。

本書では第2章で、ニヒリズムとは何か、つまりニヒリズムが意味することを説明するところから始め、ニヒリズムを過小評価してはいけない理由を示していく。ニヒリズムは、単に恵まれないティーンエイジャーの悩みなどではない。ニヒリズムは日常の暮らしにあまりに蔓延してしまったために、サルトルなどの実存主義の哲学者は、ニヒリズムを「人生のことなんてどうでもいい」と思うような人たちが体験するものにすぎない、と簡単に考えるようになってしまった。その結果、「人生を大切に生きている」と考える生き方でさえニヒリスティックである、という可能性を認識できなくなっている。日々の暮らしに蔓延するニヒリズムが認識できれば、ヨーロッパの歴史、とりわけキリスト教道徳の歴史にニヒリズムが果たした役割に関するニーチェの主張が、よりわかるようになるだろう。ニヒリズムと道徳は昔から深い関係にあったとニーチェは主張した。自己犠牲や禁欲を高く評価する価値観はニヒリスティックで本来の自分を失わせるものだと、ニーチェは私たちに「価値観の価値」を見直すよう促している。ニーチェの主張は、今のテクノロジー社会には当てはまらないと考える人がいるかもしれない。しかし、トランスヒューマニズム（詳しくは第2章を参照）を掘り下げていけば、トランスヒューマニズムが提唱する「ポストヒューマン」がいかにニヒリスティックかが見えてくるだろう。そしてそのためには、ニヒリズムに対する理解が欠かせないことがわかるだろう。

第3章では、ニヒリズムの思想を掘り下げることから、テクノロジーの思想を掘り下げることへ移っていく。ハイデガーの『技術への問い』は現代のテクノロジー思想家にとって通過儀礼となっており、自分がテクノフォビック（科学技術恐怖症的）な決定論者ではないことを信じてもらうためには、どうしても『技術への問い』を批判しなければならない。そこで、私もそうすることにする。私は別に、ハイデガーを攻撃して自身の見解に対する不安を和らげたいわけではない。ハイデガーの技術思想がいかにニーチェのニヒリズム哲学と同じ方向を向いていて、それでいてニーチェのニヒリズム哲学とはまったく違うものであることを示したいと思っている。体制順応的な社会を導いている現代のテクノロジーに関するハイデガーの懸念は、ニヒリズムとテクノロジーの関係についての議論と同じように読み取れる。だがニーチェと違って、ハイデガーはマルクスと同様に人間がその運命を実現できないのは、技術の外的影響のせいだと非難するところで終わっている。これを補い、かつ現代的な技術哲学に触れるためにも、ハイデガーの次にドン・アイディの意見を見ていきたいと思う。なぜならアイディの技術思想は、ハイデガーの思想から、哲学的に問題があり政治的に危険でもある運命論の部分を取り除き、技術利用に関する有益な洞察だけを取り出して論じようとしているからだ。アイディが「ヒューマン－テクノロジーの関係」と呼ぶ彼の分析を見ると、ニーチェのニヒリズム哲学と融合できそうな部分があり、私が「ニヒリズム－テクノロジーの関係」と呼ぶものを考える際の参考になる。

第2章、第3章で本書のテーマの理論的基盤を固めたことを受けて、第4章では「テクノロジー催眠」と表現できそうなニヒリズム－テクノロジーの関係に、この理論的枠組みを適用して掘り下げてみたい。自分自身を眠らせようとする人の行動、たとえば瞑想や飲酒などの行動を「自己催眠」とするニーチェの分析についてまず議論し、続いてこの分析がどのようにテクノロジーにも当てはまるかを示す。「(耐えがたい苦痛を）意識から消し去ろうとする」というニーチェの言葉は、テレビやエンターテインメントのストリーミング、ＡＲ（Augmented Reality：拡張現実）やＶＲ（Virtual Reality：仮想現実）デバイスなどのテクノロジーが持つ催眠性の魅力を考えたときに、響くものがあるのではないだろうか。そのあと、そうしたテクノロジーには人をリラックスさせる効果があるだけでなく、自分の現状に満足させ、スクリーンを見る暮らしに満足させる働きがあることを示し、テクノロジー催眠の危険性を提起してこの章を終えたい。

第5章では、本書で「データドリブンな活動」と呼ぶニヒリズム－テクノロジーの関係を取り上げる。現代人は、テクノロジーを利用して自分を常に忙しくさせ、規律に当てはめ続けていないだろうか？　自らが意思決定をすることの重荷を避けようとする行動、命令やルーティンに従うような行動を「機械的活動」と呼ぶが、こうした活動に対するニーチェの分析は役に立つ。フィットビットやポケモンＧＯの利用、ますます拡大するアルゴリズムへの依存を考えれば、人がいかにこうしたテクノロジーに頼って意思決定の負担を避け、自分に代わってテクノロジーに意思決定してもらっているかがわかる。たとえば、アルゴリズムは私たちについてどれくらい多くの情報を集めているのか？　その一方で、私たちはアルゴリズムについてどれくらいのことを知っているだろうか？　アルゴリズムに頼ると、機械学習〔ＡＩにおける自動学習の仕組み〕を盲目的に信頼しなくてはいけなくなるのではないか？　こうしたデータドリブンな活動の不平等さに、私は危険な印象を持っている。

第6章は「娯楽経済」の面からニヒリズム－テクノロジーの関係を掘り下げる。ニーチェによると人は、自分の無力さを補うものとして「小さな喜び」を利用し、人助けを楽しんでいるという。人は、他者に何かを与えることで、相手を自分より下の地位に落とし、施す側として上から目線のいい気分になれるからだ。この分析はシェアリング・エコノミー〔共有型経済〕のテクノロジーにも当てはまり、なぜこれほど多くの人がオンラインで寄付をし、自分の家を人に貸して、見知らぬ人を自分の車に乗せるのかを理解するのに役立つ。キックスターター(Kickstarter)〔アメリカの民間営利企業で、クリエイティブなプロジェクトに対して、クラウドファンディングによる資金調達を行う手段を提供している〕、エアビーアンドビー(Airbnb)、ウーバー(Uber)といったテクノロジーを、ティンダー(Tinder)〔位置情報を使った出会いのサービスを提供するアプリ〕などのテクノロジーと比較してみれば、他人を落として自分が上に立つ力学が共通して存在することがわかる。娯楽経済が危険なのは、こうしたテクノロジーにはふるいにかける行動がつきものだからだ。こうした行動の際、人は自分の寛大さに酔いながら、残酷な力関係も楽しんでいる。もう少し具体的に言うと、相手が自分の寛大さに見合う相手かどうかを判別して、ふるいにかけるのだ。

第7章では、「畜群ネットワーキング」と言うべきニヒリズム－テクノロジーの関係を扱う。ニーチェによると、人は「畜群本能」によって人と集まるのだという。そこには数の強みがあり、群れの中に自分を埋没させて、自分自身であり続ける重荷から逃げるチャンスがあるからだ。この洞察をCB無線から絵文字、フェイスブックまでのソーシャルメディア・テクノロジーに当てはめると、ソーシャルネットワーキングがこれほど人気を獲得し、普及している理由がわかるだろう。これらのテクノロジーは単なる人々の欲求のはけ口としての機能から発展して、他人との関わり方、そしてその関わることの意味に至るまで、人々の考え方を変えてきた。ソーシャルネットワーキング・プラットフォームでは、ブランドがあたかも人のように行動し、人も自分自身をブランディングする。そこに畜群ネットワーキングの危険性があると私は考えている。そうした場所で私たちは自分のアイデンティティをつくり上げ、フォロワーを獲得してつなぎとめようとする。要するに、プラットフォームが誘いかけるニーズに合わせてコンテンツを作成しているのだ。しかもそのフォロワーは、単純にコンテンツに興味があるのか、それとも自分に興味があるのか、私たち自身にもわからない。自分は自分なのか、それともコンテンツなのか、もはやわからなくなっているのだ。

第8章では、ニヒリズム-テクノロジーの関係がつくり出した世間を見ていく。これを本書では「クリックの狂乱」と呼んでいる。ニーチェは、人とニヒリズムの関係の最後、5番目の「感情の狂乱（放埒）」について、閉じ込められた本能的欲求の暴走、解放、感情の爆発を伴う狂乱的な営みであることから、「罪」だとして最初の4つ（自己催眠、機械的活動、小さな喜び、畜群本能」と区別している。というのも、これらは説明責任の重荷を逃れるエクスタシーを体験しようとするもので、あとでツケを払わされる羽目になる逃避だからだという。現代のテクノロジーは、匿名でコメントを投稿できたり、フラッシュモブを形成できたり、マナー警察のような過剰な倫理観の押しつけができたりする機会を提供している。これらは、恍惚を求める衝動に身を委ねる新たな方法だといえる。そうなると、人の爆発性向は1人で罪悪感にさいなまれる「自己破壊」を超えて、他者に恥をかかせる「他者破壊」へと向かいかねない。ソーシャルメディアで不心得者を槍玉に上げるハッシュタグに飛びつく連中は、自らも槍玉に上げられる可能性があったり、炎上が逆炎上を招いたりして、それが晒し行為とその反撃につながっていくことがある。たとえば、ネット上の荒らしとフラッシュモブが合体すると、エスカレートしてネットリンチが展開されてしまうことがある。ネットリンチはあまりに毒々しい。詳しくは後述するが、政治のキャンペーンも似たようなものだ。そこにクリックの狂乱の危険性が感じられる。

ここまでの章で、テクノロジーがいかに人のニヒリスティックな面を引き出し、拡張して、意識の重荷、意思決定の重荷、無力さの重荷、個人であることの重荷、説明責任の重荷を引き受けないようにさせるかを見たことになる。これを受けて最終章では、人はニヒリズム−テクノロジーの関係にどのように対応すればいいいかを追究していこうと思う。その対応の仕方を探るために、ニーチェの『悦ばしき知識』に登場する、「神は死んだ」と宣言する「狂気の人間」に目を向けてみたい。ここまでで、私たちが創造してきたテクノロジーの世界のニヒリスティックな恥部を理解できたはずだ。それなら、方向を見失い、道筋を見失い、確かなものを見失った狂気の人間の体験もわかるのではないか。かつては神が私たちの道しるべとなるキラ星のごとく機能していた。すなわち神の道案内がなくなったとき、私たちは道に迷い、世界が常軌を逸したように感じたのだ。それと同様に、今日はグーグル（Google）が道案内のような役目を果たしている。私たちはグーグル検索に答えを求め、グーグルマップに文字どおりの道案内を求めて、グーグルのディープマインドに自分の苦しみの除去を求める。人は道徳に関することでさえグーグルを参考にする。なぜなら「邪悪になるな」（社員が従うべき行動規範としてグーグルが長年掲げていたスローガン）は間違いなくモーセの十戒より覚えやすいからだ。

しかしグーグルは、私たちが神を殺して地に埋めたという証拠ではない。以前は神に委ねていた責任を、私たち自身が引き受けた証拠にはならないのだ。そうではなくグーグルは、私たちがまだニヒリズム依存から抜け出せておらず、外部のソースに意味を与えてもらおうとしている証拠だ。だから、たとえグーグルが死んでも、次のグーグルを模索するだけだろう。テクノロジーを責めたり、テクノロジーから逃れようとしたり（まるでテクノロジーを追い払えばテクノロジーの影響を追い払えるかのように）するのではなく、自分自身から逃げようとするのをやめ、人であることの意味から逃げようとするのをやめる方法を模索していかなくてはいけない。そのための1つの方法が、受動的ニヒリズムから能動的ニヒリズムへの転換、すなわち「破壊のための破壊」から「創造のための破壊」へと移行することだ。受動的ニヒリズムは、人類の進歩をテクノロジーの進歩と同一視し、人類の進歩の目標としてテクノロジーに依存したポストヒューマンになることを追い求めることにつながっていく。だが能動的ニヒリズムは、そうした目標に対して懐疑的なスタンスを取る。そうすることで、進歩に対するこのテクノヒューマンな見方の根底にある、禁欲の価値をあらためて考え直せる可能性がある。グーグルが死んでも新たなグーグルを探すだけなら、受動的ニヒリズムが能動的ニヒリズムに転換することはないかもしれない。しかし、ニヒリズム－テクノロジーの関係を追究し続ければ、新しい価値観、新しい目標、「進歩」が意味するべきものに対する新しい見方を得るための、能動的ニヒリズムへのムーブメントを刺激するチャンスが生まれるだろう。

原注

1. Steve Dent, "The Roomba 960 Is iRobot's Cheaper App-Driven Robot Vacuum," engadget, August 4, 2016, https://www.engadget.com/2016/08/04/irobots-roomba-960-is-its-cheaper-app-driven-robot-vacuum/.
2. Karl Marx, "Alienated Labor," in Karl Marx: Selected Writings, ed. Lawrence H. Simon (Indianapolis: Hackett, 1994), 61-64.〔未邦訳だが、カール・マルクスの「疎外論」に関する書籍は日本人による著作あり〕
3. Karl Marx, "The Communist Manifesto," in Karl Marx: Selected Writings, ed. Lawrence H. Simon (Indianapolis: Hackett, 1994), 166-167.〔邦訳は『共産主義者宣言』(平凡社)、『共産党宣言』(光文社)、『共産党宣言』(岩波書店) などがある〕
4. Paul Biegler, "Tech Support: How Our Phones Could Save Our Lives by Detecting Mood Shifts," Sunday Morning Herald, November 12, 2017, http://www.smh.com.au/technology/innovation/tech-support-how-our-phonescould-save-our-lives-by-detecting-mood-shifts-20171106-gzfrg5.html.

第2章

ニヒリズムと
テクノロジーの関係

2.1 —— ニヒリズムとは?

「ニヒリズム（虚無主義）」は長く複雑な歴史を持つ哲学的概念だが[1]、一般には「そんなことどうでもいい」とほぼ同じ意味合いで使われる。「ニヒリスト」とは、「そんなことどうでもいい。皆だってそう思うだろう?」という姿勢を取る人のことを指すことが多い。

しかし、「どうでもいい」などということは、およそ不可能に思える。「何がしたい?」や「何が食べたい?」といった質問に「何でもいい」と答えることはよくあるかもしれないが、こうした日常のことでも、「何でもいい」という返事は本音ではないことが多い。実際には、時間の過ごし方も、自分の体に入れるものも、気にしないわけにはいかない。このような例の場合、「何でもいい」は世の中に対する無関心というより、単に決断を避けようとしての発言だ。

だが、この2つの言い回しは密接に絡み合っている。意思決定を避けるということは、どんなに些細に見える決断でも、世の中に無関心であることになる。自分の代わりに誰かに決めてもらう方がいい——自分が悪者になりたくない、説明責任を負いたくない、考えるのを避けたい、エネルギーを費やしたくない、など理由は何であれ——というのは、私たちの暮らしに意味をもたらすものに対して、自分が関与しないということだ。こうして決断することの無意味さを強調することで、意思決定に無関心であるのを正当化するというのは、このような考え方や行動の仕方が、単なる日常の1コマから、ニヒリスティックな姿勢に簡単に変わってしまうことの表れにほかならない。別の言い方をすれば、私たちはあまりにもニヒリズムに慣れてきたために、それが日常で、普通のことで、当たり前になってきたことにも気づいていない。

2.2 ― サルトルとニヒリズムの正常性

日常生活に見られるニヒリズムは、ジャン＝ポール・サルトルが自身の哲学や小説作品で捉えようとした。サルトルは著書『存在と無』の中で、さまざまな日常の例を用いて自身が「自己欺瞞（bad faith：「悪しき信念」とも）」と呼ぶもの、特に自己欺瞞的な「行為」の分析を行っている。[2] サルトルにとって「自己欺瞞」とは、そうであるのに、そうでないようなふりをして現実に対処しなければならない結果生まれてくるものだとする。[3] たとえばサルトルは、デート相手の男性に突然手を握られた女性を例に分析を行っている。そのような場面で女性は、手を握られた事実を些細なことと考えるようにすることで、自分が当事者であることを意識の外に追いやり、現実から逃げているのだという。バベット・バビッチ（ウィンチェスター大学教授（哲学、宗教学）。テクノロジーや科学、音楽や詩など研究対象は多岐にわたる）の指摘によれば、サルトルはその男に「フリーパス」を与えているのだが、自己欺瞞は非常に伝染しやすく、デートしている男も女も「肉体より心で同じダンスを踊っている」のだという。[4]

手を握るというような状況がなぜ、哲学的分析の対象となるのかは正直わからない。単なる女性の反応として捉えるのではなく、誰もがときには経験する、後ろめたさを感じる場面で罪悪感を正当化することに結びつけて、サルトルの主張を理解しようとするのはなかなか難しい。けれども、私たちがこうした正当化に何ら恐怖を感じない事実、時間をかけてそんな状況を分析するなんてバカバカしいと考える事実こそが問題だと、おそらくサルトルは考えたのだろう。そのときの状況の外に自分自身を置くと、自由に自分を定義することができなくなる。いつ、どんな状況にあっても、人には自分で意思決定する能力があり、そうした決定をすることで、自分が自分として生きる能力を得られるものだ。

ところが、この自由というのは重荷であり、できれば背負いたくないのもまた事実である。デートで相手の行動に見かけ以上の意味を持つ可能性を感じ取ると、それを受け入れるか拒絶するかの選択をしなくてはいけなくなる。「相手が単に食事をする以上のことを求めているのではないか」と認識してしまったら、一緒に食事をするのをOKすれば、相手が「それ以上のこと」にも暗にOKしてもらえたと思う可能性を考えなくてはいけなくなる。そこまで考えるのは面倒なので、人は意識的か無意識かを問わず、今を考えないようにするさまざまな戦略を編み出すようになった。たとえば、「あとから振り返れば、今のこの状況はきっと笑える」などと自分に言い聞かせる。こうした思考は危険だ。なぜなら、人生とは、将来ではなく今を生きることなのだから。今このときに向き合うことを避けて未来に目を向けるのは、自分の人生を避けることを意味する。すなわち、現在を未来から見た過去のように考えてしまうと、一度も現在を通過することがない。それは未来も過去にしてしまうことになる。

これこそ実存主義者であるサルトルの名言「実存は本質に先立つ」[5]の意味だ。つまり、他人からどのように定義されようと、あなたという人間はあなたである。一方で、「実存する」という事実そのものは何もまとわない事実であり、自分でそれを定義しなければならない重圧を押しつける。要するに、自ら選択して実存する自分に服を着せていかなければならないのだ。人はこの重荷に耐えきれなくなると、サルトルが言うように「二重性」[6]を利用して自分の置かれている状況の真実と向き合うことを避けようとする。ここでの問題は、自分は誠実だと考えることで自分を欺き、[7]自分がついたその嘘に騙されていることに気づかないことだ。

しかし、誠実であるとはどういうことなのだろうか？　サルトルによれば、「誠実は要求として自己を示す。したがって、誠実は1つの状態ではない」[8]という。私たちは、ウェイターがウェイターになることができないのと同じように、「何者かになる」ことはできない。ウェイターはウェイターらしく振る舞っているだけだ。サルトルは言う。「彼はキャフェ（カフェ）のボーイであることを演じている」[9]と。だが、私が「何者かになる」ことができないとしたら、私は誰なのだろうか？　ここで問題なのは、こうした問いは、何を尋ねているのかを考えるときにちょっとした間違いをしてしまうことだ。私たちは「私は誰なのだろうか？」という問いに、「テーブルとは何ですか？」という問いに対するのと同じように答えようとしてしまう。説明をして、詳しく情報を並べ立て、事実を列挙する。そうすることで私たちは自分を、描写可能な事物にしてしまう。テーブルは表面が平らで、それを脚が支えていて、上に物が置けるようになっていて……というように、私たちにも構成要素があって、それをもって自分を他人と区別して定義できると思ってしまう。しかし、そんなふうに定義しようとすればするほど、最終的には自分を事細かにさらけ出さなければならなくなる。だから人は、言うなれば毎日自分自身を演じ、心の奥底ではこれは自分ではないと思いながら、本当の自分を表に出すのを恐れるようになる。だからこそ他人があなたに向かって、「それはあなたらしくない」などと言えるのだ。だがその場合、これは「あなたはあなたらしくあなたを演じていない」という意味であることを、お互いに了解している。[10]

サルトルが示したのは、人がいかに「より大きな視野」に目を向けたがり、「小さなこと」を無視しようとするかだ。その結果人は、小さなものが集まって大きな絵になっているという事実を見過ごしてしまう。人生は今の連続であり、1つ1つの今が重要で、次の今を開くにはその1つ1つの今がなくてはならない。したがって、ほかのすべての今から意味を取り去ることなしに、特定の今からだけ意味を取り去ることはできない。けれども私たちは常にこれをやっている。サルトルが、日々出会う大きな出来事の中の些末なことに目を向けたのもそのためだ。「今、何してる？」と誰かに聞かれたら、あなたは反射的にこう答えることがあるだろう。「何もしてない」。この答えは危険なものでも、抑圧を示すものでもなければ、存在意義のニヒリスティックな無化〔サルトルが展開した、「無」ということは存在しないことであり、本当の無は言葉では表せないという概念〕の証でもなく、いたってノーマルなものだ。つまりは、そうしたニヒリスティックな無化が当たり前になっているということである。

これがニヒリズムの正常性で、ニヒリストは「そんなことを誰が気にするのだ？」と言って、誰も気にしないことを主張する。これは質問ではなく挑戦状で、誰か気にするやつがいたら見つけてみろ、と挑んでいる。もっと言うと、気にしているように見える人、決断しようとしているように見える人、責任を負おうとしているように見える人は、不誠実かアブノーマルということになる。誠実でノーマルなのは、気にせず、意思決定を望まず、説明責任を負いたがらない人だ。これらは重荷だから、誰だって背負いたくない。だからニヒリズムは、サルトルが示したように、自分自身でいる重荷から逃れる手段なのだ。

意思決定を行い、自分に対して説明し、責任を持つのが人間だとしたら、「意思決定を避けること＝人間であることを避けること」ということになり、そこに日常生活におけるニヒリズムの危険性がある。ここで、人間であることを避けようとする人間の試みを理解するには、サルトルからニーチェに目を転じなければならない。ここまでのところで、サルトルを介してニヒリズムを紹介してきた。サルトルは日常生活におけるニヒリズムがどのようなもので、デートなど日々の場面でどのような役割を果たすかを教えてくれた。これでニーチェへと移っていく準備ができたので、次は、ニヒリズムが日々の暮らしだけでなく人生そのものとどのように関係するのか、ニヒリズムはどこから来て、どのような意味を持ち、どんなことをするのかを見ていこう。

2.3 ―― ニーチェとニヒリズムの系譜

『権力への意志』の第1書、Iの1番でニーチェは次のように書いている。

ニヒリズムは戸口に立っている。すべての訪問客のうちで最も気味わるいこのものはどこからくるのであろうか？　――出発点、すなわち「社会的困窮状態」や「生理学的変質」や、ましてや腐敗を指示してニヒリズムの原因とするのは、誤謬である。それは、このうえなく義理がたい、このうえなく思いやりの深い時代である。困窮、心的にせよ身的にせよ知的にせよ、困窮はそれ自体では、ニヒリズム（言いかえれば、価値、意味、願望の徹底的拒否）をうみだすことは断じてできない、これらもろもろの困窮はいぜんとしてまったくちがった諸解釈を許すものである。そうではなくて、一つのまったく特定の解釈のうちに、キリスト教的・道徳的解釈のうちに、ニヒリズムはひそんでいるのである。[11]

ニヒリズムは、内からではなく外からやって来て私たちと対峙する。そう、「客」としてやって来るのだが、必ずしも「招かれざる客」なわけではない。この客はなじみがなく、「最も気味わるい」ものではある。やって来るなり、なぜかこちらがよそ者のような気にさせられる客だが、まったく見ず知らずというわけでもない。しかしこれほど気味わるく、こちらが自分の家にいながらよそ者のような気にさせられる客とは、いったい何だろうか？　そしていったいどこから来たのだろうか？

ニーチェはこれにほとんど即答している。この客は「価値、意味、願望の徹底的拒否[12]」だと。そして、文化的衰退や肉体の衰えから来るものでも、ある種の「困窮」を感じることから来るものでもなく、「キリスト教道徳」に照らした困窮の解釈から来る否定的な振る舞いだとニーチェは説明する。ニヒリズムはこの解釈に根ざしているとニーチェは言い、ニヒリズムの種はキリスト教道徳の中にあり、キリスト教道徳によって成長を続けてきたと主張している。

これに続く著述の中にも、さらにニヒリズムへの言及がある。ニーチェはニヒリズムとは何で、どのような意味を持つのかの研究を進めていた。しかし、『権力への意志』以降の論著はニーチェ自身が編集・出版したものではなく、ニーチェの死後に編集者たちによって世に出されたものだ。よって本書では、ニーチェ死後の論著よりも、（円熟期に書かれた最も論述的な著作である）『道徳の系譜』を中心に見ていく。これは1887年にニーチェ自身が執筆・出版したものので、時期的には先に挙げた論述の多くを書いた直後に上梓された。

ニーチェの最も論述的な著作でもある『道徳の系譜』は、『権力への意志』が提起する疑問の答えを探る試みのようだ（刊行は『権力への意志』の方が後だが、『道徳の系譜』執筆時に残したであろうメモが『権力への意志』に収録されている）。『道徳の系譜』ではヨーロッパの歴史を通じて、ニヒリズムの起源とニヒリズムの発達に関する疑問の答えを探っている。特に、キリスト教道徳がヨーロッパで最良の道徳というより、唯一の道徳として認識されるようになった歴史を通じて、その発達を調査している。つまり『道徳の系譜』は、道徳の起源と進歩を探り、道徳の価値観における対立からキリスト教とニヒリズムがどうやって生まれたかを研究することで、ニヒリズムの起源と発達を追究しているのである。ニーチェがこの著作を『道徳の系譜』と名づけたのもそのためだ。これは人の家系を追跡するような試みではないが、その代わりに概念――「善」「悪」や「負い目」、あるいは「罪」といった概念の系図をたどる試みだった。ニーチェはこれらの概念を、普遍的真理としてではなく、道徳の価値観が衝突する中での生き残りを賭けた戦いの「勝者」として扱っている。この闘争ではキリスト教が圧倒的勝利を収めたために、私たちはもはや、それ以外の道徳が存在できるとすら思えなくなったという。ダーウィン以前は、ほかの人類種が存在した可能性さえ考えられなかったのと同じように。

ニーチェは道徳が当然持つ性質を指摘するところから『道徳の系譜』を始め、現代人は自分の倫理観に疑問を抱くことなく、素直に受け入れてしまっており、私たちは私たち自身を知らないと主張している。その例としてニーチェは、「善人」と見られている人は必ず世の中の役に立ち、「悪人」とみなされている人は必ず世の中に害毒をもたらすと考えるのは間違いなのではないか、と考えてみることを提案する。[13] 一般に「善人」は「善い」行いをする人で、「悪人」は「悪い」行いをする人と考えられている。「善人」が本当に世の中の利益になり、「悪人」が本当に世の中に危険をもたらすかどうか、金輪際疑うこともなく。この部分を疑わないかぎり、その価値判断自体が世の中の利益になるのか、あるいは害になるのかを確信できるはずがない。しかし、道徳的思考には回帰的な性質があり、「善」は善くて「悪」は悪いと、人は当然のように考えてしまう。その価値判断にそもそもの疑問を持つということは、道徳が確かなものだから大事にしているわけではなく、ただそう信じている、つまり信仰であるから大切にしているのだ、と白状することになる。ニーチェが『道徳の系譜』の冒頭で述べているように、私たちは自分を知らない。善悪の価値判断の答えに到達するためには、自分が持つ諸価値を問い直し、[14] これまで一度も行われてこなかったとニーチェが主張した問いを掘り下げてみる必要がある。

『道徳の系譜』の第1論文でニーチェは、自身の文献学の知識を用い、倫理観の語源的発展を2つ以上の対立する価値観が存在した紀元前のルーツにまでさかのぼっている。すなわち「貴族[15]」道徳と「奴隷[16]」道徳だ。この論文の中心テーマは、奴隷の「ユダヤ・キリスト教道徳」がいかにして支配者の「貴族道徳」に打ち克ったか、言い換えると、世界がいかにしておとなしい者たちの手に移ったかを明らかにする試みだ。ニーチェによればその答えは、奴隷は弱き立場に生まれたために賢くならざるを得ず、生まれながらにして強く、愚鈍なままでいられた支配者に対して、正面から戦いを挑むよりも、その裏をかく能力を身につけたためだという。

奴隷は支配者をユダヤ・キリスト教道徳に転向させることで支配者に打ち克ったが、これは、支配者に次のように信じ込ませることによって成し遂げられた。人には真の、それでいて目に見えない信仰する主体（「霊魂[17]」）があり、これがやはり真の、それでいて目に見えない死後の世界（「天国」または「地獄[18]」）へとつながることがあるから、地獄に落ちて永遠のときを過ごしたくなければ「悪[19]」（ここでいう「悪」とは、支配者たちが「よい」と定義していること[20]）を避けなければならない。これを避けるには、奴隷のように振る舞い、「善人[21]」となって「文化[22]」を身につけ、本能のままに行動するのを慎むことを学べばいいとされる。

『道徳の系譜』は禁欲がテーマとして貫かれており、これがキリスト教道徳とニヒリズムの台頭の両方を大きく牽引した価値観だとニーチェは考えている。『道徳の系譜』の第1論文では、強者を弱者に変えたのが禁欲だった。（奴隷が）救済の実現を望む中で、支配者が「悪い」やり方を慎み、「強い、自由な快活な行動[23]」を慎むようになったことで、弱者が強者になったのだという。その結果誕生したのが、弱者が支配する世界だ。

第2論文では、支配者の本能——特に残忍さを楽しむ本能——が完全に消えてなくなることはなく、単に抑圧されただけなので、キリスト教世界の崩壊を防ぐものとして禁欲が登場したとしている。その結果、人々の中に解放を求める本能のエネルギーが蓄積されたという。

この激変する状況を収めるのが僧侶の仕事だった。僧侶は、「負い目[24]」の概念をつくり上げることで、残忍さを楽しむ本能のリダイレクトに成功した。要するに、「自分に対して向ける場合に限定して、喜びを見出せる残忍さ」を発明したのだ。人には「罪深き」本能[25]があるから、自分で自分を罰して、「自己否認」や「自己犠牲[26]」のような「善い」習慣を追求しなさい、という。そうすれば罪の意識において「債務者」ではなく「債権者」のような感覚にもなれるし、自分の本能を厳しく否定することで、欲望を犠牲にする喜びも体験できる。当然のことながら、誰かが残忍さを意識してこうした否定や犠牲を強いたわけではなく、かといって美徳を振りかざして行われたわけでもなかった。その背後にいたのは「神[27]」。私たちの罪深き本能をすべて把握している「神」だ。私たちを私たちの罪から救うために、究極の犠牲を払って死んだ「神」。それによって、私たちが決して支払うことのできない債務、どんな自虐をもってしても償うことのできない罪を人に残したのが「神」だった。

第3論文では、禁欲は「禁欲主義」として登場し、自己否認や自己犠牲が昇華した形とされている。要するに、禁欲主義が、人の破壊的本能を迂回する手段から、誰もが望む理想的な生き方とされるようになったというのだ。ニーチェ曰く、ヨーロッパ文化の中で禁欲の理想が非常に重視されるようになったために、現代生活がニヒリスティックな「自己矛盾[28]」に陥ってしまった。これは宗教と道徳だけが対象ではなく、芸術、哲学、科学まで視野に入れて、人生が「逆説的（パラドキシカル）」[29]になり、人が生を否定することを理想として、それに向かって生きるようになったとニーチェは主張する。生を否定する理想に従っているというのは、弱者は強者に勝ったけれども、実際に強くなったわけではなく、相変わらず弱く、脆く、病弱で、死を免れず、奴隷的なままだという意味だ。

奴隷の勝利で生活はより安全に、暮らしやすくなり、危険でなくなった。なぜなら、自分たちを脅かす支配者がいなくなったからだ。けれども同時に、人生が退屈かつ無関心な、意味のないものになった。なぜなら、自分たちの刺激剤となる支配者がいなくなったからである。自由を平等と交換した結果、キリスト教道徳の世界が誕生したばかりでなく、気色の悪い世界が誕生した。道徳的であることに病み、人間であることに病み、自分であることに病む世界。そこでニーチェが目を向けたのが禁欲主義の説教師、「禁欲主義的僧侶」[30]だ。というのも、禁欲主義的僧侶こそ「ルサンチマン（怨恨）の方向転換者」[31]であり、キリスト教道徳の世界を、そのキリスト教道徳から誕生したニヒリズムから守り、そして社会をニヒリズムの病から守るのに欠かせない役割を果たすという。

「ルサンチマン」[32]は弱者の根本的性質としてニーチェが挙げた概念で、過去にはこれが支配者を倒す奴隷の原動力となり、現在は病人が自分を壊す原動力となっている。奴隷は単に支配者にルサンチマンを抱いていたのではない。強く、健康に生まれた者がいるのに、自分は弱く、脆く生まれたことを、奴隷は苦々しく思っていただけではないのだ。単に支配者を憎む代わりに、支配者が支配者であることを責め、支配者の邪魔がなければ自分が支配者になれたし、そうなるべきだったとして、奴隷は支配者を責めていた。このなんとも魅力的な憎しみと非難の感情こそ、ニーチェがルサンチマンと名づけたもので、支配者が死んでも終わることのない感情である。なぜなら、支配者の消滅は奴隷の消滅につながらず、弱く脆弱な者は、弱く脆弱なまま残るからだ。

支配者がいなくなると、自分が弱かったり脆かったりすることの憎しみをぶつける相手、つまり責任を転嫁できる相手がいなくなったために、勝ったはずの奴隷はますます病んでいく。憎しみをぶつけ、責任を転嫁できる対象はキリスト教道徳の世界だけとなった。だからこそ、キリスト教道徳世界の破壊を防ぐために、ルサンチマンの抑え方を示し、その矛先をより危険でない方向に逸らす者として、禁欲主義的僧侶がますます必要になってきたのだ。ニーチェが重く見たのは、禁欲主義的僧侶は病人を健康にするのではなく、「負い目」を発明するなどして、病人を「飼い馴らす」[33]点だった。禁欲主義的僧侶は病を外へ逃がさずに、逆にそれを内に取り込ませた。ニーチェは、禁欲主義的僧侶は症状を和らげるだけで、決して病気そのものを治そうとしないので「医者」[34]ではないという。

言い換えると、禁欲主義的僧侶の目的はニヒリズムと闘うことではなく、ニヒリズムの口当たりをよくすることだ。病人が苦しみを外に放出できるようにするのではなく、病と共存した生を送りやすくするのである。ニーチェは、この目的を達成するために禁欲主義的僧侶が使う戦術を5つ指摘している。すなわち、自己催眠、機械的活動、小さな喜び、畜群本能、そして感情の狂乱だ。禁欲主義的僧侶は、われわれは瞑想しなければならない、忙しくしていなければならない、困っている人を助けなければならない、他人と協力しなければならない、そして邪悪な者を罰しなければならないと説く。気晴らし、仕事、慈善、コミュニティ、正義といったものはすべて、言うなれば「僧侶的治療」の形態の1つ、禁欲主義的僧侶が処方する治療薬の1つで、ニーチェはこれに「原則的な異議」を申し立てている。なぜならこれらの行動は、ニヒリスティックな患者を治療するのではなく、なだめるだけだからだ。

もちろん、私たちにはこれらの行動は治療薬に見えない。ただ健康的で、ノーマルで、場合によっては人生に必要な行動そのものに思える。しかし、ニーチェが私たちに問いたかったのは、まさにこうした行動の必要性やノーマルさ、特に**健全**さだ。というのも、ニーチェはこれらの行動のすべてに、生きる意志ではなく自らの破壊を求める意志を感じたからだ。ニーチェにとって生の本質は「力への意志」[35]（本書では『権力への意志』（英語ではThe Will to Power）と表記した場合はニーチェの著作を指す。ただし、powerは権力のみを意味していないことがあるため、書名を指していないwill to powerについては「力への意志」と訳す）——政治的成功を求めるのでも、他人を支配するのでもなくて、選択する意志だ。選択するということは、苦労し、追求することである。そのためには、努力すべき対象、求める目標、そして目標達成の手段を見つけ、実行する能力が必要だ。だから、選択するというのは単に欲する以上のことを指す。私たちには手に入れたいものがたくさんある。でも、それを手に入れる意志が欠けている。だから夢は夢のままで、理想の現実がやって来ないのだ。

　力への意志とは、自分が努力できるよう努力し、ひたすら追い求めて、逃げ道を用意することなく目標への道を選び続けられるようになることだ。「力」とは、克服する力を意味する。障壁や限界を克服し、自分自身をも克服することを指す。現状維持に努めようとすると力から意志が引き剥がされてしまうので、一度達成したきりの満足感で終わらずに、自分がすでに達成したことを超えようとする必要がある。生きる、というのが力への意志、克服する意志を示すのであれば、保存の意志、現状維持の意志は生に背を向ける意志であり、禁欲主義に向かう意志となる。

　生を力への意志と定義したニーチェは、ノーマルとか当然と思われている行動を不健全だという。なぜかというと、これらは意志が意志そのものに背くことを目指しているからだ。瞑想することや、気晴らしをすることは、「行動しないこと」であり、「選択しないことを選択すること」だ。仕事とは、他人のために働くことであり、そこに他人の意志を侵入させている。自分を忙しくさせておき、自分自身の意志に気づかないようにさせるのである。人を助けると自分に力があるように感じられるだろうが、それは選択によって力を感じているのではない。自分がすでに持っているものが他人に認められるから、すでに持っているものを困っている人に与えることで他人に認められるから、力を感じるだけだ。群れをなす（畜群する）のは、多数派の意志を優先させて自分の意志を犠牲にするということである。正義にもとづいて罰するのはガス抜きで、正義を口実にでもしなければ自分の意志が通せないから、正義に盾になってもらって自分の意志を通し、日頃の鬱憤を晴らしているだけだ。

ところが、私たちはこうした行動を不健全だとか、他人に指図されているとは思わない。だから私たちはこうした行動をノーマルなこと、当然のこととして行っていて、どのように生きるかと、自分の生き方をどう感じるかを結びつけることもない。どの行動も「生きている感じ」がするし、きちんと選択しているように思える。そんなふうだからキリスト教道徳の世界が続いているわけで、それにより人々がどんどん病に冒されても、結局続いていくだろう。なぜなら、ニーチェが警告するように、人は目標がなければ生きられないからだ。たとえそれが、「人間は**何も**欲しないよりは、いっそむしろ**虚無**を欲する」[36]ことを意味するとしても。

禁欲の理想に匹敵する理想はない、とニーチェは言う。なぜなら、芸術、哲学、科学が掲げる理想は、いまだこの世界を維持することにばかり焦点が合わされていて、それを超えようとしていないからだ。結局は皆、禁欲主義の下僕であり、ニヒリズムを治療するよりもなだめることに精を出している。キリスト教道徳の世界とは対極にあるはずの科学分野に対しても、ニーチェが禁欲主義の一形式だと診断を下したのは、それが理由のようだ。だから私は、テクノロジーの分野を探る際にニーチェが参考になり、今日私たちが使っている現代テクノロジーの中にある、最新の僧侶的治療を見つけ出す助けにもなると思っている。私たちを取り巻くテクノロジーをニーチェ哲学で分析することで、テクノロジーはニヒリズムにどのような影響を与え、ニヒリズムはテクノロジーにどのような影響を与えるかが見えてくるだろう。テクノロジーがどうやってニヒリズムをなだめるのか、あるいはテクノロジーが私たちをなだめる以上のことをしようとすると、ニヒリズムが邪魔をする可能性があるのがわかるはずだ。

2.4 ── 人体改変とニヒリズムのアップグレード

さらに話を先へ進める前に、本書のプロジェクトに対する重要な反論を2つ示しておかないといけないだろう。1つ目は、ニーチェ以前はカントですら「道徳的諸価値の批判[37]」の必要性を認めていなかったのに、どうしてニーチェが初めてこの問題を提起できたのだろう、という疑問である。しかし私たちはすでに、この問いに対するニーチェの答えを見てきた。それはニヒリズムだ。ニーチェにとってニヒリズムは、自分の価値観を疑うことのできる理由であり、自分の価値観を疑わなければならない理由でもある。ニヒリズムは「価値、意味、願望の徹底的拒否」だから、世の中がニヒリスティックになればなるほど、私たちの価値が絶対的なものではなくなり、疑いを持つのが容易になる。価値を疑わなければならないのは、世の中がますますニヒリスティックになっているからだ。

『道徳の系譜』とほぼ同時期に書かれた『権力への意志』の別の箇所でニーチェが語っているように、ニヒリズムは「二義的」なもので、「能動的」で「精神の上昇した権力の徴候」とも、「受動的」で「精神の権力の衰退と後退」とも見ることができる。[38] 価値を疑うということは、価値の常識を積極的に否定するということだが、あまりにも長いあいだその価値を素直に受け入れてきたために、価値の存在感が弱まって、疑いを抱く必要さえ感じなくなっている。よって、能動的ニヒリズムは受動的ニヒリズムの結果と捉えられる一方、受動的ニヒリズムの拡大を阻止するための方法とも捉えられる。

受動的ニヒリズムから、これまでの価値は本当に価値があるのか、そもそも価値を見出すことに価値があるのか、さらには、疑うことに価値があるのか、という疑問が浮き上がってくる可能性がある。ニーチェはこれについて、次のように述べている。

（能動的ニヒリズムの反対は）もはや攻撃することのない疲労のニヒリズムであろう。その最も有名な形式は仏教である、すなわち、受動的ニヒリズムとして、弱さの徴候として。精神の力は、疲れはて、憔悴しきり、そのためこれまでの目標や価値が適合しなくなり、いかなる信仰をもみいだしえないことがある――、かくして価値や目標の綜合（これにあらゆる強い文化はもとづいている）が解け、そのため個々の価値がたがいに戦いあうにいたる、すなわち崩壊――かくして、活気づけ、癒し、鎮め、麻痺せしめるすべてのものが、宗教的とか、道徳的とか、政治的とか、美的とかなど、さまざまに変装して、前景にあらわれでてくる。[39]

　この箇所から、次の問いを考え始めることができる。ニーチェにとってテクノロジーは単にニヒリスティックなものなのか、それとも受動的ニヒリズムの表れになるのか？　テクノロジーは今日、多くの人々にとって「活気づけ、癒し、鎮め、麻痺せしめる」ものなので、まさに「さまざまに変装」した姿の1つだ。受動的ニヒリズムは、そこから「あらわれでてくる」ように思える。だがもし今日、テクノロジーの分野で従来の価値を疑い、新たな価値を創造しようとしている動きがあるのだとしたら、テクノロジーは能動的ニヒリズムで、弱さではなく強さの、疲労ではなく攻撃的エネルギーに満ちた徴候と見るべきだと反論もできるかもしれない。

　しかし、その判断をする前にまず、テクノロジーと人間の関係を取り巻く議論を見ておくべきだろう。というのも、単純にニーチェはあまりにも古い時代の人物で、彼を拠りどころに現代の問題を論じることはできないというのが、2つ目の反論として考えられるからだ。ニーチェは、人間であるということは肉体があることであり、脆いことであり、必ず死ぬということだと考えていた。だから、ニヒリスティックとはその肉体性や脆さ、必ず死ぬ運命を避けること、と考えていたようだ。しかし、もしこの前提が間違っていたら、あるいは少なくとも時代遅れだったら？　もし肉体性や脆さ、必ず死ぬ運命が人であることの条件ではなく、単に歴史上の偶然にすぎないとしたら？　それは人間らしさの一面であるだけで、すぐ後ろに追いやってしまえるものだとしたら、どうだろう？

これは最近の技術革新に刺激されたムーブメント、トランスヒューマニズムが提示する問題でもある。[40] トランスヒューマニズムは、テクノロジーで人体を改変し機能を向上させることだ（たとえばケビン・ワーウィックは自身を「サイボーグ」に改変した）[41]。さらに過激なトランスヒューマニズムになると、人体を改変するだけでは飽きたらず、人体を機械に置き換えてしまおうとする（たとえばレイ・カーツワイルが予言した「技術的特異点（シンギュラリティ）」など）[42]。トランスヒューマニストはテクノロジーを通じて人体のアップグレードを求めているのであり、人体をテクノロジーと融合させようとしているのだ。

人体の改変と、機械への置き換えでは目指すところが違うように見えるかもしれないが、このトランスヒューマニズムの両形態の考え方はほぼ同じだ。つまり、人というのは不完全な存在だから、改良できるし、改良しなければならないと考えている。トランスヒューマニストから見た人間の不完全さは、有限の肉体に無限の意識が閉じ込められていることにある。もちろん、この発想は心／身体の二元論（デュアリズム）として知られるようになったものの基礎であるから、目新しいものではない。数多の哲学者や数多の宗教が、さまざまな形でこの二元論を取り上げ、さまざまな思想を展開してきた。それぞれに共通するのは、魂、精神、思惟するもの（リス・コギタンス）（デカルトが提唱した概念で、思考や意識の実質的な要素を意味する）、合理性、知性、意識など、人の思考に関係する部分はすべて、どんな名前で呼ばれていたとしても、無限で、不死だということだ。しかしそれらは、肉体という不純で、有限で、致死のものに閉じ込められている、という。

この二元論的な見方には、ニーチェばかりではなく、現象学者や実存主義者、フェミニストの哲学者、人種哲学者、批評理論家、構造主義者、ポスト構造主義者など多くの人が異議を唱えてきた。この見方は一方で、現世を超える世の存在を仮定するニヒリスティックな面を持つ。文字どおりの死だろうと、生きながらの死（たとえば、仏教やキリスト教の聖職者が好む生を禁欲で放棄することによる死）だろうと、死ねば到達できるよりよい世界を仮定している。またその一方でこの見方には、イデオロギー的な面がある。要するに、理性を欠く肉体性に支配された人や、客観性を欠く感情的な人、つまり支配権を持つよりは支配されるべき人（たとえば女性や有色人種。はっきり言えば裕福な異性愛者のキリスト教徒の男性ではない人）を政治的に支配するときに、これを形而上学的に正当化するために用いるのだ。

しかしトランスヒューマニズムは、二元論は理論ではなく現実だと主張することで、簡単にこれらの問題をすべて回避しようとしている。ここでこの思想の「（実現）できる」の部分の登場となる。トランスヒューマニズム思想の「できる」の部分は、アップグレードを目標にするなら生物医学テクノロジーの進歩の結果であり、融合を目指すなら人工知能テクノロジーの進歩の結果といえる。寿命を延ばすために器具を埋め込む治療や、遺伝子操作はすでに存在し、病気や機能障害を治すだけでなく、死そのものを治す夢が膨らみ始めている。同様に、人の言動を理解し、人と会話をして、人と渡り合えるほどの学習機能を持った機械のテクノロジーもすでに存在しており、人工知能とともに暮らすだけでなく、人工知能を通じて暮らすという夢も膨らみ始めている。

この理論には「（実現）すべき」の面もあり、トランスヒューマニズムの両形態に共通するイデオロギー基盤から生じる。つまり不完全なもの、自然な姿としての（これまでの）人間を拒絶することだ。ニック・ボストロム〔トランスヒューマニズム関連の研究や著作で有名な哲学者。オックスフォード大学教授〕は論文「In Defense of Posthuman Dignity（ポストヒューマンにおける尊厳の保護について）」で次のように書いている。

> トランスヒューマニストは、人は幅広くエンハンスメント（能力増強）が可能でなければならず、どの技術を自分に用いるか、注意深く広範囲に検討しなければならない（形態の自由）、そして妊娠・出産に関しては、どの生殖技術を用いるか親が決めるのが当たり前にならなければならない（出産の自由）との見方を推進している。[43]

このように見てくると、トランスヒューマニズムは単に自由と平等を求める議論のように感じる面もある。人の暮らしをよくするテクノロジーがあるのなら、誰もが――それを入手できる財力のある人だけでなく――そのテクノロジーに手が届くようにしなければならない。これは誰もがエンハンスメントしなければならないという意味ではなくて、エンハンスメントのテクノロジーを利用するかしないか、誰もが自分で決められなければいけないという意味だ。しかし、この主張は「形態の自由」には適用できるかもしれないが、「出産の自由」に適用しようとするとすぐに崩れ去る。なぜならこの自由は決断を下す親にしか当てはまらず、子どもはその決断の結果として放置されるからだ。

障害者差別というのは、「ノーマル」な人間の能力というものがあり、したがってその能力が欠けている人はすべて障害者であるばかりでなく、アブノーマルな劣位の人間で、修正して人間にする必要があるという考え方が含まれる。つまりボストロムの言う「出産の自由」を肯定すれば、トランスヒューマニズムの障害者差別が明らかになるのだ。メリンダ・ホール〔ステッソン大学準教授〕は次のように書いている。

トランスヒューマニストが従属や脆さを排除あるいは軽減することを求める一方で、障害者権利の擁護者はこの考え方の恥ずべき点を捨て去り、すべての人々の違いを尊重しようとしている。トランスヒューマニストはすべての人を不完全な人間とすることで、その主張を一般化するつもりだ。しかしこの動きは欠点を改良するのではなく、単にその視点をずらすにすぎない――したがって障害者差別は維持され、それどころか強化されてしまう。[44]

ボストロムやトランスヒューマニズムの主張は、子どもは皆エンハンスメントを望んでおり、増強されない人生は生きる価値がないという仮定にもとづいている。[45]

トランスヒューマニズムの「すべき」という側面の真の意味を明らかにするのも、「出産の自由」の主張だ。ボストロムは次のように述べている。

トランスヒューマニストは［ボストロムが「バイオ保守主義（急進的な技術進歩、特に人体の改変を伴う技術革新に懐疑的な見方）」と呼ぶものに応えて］、自然に授かったものはときに汚染されていることがあり、必ずしも受け入れるわけにはいかない、と反論する。癌、マラリア、認知症、加齢（エイジング）、飢餓、無用な苦しみ、認知機能障害などはすべて、誰もが拒否したい贈り物だ。われわれの種に特有の性質は、まったくもって褒められたものではなく、受け入れがたいものに満ち満ちていて――病気、殺人、レイプ、大虐殺、ずる、拷問、人種差別が簡単に広がる。一般的に見てこの自然の性質のおぞましさ、特に人間が自然に備える性質のおぞましさは非常によく知られているはずで、レオン・カスほどの優秀な人が今の時代になお自然に頼り、望ましいものや規範的に正しいものを求めるのは驚きである。［中略］自然の秩序にまかせるのではなく、「われわれは人道的価値や個人の希望に従って、自分たちや自然を合法的に改良できる」というのがトランスヒューマニストの主張である。[46]

もっと乱暴な言い方をしている部分を拾うとこうである。

もし母なる自然が本当の親だとしたら、この母親は児童虐待と殺人のかどで刑務所行きとなるだろう。[47]

「加齢」「無用な苦しみ」「認知機能障害」が、ボストロムが挙げる自然からの「汚染された」贈り物、つまり「癌」「マラリア」「認知症」「飢餓」などの贈り物と同じ部類に入れられていることがわかる。癌やマラリア、認知症、飢餓などは、人類の歴史で死刑宣告のようにみなされてきたが、今日ではテクノロジーで解決されたか、解決され得る問題だ。ここに加齢や無用な苦しみ、さらに認知機能障害まで含めるということは、これらもまたテクノロジーで解決すべき問題だと言っていることになる。さらにここから読み取れるのは、これらの贈り物が人生の一部なのは、それが単に「人であるから」ではなく、歴史上たまたま起こったことを、「実存」という観点から必要なことと取り違えているだろうということだ。

癌の治療は本当にアンチエイジングと同じなのだろうか？ 癌は人体にとって異常なことであり、遺伝子の変異であって、遺伝または環境因子によって引き起こされる。これに対してエイジングは異常ではなく、正常に起こり得るものだ。自然は変化である。成長であり、衰退である。加齢を「汚染されている」とか「おぞましい」と見ることは、自然の恵みには目を向けずに悪い点のみ見ているだけで、今の自分の肉体と心はテクノロジーのユートピアがあれば得られるはずだと叫び、呪うようなものだ。

先ほど引用した箇所の中で、ポストロムは「病気」や「ずる」を、「レイプ」「大虐殺」「拷問」「人種差別」といった、「褒められたものではなく、受け入れがたい」人間性の側面と並べている。ここから、肉体と心に対する非難の奥にあるものがさらに明らかになってくる。確かに、レイプ、大虐殺、拷問、人種差別は人間性に背く犯罪だ。トランスヒューマニズムは加齢を汚染された贈り物と見るのだから、病気も同じく犯罪のように扱われても驚くにはあたらない。しかし、ずるは犯罪というよりはタブーに近く、ある時代のある社会に存在する規範からの逸脱というニュアンスがある。また、ずるは規範に関係するものだから、それがタブーとして扱われている社会にしか存在しない。要するに、ずるは特定の社会構造を持った特定の社会における暮らしの産物ということができる。だがボストロムは、ずるも、レイプも大虐殺も拷問も人種差別も病気のようなもので、社会ではなく自然の産物であり、したがってテクノロジーで「治療」が可能だと主張しているように思える。どうやら、ボストロムの目にはそれらが「人であること」の一部ではなく、個人の性格と社会構造の関係から生じる産物でもなくて、人間性に背く犯罪であり、「母なる自然」が「児童虐待と殺人のかどで刑務所行きとなる」証拠と映っているようだ。

ボストロムが提唱するトランスヒューマニズムは、まさに彼が批判するバイオ保守主義の判断ミスと同じ罪を犯している。ここではボストロムは自然を「望ましいものや規範的に正しいもの」にたどり着くためのガイドとしても見ているが、それは自然を擁護するためではなく非難するためだ。自然の姿は正しくなく、好ましくないものだという。トランスヒューマニストはそうした世の中の間違いは全部、人や社会ではなく自然のせいだと考える。トランスヒューマニストが苦難を経験した場合、その苦難は個人の成長の機会でも、世の中が変わるきっかけでもなく、製造上の欠陥により苦難を受けやすくなった証拠であり、技術的な変革のきっかけになると捉えられるのだ。

トランスヒューマニズムはバイオ保守主義を「テクノロジーの上位に自然を置いている」と

いって確かな理由もなく糾弾しそうだが、それとまったく同様に、それが自然ではないという理由だけでテクノロジー的なものを優先するという過ちを犯している。トランスヒューマニズムは障害者差別の延長のような思想だ。トランスヒューマニズムにとって、すべての判断基準は「ノーマルな」人間ではなく、「テクノロジー的な」人間かどうかだ。まだ存在もしないのに、人がそうなりたいと切望し、また切望するべきとして思い描かれる人間がすべての判断基準になる。バベット・バビッチは次のように書いている。

私たちは人間ではないものになりたい。私たちは、ギュンター・アンダースが1956年にすでに『時代おくれの人間』の中で書いているように、「プロメテウス的恥辱〔独り歩きを始めたテクノロジーや効率主義に対して、その恩恵にあずかりながら、その技術を誇りに思わずむしろ劣等感を感じてしまうこと〕」を克服したいのであり、精度、耐久性、交換可能性のすべてにおいて完璧な、正確に製造された物体のようになりたい。ロボットの登場するSFがずっとこうした可能性を探ってきたように、私たちは、パーツの交換が可能で、無限にアップグレードできる物体になることを心から望んでいる。心臓が悪い？　交換しましょう。目が悪い？　光学センサーに取り換えて、ロボコップのように、たとえば暗闇でも、壁を通してでもグリッドを描いて、オートフォーカスで見えるようにし、サイボーグの視界にアップグレードすればいい。精神を病んでいる？　つまり「鬱」という名の現代「病」に苦しめられている？　その緩和に役立つ薬はいくらでもありますよ。でも私たちが望むのは、少なくとも私たちが思うには、永遠に生きることだ。[48]

何がトランスヒューマニズムを鼓舞し、動かしているのだろうか。それを理解するのにもニーチェは役立つ。ニーチェは「私を殺さないものは、私をいっそう強くする」[49]と『偶像の黄昏』に書いたが、ボストロムは「私の息の根を止めることができないものは、テクノロジーで治療すべき弱点を露呈している」と言及しているようなものだ。

トランスヒューマニズムは、ニーチェの言葉「『人類』ではなく、超人こそ目標である！」[50]に従って「超人」[51]を実現させようとしているようにも映る。だがニーチェの思想に沿うと、トランスヒューマニズムは単に超人が克服しようとしたニヒリズムを継続させるだけのように思える。チアノ・エイディン〔トゥエンテ大学教授〕は次のように書いている。

超人を超越の指標のように捻じ曲げて見るのは、逆説的な挑戦を表明する試みである。人の存在の中に、どんな方法でも操れず、適応させて飼い馴らすことのできない次元を認めることが、ラジカルな自己変革に必要な条件である。この超越的な次元の美徳があるために、人は決して現状のままには留まれない。これは、人は決して断定しきれるものではないとするニーチェの考えでも示されていることである。ラジカルな自己変革は、求める理想が、どうしても自分の認める現在（および過去）にまで近づけることができない場合にのみ行われる。人は完全に自分の人生や運命をデザインできるようになると主張するトランスヒューマニストは、この超越的次元を否定し、理想とする人間に照らして、現代の（ヒューマニストの）完璧なイメージ、すなわち偶像に人間を格下げしてしまっている。人というものは、自分が思う自分自身を超える以外の目標を持たないものだ。[52]

超人とは、ニーチェにとっては人の成長の一段階で、（仮に超人が存在したとして）[53]支配者の価値決定と、奴隷の価値転換[54]があったあとにしかなり得ない。超人は価値観を克服するのではなく、価値観の再定義をする超越のステージである。支配者はその行動を通じて神々の愛を獲得する。奴隷は唯一の真の神に愛されて生まれてくる。そして超人は――たとえそれで「狂気の人間」[55]のように見えたとしても――「神は死んだ」[56]という認識を受け入れ、絶対的な永遠の価値判断の下地になるような超越的な存在や領域などない、と認識することができる（「狂気の人間」や「神は死んだ」については第9章を参照）。

ニーチェ同様にトランスヒューマニストも「神は死んだ」と言っているように見えるが、実際には「テクノロジーが神だ」と考えている。これは、科学は宗教に対立するように見えるが、「神への信仰」を「真理への信仰[57]」に置き換え、「弁明[58]」もなく科学こそが私たちの行動すべてを導くのが当然だと考え、宗教を長続きさせているだけなのである。これがニーチェの考え方だ。トランスヒューマニストは「神」を「テクノロジー」に置き換えた。名称は変わったかもしれないが、その価値の中身、価値が提供する機能は変わっていない。

　死でこの世の喧騒を抜け出し、魂が本来いるべき場所に帰っていくのを私たちは長いこと夢見てきた。そのあいだに世の中はどんどん宗教的でなくなり、現在のような無神論の時代においては、特にテクノロジーが私たちの先導役を務めているように人は思うかもしれないが、かつての夢は今もそのまま存在する。雲（クラウド）の向こうにある天国がクラウド・コンピューティングの天国に置き換えられたかもしれないが――『ブラック・ミラー』〔２０１１年から放送されているイギリスのＳＦテレビアンソロジー〕のエピソード「サン・ジュニペロ」〔『ブラック・ミラー』のシーズン3のエピソードの1つ。仮想現実の世界サン・ジュニペロで2人の女性が出会い、恋に落ちて、現世で暮らすことと仮想現実の世界に意識だけアップロードされて暮らす選択肢を前に葛藤するストーリー〕のように――それでも同じニヒリスティックな夢である。ニーチェの主張から１００年以上経った今でも、なお身につまされる部分があり、自分たちのニヒリスティックな夢を今一度見直して、たとえ避けられなくても、ニヒリスティックな悪夢の予測ができるよう、ニーチェの主張を振り返ってみる必要があるのだ。

ニヒリズムと闘うのではなく、その口当たりをよくして、今日のニヒリズム・ライフを最も助長しているのはテクノロジーなのか？　禁欲主義的僧侶の役割を果たしているのは、こうしたテクノロジーの開発者なのか？　私が「人とニヒリズムの関係」としてまとめたニーチェの分析（第4章から8章で述べる）と、人とテクノロジーの関係に関するドン・アイディの分析（これについては次章で議論する）を総合すればそれを確認できる。もしテクノロジーとその開発者がキリスト教道徳の世界にくさびを打ち込まないのであれば、テクノロジーは「伝統的道徳観2・0」を提示するだけで、何ら変わらない道徳世界を確実に存続させてしまう。そうなったら、テクノロジーは人類進歩の証ではなく、むしろ後退の証となる。人類をある一面で進歩させはするが、より不健全に、より自己破壊的に、よりニヒリスティックにする危険性がある。このあとの章で答えを探っていきたい問題はこれだ。テクノロジーはイノベーションの成果ではなく、禁欲主義の産物なのか？　私たちがこの手に収められるはずの人生を否定することがテクノロジーの理想なのか？

原注

1. ニーチェの解釈の中だけでも、「ニヒリズム」を定義しようとする試みには、長く複雑な歴史がある。その変遷については、Babette Babich, “Ex aliquo nihil: Nietzsche on Science, Anarchy, and Democratic Nihilism,” American Catholic Philosophical Quarterly 84, no. 2 (2010): 231.56を参照。また、Douglas BurnhamのThe Nietzsche Dictionary (London and New York: Bloomsbury, 2015), 236.39の「ニヒリズム」の項、およびAndreas Urs Sommer, “Nihilism and Skepticism in Nietzsche,” in A Companion to Nietzsche, ed. Keith Ansell-Pearson (Oxford: Blackwell, 2006), 250.29も参照。
2. Jean-Paul Sartre, Being and Nothingness, trans. Hazel Barnes (New York: Washington Square Press, 1992), 96.〔邦訳　ジャン＝ポール・サルトル『存在と無I』第2章、松浪信三郎訳、筑摩書房、2007年〕
3. Sartre, Being and Nothingness, 100.〔邦訳　ジャン＝ポール・サルトル『存在と無I』第2章II、松浪信三郎訳、筑摩書房、2007年〕
4. Babette Babich, “On Schrodinger and Nietzsche: Eternal Return and the Moment,” in Antonio T. de Nicolas: Poet of Eternal Return, ed. Christopher Key Chapple (Ahmedabad, India: Sriyogi Publications & Nalanda International, 2014), 171.72.
5. Sartre, Being and Nothingness, 725. Jean-Paul Sartre, “The Humanism of Existentialism,” in Essays in Existentialism, ed. Wade Baskin (New York: Citadel Press, 1965), 34も参照。
6. Sartre, Being and Nothingness, 100.〔邦訳　ジャン＝ポール・サルトル『存在と無I』第2章II、松浪信三郎訳、筑摩書房、2007年〕
7. Friedrich Nietzsche, On the Genealogy of Morals and Ecce Homo, trans. Walter Kaufmann (New York: Vintage Books, 1989), 39.

8. Sartre, Being and Nothingness, 100.〔邦訳 ジャン＝ポール・サルトル『存在と無I』第2章II、松浪信三郎訳、筑摩書房、2007年〕
9. Sartre, Being and Nothingness, 102.〔邦訳 ジャン＝ポール・サルトル『存在と無I』第2章II、松浪信三郎訳、筑摩書房、2007年〕
10. Sartre, Being and Nothingness, 102:「ぼんやりしている食料品屋くらい、買物客にとって癪にさわるものはない。そういう食料品屋は、もはや完全に食料品屋ではないからである。礼儀上、彼は食料品屋の職務のうちに自己をとどめておくように要求されている。ちょうど、「気をつけ」をかけられた兵士が、自己を事物－兵士たらしめるのと同様である。彼の眼は前方を直視しているが、決して見ているのではない。彼の眼はもはや見るためのものではない。視線を固定しなければならない地点を規定するのは、規則であってその瞬間の関心ではないからである（眼は《十歩前方に固定すべし》）。そこには、人間を彼があるところのもののうちに閉じこめる用心が見られる。まるでわれわれは、その人間がその地点から逃げ去りはしないか、彼が突然、彼の身分からはみ出し、彼の身分をのがれはしないかと、たえず心配しているかのようである」〔邦訳 ジャン＝ポール・サルトル『存在と無I』第2章II、松浪信三郎訳、筑摩書房、2007年〕
11. Friedrich Nietzsche, The Will to Power, trans. Walter Kaufmann and R. J. Hollingdale (New York: Vintage Books, 1967), 7.〔邦訳 フリードリヒ・ニーチェ『権力への意志 上』第1書「計画」、原佑訳、筑摩書房、1993年〕
12. Nietzsche, Will to Power, 7.〔邦訳 フリードリヒ・ニーチェ『権力への意志 上』第1書「計画」、原佑訳、筑摩書房、1993年〕
13. Nietzsche, Genealogy, 20.〔邦訳 フリードリヒ・ニーチェ『善悪の彼岸 道徳の系譜』「道徳の系譜」序言6番、信太正三訳、筑摩書房、1993年〕
14. Nietzsche, Genealogy, 20.〔邦訳 フリードリヒ・ニーチェ『善悪の彼岸 道徳の系譜』「道徳の系譜」序言6番、信太正三訳、筑摩書房、1993年〕

15. Nietzsche, Genealogy, 29.〔本原注によると、邦訳　フリードリヒ・ニーチェ『善悪の彼岸　道徳の系譜』「道徳の系譜」第1論文4～5番、信太正三訳、筑摩書房、1993年　を指しているが、本訳の用語は原書の英文の意味に沿って同第1論文10番を参考にした〕
16. Nietzsche, Genealogy, 36.〔邦訳　フリードリヒ・ニーチェ『善悪の彼岸　道徳の系譜』「道徳の系譜」第1論文10番、信太正三訳、筑摩書房、1993年〕
17. Nietzsche, Genealogy, 46.〔邦訳　フリードリヒ・ニーチェ『善悪の彼岸　道徳の系譜』「道徳の系譜」第1論文15番、信太正三訳、筑摩書房、1993年〕
18. Nietzsche, Genealogy, 47-49.〔邦訳　フリードリヒ・ニーチェ『善悪の彼岸　道徳の系譜』「道徳の系譜」第1論文15番、信太正三訳、筑摩書房、1993年〕
19. Nietzsche, Genealogy, 34.〔邦訳　フリードリヒ・ニーチェ『善悪の彼岸　道徳の系譜』「道徳の系譜」第1論文10番、信太正三訳、筑摩書房、1993年〕
20. Nietzsche, Genealogy, 28.〔本原注によると、邦訳　フリードリヒ・ニーチェ『善悪の彼岸　道徳の系譜』「道徳の系譜」第1論文4～5番、信太正三訳、筑摩書房、1993年　を指しているが、本訳の用語は原書の英文の意味に沿って同第1論文10番を参考にした〕
21. Nietzsche, Genealogy, 34.〔邦訳　フリードリヒ・ニーチェ『善悪の彼岸　道徳の系譜』「道徳の系譜」第1論文10番、信太正三訳、筑摩書房、1993年〕
22. Nietzsche, Genealogy, 42.〔邦訳　フリードリヒ・ニーチェ『善悪の彼岸　道徳の系譜』「道徳の系譜」第1論文11番、信太正三訳、筑摩書房、1993年〕
23. Nietzsche, Genealogy, 33.〔邦訳　フリードリヒ・ニーチェ『善悪の彼岸　道徳の系譜』「道徳の系譜」第1論文7番、信太正三訳、筑摩書房、1993年〕
24. Nietzsche, Genealogy, 65.〔邦訳　フリードリヒ・ニーチェ『善悪の彼岸　道徳の系譜』「道徳の系譜」第2論文4番、信太正三訳、筑摩書房、1993年〕
25. Nietzsche, Genealogy, 92.〔邦訳　フリードリヒ・ニーチェ『善悪の彼岸　道徳の系譜』「道徳の系譜」第2論文19番、信太正三訳、筑摩書房、1993年　ただし、原書に相当する邦訳語が見当たらなかったため、本書本文ではオリジナルの訳とした〕
26. Nietzsche, Genealogy, 88.〔邦訳　フリードリヒ・ニーチェ『善悪の彼岸　道徳の系譜』「道徳の系譜」第2論文18番、信太正三訳、筑摩書房、1993年〕

27. Nietzsche, Genealogy, 92.〔邦訳 フリードリヒ・ニーチェ『善悪の彼岸 道徳の系譜』「道徳の系譜」第2論文19番、信太正三訳、筑摩書房、1993年〕
28. Nietzsche, Genealogy, 117.〔邦訳 フリードリヒ・ニーチェ『善悪の彼岸 道徳の系譜』「道徳の系譜」第3論文11番、信太正三訳、筑摩書房、1993年〕
29. Nietzsche, Genealogy, 118.〔邦訳 フリードリヒ・ニーチェ『善悪の彼岸 道徳の系譜』「道徳の系譜」第3論文11番、信太正三訳、筑摩書房、1993年〕
30. Nietzsche, Genealogy, 120.〔邦訳 フリードリヒ・ニーチェ『善悪の彼岸 道徳の系譜』「道徳の系譜」第3論文13番、信太正三訳、筑摩書房、1993年〕
31. Nietzsche, Genealogy, 126.〔邦訳 フリードリヒ・ニーチェ『善悪の彼岸 道徳の系譜』「道徳の系譜」第3論文15番、信太正三訳、筑摩書房、1993年〕
32. Nietzsche, Genealogy, 38.〔邦訳 フリードリヒ・ニーチェ『善悪の彼岸 道徳の系譜』「道徳の系譜」第1論文10〜11番、信太正三訳、筑摩書房、1993年〕
33. Nietzsche, Genealogy, 126.〔邦訳 フリードリヒ・ニーチェ『善悪の彼岸 道徳の系譜』「道徳の系譜」第3論文15番、信太正三訳、筑摩書房、1993年 本原注の引用元を邦訳で参照すると「手なずける」になるが、同書のほかの箇所では「飼い馴らす」もよく使われているため、本書では後者をとった〕
34. Nietzsche, Genealogy, 129-30.〔邦訳 フリードリヒ・ニーチェ『善悪の彼岸 道徳の系譜』「道徳の系譜」第3論文17番、信太正三訳、筑摩書房、1993年〕
35. Nietzsche, Genealogy, 78-79.〔邦訳 フリードリヒ・ニーチェ『善悪の彼岸 道徳の系譜』「道徳の系譜」第2論文12番、信太正三訳、筑摩書房、1993年〕
36. Nietzsche, Genealogy, 97.〔本原注によると、邦訳 フリードリヒ・ニーチェ『善悪の彼岸 道徳の系譜』「道徳の系譜」第2論文21番、信太正三訳、筑摩書房、1993年 の「虚無主義的な逃避」や「虚無への渇望」を指しているようだが、原書の英文の意味に沿い、ここでは同書の第3論文28番の「道徳の系譜」最後の1文を引用した〕
37. Nietzsche, Genealogy, 20.〔邦訳 フリードリヒ・ニーチェ『善悪の彼岸 道徳の系譜』「道徳の系譜」序言6番、信太正三訳、筑摩書房、1993年〕

38. Nietzsche, Will to Power, 17.〔邦訳　フリードリヒ・ニーチェ『権力への意志　上』第1書I-22番、原佑訳、筑摩書房、1993年　本原注には「Genealogy」と記載されていたが、内容から『権力への意志』の誤りであると判断し修正した〕

39. Nietzsche, Will to Power, 18.〔邦訳　フリードリヒ・ニーチェ『権力への意志　上』第1書I-23番、原佑訳、筑摩書房、1993年〕

40. 混同の可能性を避けるために、ここで「トランスヒューマニズム」と「ポストヒューマニズム」の違いを明らかにしておくべきだろう。トランスヒューマニストはよく、「ポストヒューマン」という概念を、テクノロジーによって人間がどのようになれるかを表すのに用いる。他方で「ポストヒューマン」の概念、つまり人間であるとは何かについてのヒューマニズム的な解釈における前提としてのイデオロギーを、テクノロジーがどのように明らかにするかを表すのに用いるテクノロジー思想家がいる。前者はポストヒューマン - イスト、後者はポスト - ヒューマニストとして区別できる。ポストヒューマン - イストに属するのは、ケビン・ワーウィック、レイ・カーツワイル、ニック・ボストロム。一方のポスト - ヒューマニストには、ダナ・ハラウェイ、N・キャサリン・ヘイルズ、ロッシ・ブライドッチがいる。トランスヒューマニズムおよび「ポストヒューマン」の概念に関する私の批判は、ポストヒューマン - イスト・プロジェクトに対する批判としてのみ読んでいただきたい。この点をはっきりさせるようアドバイスしてくれた匿名のレビュワーに感謝する。

41. James Edgar, " 'Captain Cyborg': The Man Behind the Controversial Turing Test Claims," Telegraph, June 10, 2014, http://www.telegraph.co.uk/news/science/science-news/10888828/Captain-Cyborg-the-man-behind-thecontroversial-Turing-Test-claims.html.

42. Lev Grossman, "2045: The Year Man Becomes Immortal," TIME, February 10, 2011, http://content.time.com/time/magazine/article/0,9171,2048299,00.html.

43. Nick Bostrom, "In Defense of Posthuman Dignity," Bioethics 19, no. 3 (2005): 203.
44. Melinda Hall, The Bioethics of Enhancement: Transhumanism, Disability, and Biopolitics (Lanham, MD: Lexington Books, 2017), 133.
45. たとえば、Steve Fuller, "We May Look Crazy to Them, But They Look Like Zombies to Us: Transhumanism as a Political Challenge," Institute for Ethics and Emerging Technologies, September 8, 2015, https://ieet.org/index.php/IEET2/more/fuller20150909を参照。
46. Bostrom, "Posthuman," 205.
47. Bostrom, "Posthuman," 211.
48. Babette Babich, "Nietzsche's Post-Human Imperative: On the 'All-too-Human' Dream of Transhumanism," in Nietzsche and Transhumanism: Precursor or Enemy?, ed. Yunus Tuncel (Cambridge: Cambridge Scholars Publishing, 2017), 122.
49. Friedrich Nietzsche, Twilight of the Idols, trans. Duncan Large (Oxford: Oxford University Press, 1998), 5.〔邦訳　フリードリヒ・ニーチェ『偶像の黄昏　反キリスト者』「偶像の黄昏」「箴言と矢」8番、原佑訳、筑摩書房、1994年〕
50. たとえば、Max MoreとStefan SorgnerによるNietzsche and Transhumanism: Precursor or Enemy?, ed. Yunus Tuncel (Cambridge: Cambridge Scholars Publishing, 2017)への寄稿を参照。
51. Nietzsche, Will to Power, 519.〔邦訳　フリードリヒ・ニーチェ『権力への意志　下』第4書I-6-1001番、原佑訳、筑摩書房、1993年〕
52. Ciano Aydin, "The Posthuman as Hollow Idol: A Nietzschean Critique of Human Enhancement," Journal of Medicine and Philosophy 42, iss. 3 (June 1, 2017): 322.

53. Aydin, “Hollow,” 312:「超人は、存在したことがないばかりでなく、今後も特別なものとして存在することは決してない。［中略］そのきわめて特異な性質から、超人は概念化することも具現化することもできない」

54. Nietzsche, Genealogy, 33.34.〔邦訳　フリードリヒ・ニーチェ『善悪の彼岸　道徳の系譜』「道徳の系譜」第1論文7番、信太正三訳、筑摩書房、1993年〕

55. Friedrich Nietzsche, The Gay Science, trans. Walter Kaufmann (New York: Random House, 1974), 181.〔邦訳　フリードリヒ・ニーチェ『悦ばしき知識』第3書125番、信太正三訳、筑摩書房、1993年〕

56. Nietzsche, Gay Science, 167.〔邦訳　フリードリヒ・ニーチェ『悦ばしき知識』第3書108番、信太正三訳、筑摩書房、1993年〕

57. Nietzsche, Genealogy, 151.〔邦訳　フリードリヒ・ニーチェ『善悪の彼岸　道徳の系譜』「道徳の系譜」第3論文24番、信太正三訳、筑摩書房、1993年〕

58. Nietzsche, Genealogy, 152.〔邦訳　フリードリヒ・ニーチェ『善悪の彼岸　道徳の系譜』「道徳の系譜」第3論文24番、信太正三訳、筑摩書房、1993年〕

第3章

ハイデガーのテクノロジー論への反論とポスト現象学

3.1 ── テクノロジーとは何か？

　テクノロジーの話をする場合、大ざっぱに言って3つの見方がある。1つ目は悲観的な見方だ。テクノロジーを支配的な力、世界を乗っ取る力と捉え、止められるものなら、あるいは少なくとも制御できるものなら、その努力をしなければならない力と考える。2つ目は楽観的な見方。こちらはテクノロジーを解放軍的な力と捉え、世の中を立て直してくれる力だからどんどん拡張すべきであり、できるだけ多くの人、多くの場所に届けて、多くの問題に活かすべきと考える。3つ目は中立の立場で、テクノロジーを力とは考えずに、特定の物の集合体と捉え、ほかの物と同様にポジティブでもネガティブでもなく、単に目的を達成するための手段でしかない物の集合体で、目的の選び方によってはポジティブにもネガティブにもなると見る。

　テクノロジーは生活を破壊するものと見ることもできるし、暮らしを守るものと見ることもできる。あるいは単に無機質な道具と考えてもいい。しかし、このいずれの立場でテクノロジーを定義しても、テクノロジーの性質について重要なことを見落としているとして、ほかの2つの立場を取る陣営からすぐに非難されてしまう。悲観主義者（ペシミスト）はiPhoneを例に挙げ、テクノロジーのせいで皆がゾンビに変えられてしまったと言ったりする。だが一方でこの主張は、

iPhoneで情報を得られるおかげで人はますます生き生きと活動し、楽しみ、場合によっては政治にも積極的に関われるようになったという楽観主義陣営の反論に遭う。また、iPhoneは単なるデバイスで、デバイスに人間が設計した以上のことができるわけがない、と中立陣営から反論されることもある。楽観主義者（オプティミスト）の場合、自動運転車を例に取り、テクノロジーがいかに人間の能力を補足してくれるかを訴えてテクノロジーを擁護するかもしれない。しかし悲観主義陣営からは、自動運転の車は人間から仕事を奪うテクノロジーだと反論され、中立陣営からは、車は車で、プログラムで動いていようと人が運転していようと変わらないと言われる。中立姿勢の人は、インターネットについてさえ、単に複雑なデバイスの組み合わせにすぎず、よくも悪くもないし、力などないと主張するだろう。この点については、一方からはインターネットのせいで荒らし（トロール）〔インターネット上のゲームや掲示板で無為な書き込みや否定的な書き込みなどをして荒らす人のことをインターネット・トロールもしくは単にトロールという。詳細は第8章を参照〕が増えるとの反論があり、他方ではインターネットのおかげで人が神になれると考えている人たちもいる。

3.2 ―― ハイデガーのテクノロジー論

マルティン・ハイデガーは1955年の講演『技術への問い』で、技術の「本質」[1]を考察することで、技術を定義するという難題に答えを見出そうとした。ハイデガーによると、こうした考察をしないかぎり、技術に対する先入見から抜け出せず、「技術的なものをその限界まで経験できる」ようにはならないという。ハイデガーは続ける。

技術の本質もまったく技術的なものではない。したがって、ただ技術的なものだけを思い浮かべて、それを取り扱い、それと折り合いをつけたり、あるいはそれを避けたりしているかぎり、われわれはけっして自分自身と技術の本質との関係を経験することはない。われわれは、たとえ技術を熱狂的に肯定しようと、あるいは否定しようと、いたるところで技術に縛りつけられていて、不自由なままである。しかし、われわれがもっともはなはだしく技術のなすがままになるのは、技術をなにか中立的なものとして観察する場合である。というのは、このような観念は、今日、人びとが好んで信奉しているものだが、それは技術の本質にたいしてわれわれをまったく盲目的にするからである。[2]

ここでハイデガーが技術に対して悲観的であることがわかるが、悲観的か楽観的かはほとんど問題にならないほど、技術に関する私たちの状況が非常に切迫していることもほのめかしている。そして、特に気にしなければならないのは中立の立場だという。大半の人がこの立場だと思われるが、中立であるがゆえに、技術の本質に対して最も脆く、「盲目的」になりやすいという。

中立の立場の浅慮は、皮肉なことだが、技術を単なる道具と定義する中立的な視点が「正しい」[3]ことが原因になっている。ただし、定義が正しいことと、「真なるもの」であることは同じではないとハイデガーは言う。正しい定義は確かに対象に関することを述べてはいるが、それは真なるものそのものを言い表してはおらず、答えの一部で全体を表そうとするのに等しい。それは、1人のアイデンティティで国民性を表現するのと同じだ。こうした理由からハイデガーは、技術の本質とは何かという問いから、「道具的なもの」の本質とは何かという問いに話を移している（ソクラテスが単に正しいことを深く掘り下げて、究極の真実に近づこうとしたのを真似たのかもしれない）。この方法でハイデガーは、技術の真なるもの、つまり技術を言い表す適切な表現は、「隠されたものを明るみに出す方法」だという結論に達した。ハイデガーは述べている。

手段として考えられている技術は本来なんであるのか？ という問いを一歩一歩問うて

いったら、われわれは開蔵〔隠されたものを明るみに出すこと〕ということにたどり着いた。この開蔵にあらゆる生産的製作の可能性がもとづいているのである。[4]

生産したり製造したりすることは、何かを明るみに出すことであり、材料、技術コンセプト、文化的な営みをどのように融合すれば製品をつくれるか、目に見えるようにすることだ。この製品は使える。評価してもらえる。大きな意味を持つ。計画したとおりの製品だと思ってもらえる。ハイデガーによると、テクノロジーはこのように「こちらへと－前へと－もたらすこと」[5]で、ただ単に可能性を形にするだけでなく、自然と人間の持つ能力のそれぞれが、それぞれに対してどんな意味を持つか、お互いがお互いのために何ができるかを示すことによって姿を現すという。ハイデガーの言うように、少なくとも古代の技術に関してはこれが真実だったかもしれない。けれども現代のテクノロジーは依然として何かを明るみに出させる方法ではあるが、「挑発」[6]する形で行われているとハイデガーは言う。

昔の人は、風車や橋によって風の威力や、水の威力を知った。風や水は甘く見てはいけない敬意を払うべき力で、名前をつけて崇敬し、場合によっては神格化しなければならない力だと考えた。今日も風車や橋は同じく力として風や水を私たちに見せてくれるが、それは敬意を払うべき力としてではなく、「貯蔵されうる」[7]べき力、パッケージに入れて蓄え、必要に応じて使えるようにするべき力とみなされる。バッテリー、あるいはハイデガーの言う「用象」[8]のように（用象（bestand）はもともと在庫や貯蔵といった意味だが、ハイデガーは上述のように用立てのために力を蓄えるものとして定義した）。自然が、神のごとき力から、人が支配可能なエネルギー源へと格下げされたわけだ。これこそ、ハイデガーが現代テクノロジーの特徴とするもので、この姿勢が人間を神のような権力者にしたとハイデガーは見る。人はテクノロジーを手段にしたばかりではない。そのテクノロジーを使って採掘し、収穫し、貯蔵する。自然界を単なる手段、単なる目標達成の手段と考え、自分たちの要求を満たすためだけに存在するものと見るようになってしまったというのである。

そしてハイデガーは、これこそまさに中立姿勢の人の危険なところだと指摘する。なぜなら、テクノロジーを手段と考え、人間のためにある道具と見れば、人間もこの手段の支配下に入り、テクノロジーのための道具になってしまい、そのことに気づきにくいからだ。現代のテクノロジーが、自然をオンデマンドなエネルギー源、人間がコントロールできるエネルギー源に格下げしたからといって、人間がこのプロセスの支配者になったわけではないのである。というのも、人間が必要に応じてこれらのエネルギー源をコントロールして利用できるようにするには、私たちもオンデマンドで利用される状態になっていなければならない。よって人も、やはり自然と同様に格下げされ、用象として従属させられていることになる。つまり現代のテクノロジーは、貯蔵できるエネルギー源として自然を引っぱり出し、挑発するだけでなく、それがもたらす産業により人間を挑発し、用立てのためにかき集めるのだ。

もちろん、何にせよあるものを対象に「必要に応じてオンデマンドで利用可能」というかぎり、その必要性を生むのは人間で、自分だけでなくほかの人間も関わってくる。そうすると、一個人がこれらの手段を掌握しているわけではなくとも、やはり人間が主導権を握っているのだから、人の方が手段より上位にいるとして、ハイデガーの悲観主義(ペシミズム)に反論したくなるだろう。自然を格下げしたのは現代のテクノロジーかもしれないが、それは人間のためなのだ。少なくとも、今の状況はそのように見える。しかしハイデガーが私たちに示したかったのは、私たちは産業――人が所有しマネジメントする産業――に仕える仕事をしているかもしれないが、これらの産業が、人間のロジックで動いていない、ということだ。つまり現代の産業は、人の需要や必要性に応えることを目的とする人間のロジックではなく、現代のテクノロジーのロジックに合わせて動き、テクノロジーの要求(デマンド)やニーズに応えることに主眼が置かれている。

その一方でハイデガーは、人が現代のテクノロジーに仕えるようになったのは、それ自体がテクノロジー的なもののせいでなく、現代のテクノロジーが持つ「挑発」する性質のせいだと主張する。人とテクノロジーの両方を手段にしてしまったのは、ハイデガーが言うところの「集－立（ゲーシュテル：ge-stell）[9]」で、英語ではエンフレーミング（enframing）という。この集－

立は、人とテクノロジーが共同で（ge-）、用象に自分の姿を現す（-stellen）よう駆り立てられていることを表そうとしている。山番を例にハイデガーは説明する。山番は祖父と同じやり方で同じ森の道を見回ることはできるが、森を見回る理由は同じではないという。[10]今日、山番がそこにいるのは、収入が得られるからであり、その報酬は、木材繊維をつくるため、紙を製造するため、新聞やグラビア誌をつくるため、つまり製品や意見を大衆に売るための対価として支払われる。こうして見ると、山番は一見林業で仕事をしているようだが、林業はほかの産業に尽くしているわけで、したがって山番は究極に言えば、「〜のため」のロジック、すなわち集-立のロジックの内側で働いていることになる。

集-立は確かに、人が自然をどのように利用できるかを明らかにするもので、人は現代のテクノロジーを利用して、木を世論形成の媒体に変化させることができる。だが、ハイデガーが特に気にしていたのは、集-立によって人が、自然を利用可能なものとしてしか見られなくなってしまう点だ。その結果、人は自分を自然の操縦者のように勘違いしてしまう。ハイデガーが気にしていたのはテクノロジーそのものではない。危険なのは技術ではないのだ。[11]テクノロジーは、現代技術の特徴である挑発になる命運[12]にある。その点をハイデガーは非常に危険視していた。ハイデガーは特に、技術の歴史の中で、人が集-立に、手段に、挑発に夢中になって有頂天になってきた様子に注目した。その結果、昔の技術に見られた「こちらへと-前へとーもたらすこと」という、道具としてではない見方を忘れ、前進する可能性を失ってしまったという。こうなったのは、「こちらへとー前へとーもたらすこと」が挑発になるのが技術の命運だったからで、当然、古代技術にもそうなる可能性はあった。だからハイデガーは何も、昔の技術に回帰せよと提案しているわけではない。集ー立が支配する今の世の中においては、昔の技術は現代のテクノロジーの原始的なもの、原始的な手段にしか見えないだろう。

手段が隠されたものを明るみに出す唯一の方法になったとき、私たちに世の中のことすべてがどのように見えるようになるかというと、明るみに出されていることにさえ気づかなくなる、とハイデガーは指摘した。そして、世の中のことがある特定の見え方でしか見えなくなり、何が見えていて、何が見えていないかわからなくなってしまうという。そうなると、人間世界は本当に単なる用象になり、世の中も、神も、自分たちも、すべてを「～のため」という「手段」のロジックの中で見るようになる。その結果、現実に満足さえできていれば、真実はどうなのかなど疑問に思わなくなって、要求を満たすため以外の「問い」を真剣に考えなくなる。それでもハイデガーは、そうした「問い」ができるかぎり、技術の本質に疑問を持てるかぎり、集ー立の檻から自由になれると考えている。しかし、そのような問いを呼び起こすためには、おそらく、もう一度私たちを前向きにさせて、好奇心を刺激するものが必要になるだろう。そして、私たちを前向きにさせる刺激剤の源の可能性を、ハイデガーは芸術に見出している。「（芸術は）技術の本質に親しいが、他方ではそれと根本的に相違する」[13]――ハイデガーによると、古代ギリシャ人が芸術と技術を合わせてテクネーと呼んだのもそのためだという――そのため芸術には、現代のテクノロジーの隠蔽する力に対抗して明るみに出す力があるという。

ハイデガーの講演に関してはまだまだ言えることがあるが、ここでの目的を考えると、このくらい概説すれば、ハイデガーの論がテクノロジーの意味の理解に役立つことがわかるだろう。彼は明らかに一貫して、テクノロジーに対して悲観的だ。人が現代テクノロジーの奴隷となり、現代テクノロジーが明らかにする世界を、道具のようにしか見ない見方に支配されているという。ただし、ここで重要な点がある。それは、彼が人間に対して悲観的ではないことだ。彼は一貫して、テクノロジーへの隷属を進めたのは人間ではないと述べている。ハイデガーによると、今の悲しい状況の責任は人類の歴史ではなく、むしろ存在の歴史のようなものや、存在の示し方の歴史のようなものにあるという。その中で人間は重要な役割を果たしているが、人がその主役ではないというのだ。

これまで見てきたとおり、ハイデガーはテクノロジーに対して中立姿勢の人を批判しているが、それでもその人たちは、その立場にやむなく追い込まれてきたのだと述べている。そこでハイデガーは、手段とは何かという問いを持ち出して中立の立場を掘り下げてゆくのだが、その過程で手段から因果関係へと議論を移し、アリストテレスの「4原因」[14]を参考にしている

〔『技術への問い』内の説明から4原因を簡略的に表すと、1・質料因（（ここでは道具の）材料）、2・形相因（材料からできあがる形態）、3・目的因（（道具の）目的）、4・動力因（その結果）〕。この手法でハイデガーは、今日、4原因のうち「動力因」に崩壊が起こっていることを示そうとした。その結果を実現するのに人が関与するのはなぜなのか。その理由（原因）とテクノロジーによる完成物（結果）との関係が、かつての原因／結果という考え方から、手段／目標という結果に移行しているというのである。ここでハイデガーがアリストテレスを引き合いに出したのは、そもそも人を動力因と見ることが間違っていることを示すためだ。ハイデガーは述べている。

最後に、四番目のアイティオン（原因）は、出来上がった捧げ物のための用具が手許にあり、用意されていることにたいして、ともに責めを負っている。銀細工師がそれであるが、しかしこのことは、この者が作用をおよぼして、製作の成果として出来上がった捧げ物のための皿を実現する、ということによるのではない。つまり動力因としてではない。[15]

ここで挙げている銀細工師は、ただ銀の皿をつくっているだけではなく、製作の工程に参加していることで残りの3つの原因、すなわち質料因（銀）、形相因（皿の形）、目的因（皿を用いる儀式）と「責任」を分かち合っている。ほかの3つの原因は、皿がそれらの原因によって存在しているという意味で、皿に対して「責任」がある。しかしハイデガーが見たところ、銀細工師の責任はいくぶん次元が異なるようだ。銀細工師にはほかの3つの原因の要求に応える能力があり、3つの原因とともに皿を生み出す作業に参加したという意味で、皿に対して「責任」があるという。ハイデガーの思想はどうやら、ミケランジェロの彫刻に刻まれた、彼のソネットの文言に通じるところがあるようだ。

最高の芸術家は
その余分な殻をまとった原石の中にないものを示そうとは思わない
脳に仕える手にできるのは、
大理石の呪文を破ることだけである[16]

彫刻家は何もないところから彫刻をつくり出すわけではなく、石の中にあるものに応えて、すでにそこにあるものを明らかにするだけというわけだ。ハイデガーはこの思想をさらに広げて、通常、人の創作活動と称するすべての活動に適用しようとした。果てはプラトンにまで当てはめて考えている。ハイデガーは、「現実的なものがプラトン以来イデアの光のうちに姿を表すという事態は、プラトンが作り出したのではない。思索する者はただ自分に語りかけられたことに応答するだけである」[17]と述べている。

人の役割は存在に応えること。存在を証言すること。存在がその真の姿をそのまま表せるようにすること。この思想はハイデガーの哲学のいたるところに見られる。[18]ハイデガーの技術思想の目的は、テクノロジーに対して「自由」な関係が得られるか、を問うことでもあり、彼が技術の本質にあるという集‐立に疑問を抱く必要があることを訴えることのようだが、結局それでどうなるのか不明な点がある。それは、存在との関係の中で自由になれず、受動的な傍観者以上のものになれないなら、テクノロジーから自由を勝ち取ったとして、何が得られるのかということだ。ハイデガーは書いている。

> 人間は、つねにその目と耳を開き、その心を打ち明け、思慮と願望、陶冶と仕事、懇願と感謝とを惜しまないなら、自分がいたるところですでに不伏蔵的なもの〔隠れることができないものの意〕のうちにもたらされていることに気づく。[19]

集‐立により存在の真実は隠されてしまう。人は、自分も目的の僕（しもべ）になっていることがわからなくなる。ハイデガーは私たちに、現実を取り戻せと呼びかけているが、しかし、もしその目的が単に仕えることで、「自分がいたるところですでに不伏蔵的なもののうちにもたらされている」ことに感謝するためだとしたら、集‐立が見せてくれる「自由の見せかけ」の方が好ましいのではないだろうか？　ハイデガーは自由になることを強く訴えているが、彼の自由はどこか受動的で、魅力に欠ける。たとえばハイデガーは、「人間は自由の一管理者にすぎない、つまり自由な農民たちの自由を彼に割りあてられた仕方で自由であらしめ得るところの、農場の管理者にすぎないのであり、それ故、人間を通じて自由のもつ偶然性全体が明らかになるのである」[20]と『The Essence of Human Freedom（人間的自由の本質について）』に書いている。

さて、ハイデガーは実存的現象学者と呼ばれることが多いが、実存主義が取る自由の考え方とは明らかに反対の立場を取っている。ハイデガーはその姿勢を『「ヒューマニズム」について――パリのジャン・ボーフレに宛てた書簡』の中で語っていて、サルトルとは明らかに距離を置いている。特にサルトルの「実存は本質に先立つ」[21]とする実存主義の基本概念とは相容れない姿勢を示している。人間は基本的に本質を持たないため、原則的に自由で、自分の本質は自分で自由に何とでも言える、とサルトルは述べているが、これに対してハイデガーは、次のように書いている。

人間とは、むしろ、存在そのものによって、存在の真理のなかへと「投げ出され」ているのである。しかも、そのように「投げ出され」ているのは、人間が、そのようにして、存在へと身を開き―そこへと出で立ちながら、存在の真理を、損なわれないように守るためになのであり、こうしてその結果、存在の光のなかで、存在者が、それがそれである存在者として、現出してくるようになるために、なのである。その存在者が、果たしてまたどのように現出してくるのか、神というものや神々、歴史や自然が、果たしてまたどのように存在の開けた明るみのなかへと、入ってき、現存したり、現存しなくなったりするのか、このことを決定するのは、人間ではない。存在者の到来は、存在の運命にもとづくのである。しかし人間にとっては、次の問いがあくまでも残り続ける。すなわち、果たして人間は、この運命に対応したみずからの本質というしかるべき適切なものを見出すかどうか、という問いがそれである。というのも、この運命にふさわしく、人間は、存在へと身を開き―そこへと出で立つ者として、存在の真理を損なわれないように守らなければならないからである。人間は、存在の牧人なのである。[22]

人であるということは、ある一定期間内に自分を見つけることで、その期間を決めるのは、「存在」を守り導く運命を私たちに与える「存在」であるという。けれども私たちは、「存在」の守り主としても羊飼い（牧人）としても、「存在」を形づくる役割は果たせず、「存在」や歴史がどのように現れたり消えたりするかを決めることもできない。繰り返しになるが、もしテクノロジーによって、これが私たちの運命だということが隠されていて、見せかけでも自由を感じさせてくれるのなら、私たちがこれほどテクノロジーびいきになるのも無理はないだろう。ハイデガーもこの点に気づいていなかったわけではない。実際、彼は『「ヒューマニズム」について』の中でこの問題を取り上げ、もし私たちがテクノロジーの奴隷になり下がり、テクノロジーと仲よくできないのであれば、存在論の前に倫理学と向き合い、存在よりも人であることに目を向けなければならないだろうと書いている。

倫理学への願望は熱心に充足を求めてやまず、その熱心さは、人間の明らさまな困惑や、隠された困惑が、ともに等しく測り知れないほどにまで増大するのに応じて、いよいよ激しくなっている。次のような状況においては、倫理学による拘束に向けて、あらゆる気遣いが払われてゆかざるをえない。すなわち、大衆という本質状態のなかに引き渡された技術の人間は、みずからの計画や行為全体を、技術に対応した形で、取り集めて整序することによってのみ、どうやら頼りになる安定性へともたらされうるだけであるという状況が、それである。

しかしハイデガーは続けて次のようにも書いている。

誰が、この窮状を見逃すであろうか。したがって、私たちは、既存の諸拘束が、たとえいかに人間本質を、急場しのぎにまたたんに現今の状況に関わるかぎりでのみ統率するにはしても、そうした既存の諸拘束を大事に扱い、保護すべきなのではないであろうか。もちろんそのとおりではある。けれども、この困窮は、およそ思索を、次のことから放免するであろうか。すなわち、とりわけ思索される－べきものであり続け、また存在という姿であらゆる存在者に先立って保証と真理であり続けているものを、思索が忘れずに思索するということが、それである。存在が、長い忘却のうちで隠されたままにとどまり、それでいて同時に、現今の世界の瞬間のうちで、あらゆる存在者の激動を通じて、まさにその存在がみずから予告してきている以上は、なおも今後、思索は、存在を思索することなしで済ますことができるであろうか。[23]

ここでハイデガーは再び、倫理学から存在論へと戻り、テクノロジーが突きつけてくる倫理観の危機に直面しても、やはり存在論に目を向け続けなければならないと訴えている。倫理観の危機に直面しても、やはり「なしで済ます」わけにいかない「こと」はある。それは、「存在する」というタスクである。単に人間について考えるのではなく、存在するとは何かを考えるタスクだ。ハイデガーはさらに、倫理学と存在論を組み合わせて、「存在の真理を、存在へと身を開きそこへと出で立つものとしての人間の原初的境域にほかならぬものとして思索する思索は、それ自身においてすでに、根源的な倫理学であることになるであろう」[24]と述べている。そしてハイデガーは最終的に、この考え方は「倫理学でもなければ、存在論でもない」と締めくくっている。というのも、この考え方は「理論的でもなければ、実践的でもな」く、「なんらの結果をも生まない」。すなわち、何の効果をも挙げないのだ。これは単に「存在への追想的思索であって、それ以外のなにものでもない」[25]という。要するに私たちのタスクは、存在と関わっていくことであって、それは倫理的なメリットのためでも、さらには存在論的なメリットのためでもなく、ただ単にそれが私たちの仕事であり、人間である意味だから、ということだ。

つまり、ハイデガーが考えていたのは、実のところ技術がどうだとか、人間がどうだとかいう話ではなく、「存在するとは何か」ということだけであるのがこれでわかるだろう。そのためハイデガーは、存在という観点から見たテクノロジーと人の関係しか扱っていない。存在する運命にある中で、何が人の役割かという観点からのみ思索している。だが、ここで1つ考えてみたいことがある。人の運命など本当にあるのか？　避けられない運命など本当にあるのだろうか？　ハイデガーによると、そうした疑問を抱くことこそが、人であることに忠実な考え方だという。考えることで、存在する意義への道が開けるからだ。一方、ニーチェの見方では、そのような問いは信仰を示す考え方で、ニヒリズムに突き進むものだという。『権力への意志』の

「決定論と目的論との論駁によせて」で始まる文章〔第3書Ⅰの522番〕の中で[26]、ニーチェは次のように書いている。

私たちがこれこれであるということなどに対して責任ある誰か（神、自然）を私たちが空想するやいなや、それゆえ、意図としての私たちの生存を、私たちの幸福や悲惨をその誰かにおしつけるやいなや、私たちは生成の無垢を台無しにする。そのときには私たちは、私たちをつうじて、私たちでもって、何ものかを達成しようとする誰かをもつこととなる。[27]

説明しよう。まず、どうなるかよりも、どうあるかに重点を置き、運命という概念の裏で動いている「人間」よりも、「運命」に重点を置くのがハイデガーの姿勢だ。しかしこの姿勢を取っていると、「悪の起源を世界の背後に求めるようなことはしなく[28]」なることがないという過ちを犯すことになる。これはニーチェが『道徳の系譜』の中で述べた、彼が幼くして避けるべきだと見出した過ちだ。ニーチェは「神学的先入見」に反対する意見を述べており、世界を上から見たり、世界の裏側を見たりして疑問の答えを得ようとすることに反対している。この反対姿勢をハイデガーの「存在論の先入見」と言われるものにも適用してみると、世界を下から見るのも、内側から見るのもいけないことになるのではないか。そうすると、代わりに自分自身を見つめることになる。

ここで面白いのは、ハイデガーが技術の本質だけでなく、「ニヒリズムの本質[29]」にも問いを投げかけていることだ。この2つの問いは非常に相通じるものなので、「集-立」を「力への意志」に置き換えてみれば、2つの講演――ハイデガーが6年の歳月を隔てて行った2つの講演――は同じ主張を表と裏から述べたものと言えそうだ。だが、問題なのはその類似性である。というのもハイデガーは、自身がニーチェおよびニヒリズムを分析する中で、ニヒリズムを「歴史的な流れ」と受け止めているからだ。ハイデガーはニヒリズムを「西洋人の運命のなかにほとんど認められない、基本的に進行形の出来事」で、「現代の力の領域に引きずり込まれた人々の世界史的な流れ[30]」と捉えている。こうしてハイデガーはニーチェ哲学からハイデガー哲学を導き出し、どう**なる**かより、どう**ある**かを考える思想に解釈を飛躍させている。

したがってここでハイデガーに反対してニーチェに同意すると、人はどう**ある**かを考えなければならない運命にあるというハイデガーの主張を退け、人には運命などなく、運命があるという先入見があるだけで、どう**なる**かを考えなければならない、というニーチェの意見を支持することになる。だが、テクノロジーに関するハイデガーの洞察には注目すべき点があって、それは、テクノロジーは人の体験に対してどんな意味を持つかという問いと、テクノロジーはどんなふうに世界を見え隠れさせるかという問いだ。ただし、だからといって、ハイデガーがこれらの洞察から導き出した結論にまで同意する必要はない。ハイデガーによるこうしたニーチェ哲学の再解釈[31]は、ドン・アイディのテクノロジー思想にも見られ、アイディはこれをポスト現象学と名づけている。

3.3 ── アイディのテクノロジー論

ポスト現象学はアイディが「ヒューマン－テクノロジーの関係[32]」と呼ぶものの中心にあるものだ。これは単に主体／客体の二元論の最新バージョンとして、人とテクノロジーが相互にどう関係するかだけに注目するのではない。両者の関係を通じて、人とテクノロジーがどのような姿になるか、その流れを見ようとする試みである。よってポスト現象学は人とテクノロジーの両立[33]を探るものであり、テクノロジー的なものが、テクノロジーの世界でどのように意味を持ち、それを通して、人の世界ではどのように意味を持つかを探っている。

デバイスは、ただ手に取って利用し、捨てられるほど愚鈍な道具ではない。なぜなら、デバイスを手に取ったり、利用したり、捨てたりしようと思えば、そのデバイスを私が認識するなり、操作するなり、飽きるなりしなくてはならない。ここで私とのあいだに関係性が生まれる。私がデバイスを認識するためには、それがすでに私の前にあり、私の体験を形づくり、私の世界に入り込んでこなければならない[34]。

たとえばフォークは、ただの「先端が細い三叉になっている金属の棒」ではない。フォークは食べるためのものであり、フォークがあることによって、料理と皿が食事に変わる。そしてひと口サイズの栄養となって、必要か欲求に応じて人に摂取される。フォークはもしかしたら、幼児のときに初めて遊び道具の金属として認識されるものかもしれない。投げたり、突き刺したり、あるいはガチャガチャ叩いて音を立てたりすることからスタートして、それからすぐにその遊びは空腹と結びつくようになる。そして、こうした幼児期のフォークの使い方は、食べたいのに食べられないとき、フラストレーションを吐き出す方法としてまた遊びに戻るのだ。そんなとき子どもは、まるでフォークそのものが自分と同じようにフラストレーションを感じているかのようにフォークで遊ぶ。

フォークが「フラストレーションを感じている」というと、精霊信仰（自然界のすべてのもの（無生物も含め）に精霊が宿っているとする信仰）の人や、投影信仰（物は使用する人の願望や気分、感情を受け取る容器だとする考え方）の人の共感を呼びそうだが、どちらの場合も、結局はポスト現象学が超えようとしている主体／客体の二元論に戻ってくる。精霊信仰の場合、フォークは人の主観が形になった主体と見ることができるし、一方の投影信仰では、フォークは主体が客体を物理的に操作するのとまったく同じように、主体である人が心理的に操作できる客体と見ることができる。しかし、それよりも注目したいのは、フォークが遊び道具になろうが、食事のための道具になろうが、それを使う人は皆、特定のヒューマン－テクノロジーの関係をフォークと結んでいるという点だ。つまり、フォークも子どもも大人も、同じヒューマン－テクノロジーの関係に取り込まれているのである。

ウィトゲンシュタインが自身の著書『哲学探求』で明らかにしようとしたように、私たちは簡単に言葉に踊らされて、気づかないうちに特定の哲学的立場を取ってしまう。このように「フォーク」といった名称は、どうやら私たちにあらかじめ定義された世界、あらかじめ決められた世界の客体を思わせるものらしい（決定論的）。そしてそこで決められた定義が、ほかの使い方が見つけられそうなものであっても、あらゆる場面で維持されるようだ。言い換えると、フォークはフォークで、いつどんな使い方をする可能性があっても、フォークはフォークとして使われるものということだ。この観点で言えば、フォークで人を刺すのはフォークの誤った使い方であり、したがってそういう人がいれば、それは正しい使い方に反するといって人を叱ることができるし、たいていは叱るだろう。

だがポスト現象学では、フォークで人を刺すのは、フォークを殺人行為に参加させるものというふうに見る。フォークを殺人の手段と見ることは、フォークを武器になり得る構成要素とするだけでなく、同時に私自身をも殺人者になり得る者として構成することになる。この「私→フォーク→殺人」という意図的関係により、私を殺人者とし、フォークを武器として同時に構成することになると、この関係に限れば、武器性を除いた「フォーク」、殺人者性を除いた「私」はなくなる。前述の決定論的視点との違いがおわかりだろうか。ポスト現象学では、フォークが武器としても見られるというのではなく、武器を「フォーク」として見ることができるのである。そしてまったく同様に、人が殺人者として見られるというのではなく、殺人者を「人」として見ることができるということだ。つまりそこには、フォークもなく、私もなく、あるのはただその意図的関係だけだ。

ポスト現象学を通じて私たちは、主体／客体の関係をベースにした存在論ではなく、意図的関係をベースにした存在論に到達した。この存在論の見方がおそらく、前提を排除した志向性の科学として現象学を確立しようとした、フッサールの生涯研究の最も正しい見方だろう。こうした見方の存在論は、デカルトの「我思う、故に我在り」ではなく、「我は意図する、故に我在り」ですらなく、よりラジカルな主張「意図的存在は意図する、故に意図的存在在り」を中心に置いている。先ほどのフォークの例に戻ると、「私→フォーク→殺人」という関係において、意図的存在の「私」と、同じく意図的存在の「フォーク」が存在するが、これは「『私』と『フォーク』が存在する『→殺人』という関係を通じてのみ存在する」ということになる。もっと具体的に述べると、「『殺人者』と『武器』として存在する『→殺人』という関係の中でのみ存在する」ということだ。言い方を変えると、「私は殺人者です」という告白をポスト現象学的に言い直すと、「私は武器になる予定の存在および犠牲者になる予定の存在と、意図的関係を持つ存在としての殺人者です」となる。

ハイデガーの心配をよそに、ポスト現象学では人とテクノロジーの関係を、ディストピア的とか決定論的なものとしては見ていない。なぜなら、ヒューマン－テクノロジーの関係を共存的に見ているからだ。ポスト現象学者は、テクノロジーには「多重安定性[35]」があるとしている。先のフォークの例で見たように、テクノロジーは意図的関係なくして存在できるものではないため、テクノロジーそのものに固有の恐ろしさや決定論的な含みはあるはずもないと指摘する。「ウサギとアヒル」のだまし絵〔錯視トリックの1つで、ウサギにもアヒルにも見える絵〕のように、テクノロジーには安定した本質などなく、あるのは多種多様な安定性である。つまり、どれが「本当」でどれが「嘘」か、どれが「正しく」てどれが「間違っている」かなどいっさい言えない関係の上にある、さまざまな存在の仕方があるということだ。これは、ヒューマン－テクノロジーの関係は役立つものや、利益になるものでなければならないという意味ではない。ただ単に、利用者とテクノロジーとの関わり方や、テクノロジーとは何かについて、ハイデガーと反対の立場であらゆる先験的な主張に異議を唱えているだけだ。

テクノロジーについて、この関係に着目したのはアイディが最初ではない。実は最初にこれを持ち出したのはハイデガーであり、彼の著作『存在と時間』に収められている。アイディはハイデガーが『技術への問い』で示した「ネガティブ」な見方に反対するため、「ポジティブ[36]」なハイデガーを引き出そうと試みたと言ってもいいだろう。ハイデガーは『技術への問い』で古代の技術と現代の技術の区別に焦点を当て、「こちらへと－前へと－もたらすこと」と「挑発」の違いを明らかにしようとした。ところが『存在と時間』では、正しく機能するテクノロジーと正しく機能しないテクノロジーの区別に焦点を当て、「世界＝内＝存在[37]」の違いと、主体／客体の二元論を明らかにしている。『技術への問い』でも『存在と時間』でもハイデガーの中心課題は存在で、存在との関係において人は適切な役割を果たしていかなければならないという。ただし『存在と時間』では、いかなる文脈におけるいかなるテクノロジーでも、それぞれの時代背景がテクノロジーと人との関係を決めるものだという、『技術への問い』で展開していた主張にはいっさい触れずに、特定の文脈での特定のテクノロジーの利用を掘り下げている。[38]

これを示す最も有名な例を挙げよう。それがハンマー（槌[39]）を使ったハイデガーの議論だ。ハイデガーによると、人はハンマーを振るって叩くとき、世界とより「根源的」な関係になるという。なぜならそのとき人は、「これはハンマーだな」などと思うことなく、ただ使用するだけだからだ。あくまでハンマーを使って何かの仕事を果たそうとするのであって、ハンマーはハンマーという特定のものではなく「～のため（in-order-to）」のものでしかない。つまり、人がある仕事をする「ため」のものでしかなく、人の注意は、ハンマーが何「のため」のものであるかということではなく、それを使って行う仕事に向けられている。ここでハイデガーの洞察の中心――そこからアイディが独自のテクノロジー思想を発展させた洞察――にあるのは、ハンマーを振るう際にハンマーを「〜のため」として機能させるためには、ハンマーは私たちが自分の仕事をできるよう、「控え目[40]」でいなければならず、私たちがハンマーを「そのために」使っている仕事から注意を逸らすものであってはならないとする考えだ。

この説明を聞くと、ハンマーを使っているときに非常に頻繁に親指を打ってしまう理由も、なるほど納得できる気がする。その理由は、ハンマーにも自分の身体にも注意が向いていないからだ。けれどもハンマーを使って何か予想外のことが起こる――たとえば親指を打つ――と、突如として私たちの注意は仕事から離れ、ハンマーの方に注がれる。そうなるともうハンマーが「〜のため」のものには見えなくなり、ハンマーがハンマーでしかなくなる。もっと正確に言うと、そうした予想外の状況で私たちが気づくことになるのは、ハンマーではなくハンマーの「〜のためという性質（in-order-to-ness）」なのである。ハイデガーは書いている。

ところが、その指示関係が阻まれると――「……に役に立たない」ということにおいて――、指示関係が表立ってくる。もっとも、その場合にも、まだ存在論的な構造として浮かびあがるのではなくて、道具の破損に出会う配視にとって存在的に表立ってくるのである。このように、それぞれの用途への指示関係が配視的に呼びさまされるとともに、その用途そのものが、そしてひいては作品の連関、「仕事場」全体が――しかも、配慮がはじめから身をおいてきたところとして——眼に映ってくる。道具の連関は、まだ見たことがないものとして眼に入るのではなく、配視においてはじめからたえず念頭におかれていた全体として閃いてくるのである。そして、この全体とともに、世界が通示されてくる。[41]

エネルギー保存の法則と同じで、ハイデガーは人にも注意保存の法則のようなものがあると言っている。仕事のことを気にしたり、世界のことを気にしたりできるが、同時に気にすることはできないという。人が見る世界全体、「……に役に立」つかどうか、あるいは「用途」の寄せ集めとしての世界は、「その指示関係が阻まれる」ことによって実践的な仕事のモードを離れる。そして何が間違っていたのかを把握するため、より理論的なモードになったときに初めて、私たちの世界は「通示されてくる」とハイデガーは述べている。作業が阻まれ、何が間違っているかを考えるときに突然、連関の鎖が見えてくるというのだ。

ハイデガーは実在論から存在論へと議論を移し、ハンマーを振るうという日常的な事柄から存在の意味へと話を移していったが、アイディは実在論のうちに留まり、ポスト現象学の立場から、日常生活におけるヒューマン－テクノロジーの関係を研究していった。目指すのは、ハイデガーの存在論の「ネガティブ」な結論を退けることだ。アイディはハイデガーに倣ってハンマーを振るう行為を引き合いに出し、ヒューマン－テクノロジーの関係を分析した。この分析でアイディは、ハイデガーの例を超えてヒューマン－テクノロジーの関係をより広範に追究し、4通りの関係を見出している。すなわち「具現化関係[42]」「解釈学的関係[43]」「他者性関係[44]」、そして「背景関係[45]」だ。

具現化関係は、身体の一部のようにテクノロジーが機能して、その身体能力を拡張・強化する場合に起こる。この場合、利用者は、自分の力となっているテクノロジーを意識することなく、能力の拡張・強化を経験できる。ハンマー以外の具現化関係の例には、たとえば眼鏡をかけることが挙げられる。眼鏡は視力を高めながらも、利用者の視界から消える。よい眼鏡になればなるほど、人はかけていることを忘れる傾向がある。人は、「私にはあなたが見える」と言っても、「私の眼鏡と私にはあなたが見える」とは言わない。私たちが日常の会話で眼鏡に言及しないのは、「私」に眼鏡が含まれるようになったからだ。この関係をよりわかりやすくするために、アイディはこうした具現化関係を次のように公式化している。

（私－テクノロジー）→世界[46]

私たちは具現化するテクノロジーを通して世界を見ている。だがこの公式が成り立つのは、ハイデガーが言うとおり、こうしたテクノロジーが私たちの意識から消え、そのテクノロジーのおかげで明らかになる世界の方に私たちが関心を向けられるためだ。このようなテクノロジーは、双眼鏡やイヤホン、マイク、ハンマー、靴など、いくらでも挙げられる。しかし、前述のようにテクノロジーには多重安定性があることから、たとえば本をハンマー代わりに使うとか、スマートフォンでちょっと手の届かないところの物を引き寄せるとか、ほぼどんなテクノロジーでも、私たちは具現化関係を体験できる可能性があることを認識しておく必要がある。よって、特定のテクノロジーが具現化関係に属することにはならない。具現化関係に属するのは、私たちの知覚を増幅させたり、意識を低下させたりする形で私たちとの仲介に入り、その姿を現したり引っ込んだりする**テクノロジーの力学**だ。[47]

2つ目の解釈学的関係は、テクノロジーが翻訳者のように機能して、解釈能力を拡張・強化する場合に起こる。この場合において利用者は、テクノロジーのおかげで情報が得られていることを意識することなく、情報が得られる。解釈学的関係の例の1つが読書だ。本は情報を伝えてくれるが、文字をつくる線、語をつくる文字、文をつくる語はすべて、読書という体験に吸収される。ここでも、よい本になればなるほど、読者は線、語、文を気に留めなくなる傾向がある。私たちは「物語をつくるのに組み合わされたさまざまな線の寄せ集めを読んでいる」とは言わず、「物語を読んでいる」と言う。アイディは解釈学的関係を以下のように公式化している。

私→（テクノロジー－世界）[48]

解釈学的テクノロジーを通じて知る世界は、解釈学的テクノロジーがなければアクセスできない世界といえる。この場合テクノロジーは、私たちが知ろうとする世界と融合してしまい、テクノロジーとその世界との区別をわからなくしてしまう。ここでも重要なのはやはり多重安定性で、工芸品であれ、地図であれ、ウェブサイトであれ、あるいはアプリケーションであれ、解釈学的関係の括りに入るのは、特定のテクノロジーではない。ここに分類されるテクノロジーは、ある世界を私たちに見せてくれる一方で、そこにあるテクノロジーの存在に気づかなくさせる。やはりそうしたテクノロジーの力学が登場してくるのだ[49]。

3つ目の他者性関係は、テクノロジーが、人なり動物なりとにかく他者のように機能して利用者の代わりを務め、利用者のインタラクティブ能力を拡張・強化する場合に起こる。この場合、利用者はそこに存在するテクノロジーを意識することなく、自分の力だけでそれを実行している感覚を体験できる。他者性関係の例の1つがビデオゲームだ。コンピュータの対戦相手が私たちに挑戦してきて、私たちを楽しませ、こちらが負ければ「コンピュータには勝てない」という気にさせ、こちらが勝てば「コンピュータより優秀だ」という気にさせる。まるで、対戦相手のコンピュータもこちらと同様に、劣等感を抱いたり優越感を抱いたりしているかのように。そしてここでも、よいゲームになればなるほど、利用者はそのゲームの裏でプログラムが動いていることを意識しなくなる傾向がある。「コンピュータがつくり出す挙動を決定するプログラムに勝った」とは言わず、「コンピュータに勝った」という言い方をする。アイディは他者性関係を次のように公式化している。

私→テクノロジー－（－世界）[50]

具現化関係や解釈学的関係と違って、他者性関係は世界ではなくテクノロジーに私たちの注意を引きつける。けれども世界が私たちの意識の外に消えると、そのテクノロジーの性質も消え、人が人（生きもの）の行動をシミュレートしてつくったテクノロジーではなく、人（生きもの）を直接相手にしているような気にさせる。ここでも多重安定性が役割を果たし、そのテクノロジーがおもちゃであれ、ロボットであれ、ゲームであれ、あるいはSiriであれ、それ自体はあまり重要ではない。それよりも、変幻自在にその姿を現したり引っ込んだりしつつ人を魅了して世界をぼやけさせる、テクノロジーの力学の方が重要度が高い[51]。

4つ目の背景関係は、テクノロジーが環境の一部のように機能して、気づかれることなく動作し、利用者の注意力を拡張・強化する場合に起こる。このとき利用者は、利用者の注意力を発揮させる場面の裏側で動いているテクノロジーに注意を払うことなく、世界の側に注意を向けられる。背景関係の例の1つが冷蔵庫だ。冷蔵庫は、私たちが理解する必要もなければ、おそらくは考えてみようとも思わないプロセスを通じて食品を保存する。したがって、よい冷蔵庫になればなるほど、人の意識は冷蔵庫に引きつけられなくなる傾向がある。もちろん人は、わざわざ「冷蔵庫で新鮮に保存されていたこの食べ物はおいしい」と言わずに、「この食べ物はおいしい」と言う。背景関係についてはアイディは公式化していないが、もし公式化していれば、次のようになると想像できる。

私→世界－(－テクノロジー)

背景関係はこのように他者性関係の反対で、テクノロジーよりも世界に私たちの注意を引きつける。しかし、他者性関係と同様、世界に注意が向けられるのは、人の関与なしに機能する能力がテクノロジーにあるためだ。このテクノロジーは、私たちの意識の中での存在感は薄くても、人の世界には不可欠な部分を占めている。したがって背景関係で私たちが注意を向ける世界は、(テクノロジーがなければ)不完全な世界ということだ。つまり、確かに物事は機能しているのだが、機能しているのが当たり前ではない世界である。背景関係でも多重安定性がものをいうのはそのためだ。その結果、そのテクノロジーが冷蔵庫であれ、照明や、暖房、配管、電気、Wi-Fiなどであれ、やはりその特定のものよりも、テクノロジー不在の在や、世界の在の不在という形で、その姿を現したり引っ込んだりするテクノロジーの力学の方が重要度が高くなる。[52]

ヒューマン－テクノロジーの関係の裏には、テクノロジーがその姿を現したり引っ込んだりする力学が働いているわけだが、ハイデガー同様、アイディも（人やテクノロジーにとって）最適な条件下で機能する場合だけを見ていたわけではない。次善の条件下や「故障した」[53] 状況でそうした力学がどのように働くかにも注目していた。具現化のテクノロジーには、人に力を与える能力があるが、同時に人を矮小化する能力もある。つまり、それが壊れたときに、私たちがいかにテクノロジーに依存しているかを思い知らせるのだ。解釈学的なテクノロジーには人を啓発する能力があるが、同時に人を裏切る能力もある。誤った情報を与えられたとき、私たちがいかにテクノロジーを妄信しているかがわかるだろう。他者性のテクノロジーには人を楽しませる能力があるが、同時に人を怒らせる能力もある。テクノロジーに邪魔をされたと感じたときに、私たちがいかに感情移入しているかに気がつく。背景のテクノロジーには人が活発に生活できるようにする能力があるが、同時に人から快適な生活を奪う能力もある。テクノロジーが正常に機能しなくなったとき、私たちはいかにテクノロジーに頼っているかを思い知らされる。

アイディによれば、このように故障時の状況を分析してみると、人はテクノロジーと単なる道具的関係を結んでいるわけではないという点で、ハイデガーは正しいことがわかるという。だが、人はテクノロジーと決定的関係を結んでいるだけだとする点では、ハイデガーは間違っているとして、アイディは次のように書いている。

身体能力を拡張する際、テクノロジーは身体能力そのものも変容させる。その意味で、利用されているテクノロジーはすべて、中立ではない。気づかれないほど微妙な範囲でも、テクノロジーは基礎となる状況を変化させる。だがこれは欲望の裏返しである。この欲望は同時に、状況——地球で暮らすうえで、あるいは場合によっては地球外に行って——の変化を求める欲望でもあるが、脈絡なく、心密かに、ときとしてこの変化がテクノロジーの介在なしに起これぱいい、などと願ったりもする。[中略] この願いには矛盾があり、利用者はテクノロジーを求めつつ、テクノロジーを拒否する。テクノロジーが与えてくれるものは欲しいが制限はされたくない、技術的に拡張された肉体が意味するような変容は欲しくないというわけだ。人はこの地球上に道具を生み出すことに対して、根本的に両面感情(アンビバレンス)がある。[54]

テクノロジーは私たちの世界体験の媒介となり、自己体験の仲介をもする。これが「非中立」で起こるからといって、テクノロジーが人の体験を決定するという意味ではない。むしろテクノロジーは人が本当に欲しているものを提供してくれて、「状況の変化に応じた欲求」を満たしてくれるものだということだ。アイディによると、問題は、人はテクノロジーによって実現する状況の変化を求めながら、必ずしもテクノロジーにこうした変化を起こしてほしくないことだという。

3.4 ――ニーチェと「ニヒリズム－テクノロジーの関係」

テクノロジーは私たちが誰なのかを明らかにしてくれるが、最も重要なのは、人はテクノロジーに対して「根本的に両面感情」を抱いていて、生活にテクノロジーを欲しながら、同時に拒否していることを明らかにしてくれる点だ。人はテクノロジーに何かしてほしいと思っていて、私たちはそのことを理解している。だが同時に、それはテクノロジーにしてほしくないと思っていることも知っている。少なくとも、自分たちだけではできないことをテクノロジーにやってもらいたいと思っていて、頻繁にその必要がある限りにおいては。人間が技術の奴隷になることをハイデガー派は心配していたが、アイディははるかに大きなことを心配している。つまり、人は無意識にテクノロジーの方に近づいているわけではなく、テクノロジーがする仕事、その内容、結果を人は十分わかっていて、それでもなおテクノロジーを使い続けている状況を心配している。この「それでもなお」の部分こそ、よく掘り下げてみなければならない。

存在よりも資本主義に焦点を合わせると、人がどれほど、ハイデガーが想像もしなかったような形でテクノロジーを意識するようになったかがわかるだろう。テクノロジーは、日々の生活にますます浸透してきただけでなく、日々使用する中で、壊れたり、誤った情報を伝えたり、人の邪魔をしたり、誤動作をしたりすることが増えてきた。ハイデガーの時代には、ハンマーが壊れることはめったになかっただろう。だから、ハンマーが壊れて役に立たないといった経験をした人は稀かもしれない。しかし今の時代は、何かのテクノロジーが壊れてもあまり驚かない。製造コストを最小限に抑えて最大の利益を目指す中で、長持ちする製品ではなく、量産された安物を次々と取り換えることを想定した製品が私たちを取り巻くようになった。こうした日常生活の中では、テクノロジーが果たす役割を発見する機会はいくらでもある。

さてここからは、ニヒリズムがヒューマン-テクノロジーの関係に果たしそうな役割を見ていこう。私たちは、人を矮小化したり、裏切ったり、怒らせたり、快適な生活を奪ったりする可能性が絶えず存在するテクノロジーを使い続けている。しかも、そのことに気づかずに使い続けているのではなく、自ら望んで使い続けている。もっと正確に言うと、力を与えてもらうには、自己啓発してもらうには、楽しませてもらうには、元気に生活できるようにしてもらうには、それらのリスクは当然払わなければならない代償だと考えているのだ。ハイデガーが予測したように、テクノロジーによって、人が自らを宇宙の支配者だと感じるようになったわけではない。それよりもむしろ、意識としては中間管理職に近いだろう。私たちは永遠にテクノロジーと交渉を続け、腐れ縁のパートナーのように考えている。テクノロジーが必ずしも私たちのためにならなくても、それなしで生きていくことはできそうにない、と考えることで落ち着きを得ようとしているのだ。だから私たちは現状に妥協し、よいものを楽しみ、悪いものは知らないふりをしようと努める。その一方で、より新しい、より若いテクノロジーのモデルが現れて、願わくば足りないものを提供してくれないかと期待している。

このように、テクノロジーに対する両面感情を通じて私たちは、ハイデガーの決定論にどんどん近づいているようにも見える。人は、それがまるで運命であるかのようにテクノロジーに関わり、テクノロジーが人に及ぼす影響に気づかないふりをして、自分の置かれた状況を変える自由などないというような顔をしている。ここで、ニーチェとアイディを結びつけてテクノロジーとの関わり方を検討することで、新たなタイプのヒューマン－テクノロジーの関係、私は「ニヒリズム関係」と呼んでいるが、そうした新しいタイプの関係が見えてくるのではないか。ニヒリズム関係は以下のように公式化できる。

テクノロジー→世界－（－私）

アイディの他者性関係では世界が私たちの意識の外に消え、背景関係ではテクノロジーが私たちの意識の外に消えていくが、ニヒリズム関係では自分自身が自分の意識の外に消えていく。言い方を変えると、ニヒリズム関係では、意識の外に消えていくのは私たちの意識なのだが、これはテクノロジー利用の危険に目をつぶりながらテクノロジーを使っているときには必ず起こる。ここでも会話の例を持ち出して考えると、人は「今日は1日中コンピュータを使っていたよ。それに私が責任を取らないなんて信じられない」とは言わない。「今日は1日中コンピュータを使っていたよ。信じられない」と言うのだ。

アイディが発見したヒューマン－テクノロジーの関係と同様に、ニヒリズム関係でも多重安定性が作用している。すなわち、テクノロジーそのものは、その姿を現したり引っ込んだりするテクノロジーの力学より重要度が低くなる。しかしこの力学は、私が「人とニヒリズムの関係」を研究した際に言及したことだが、さまざまな形を取ることをニーチェがすでに指摘している。テクノロジーに対する人間の両面感情を調査するには、人とニヒリズムの関係におけるニーチェの洞察と、アイディのヒューマン－テクノロジーの関係の分析の洞察を組み合わせ、私が「ニヒリズム－テクノロジーの関係」と呼ぶものの検証を新たに始めなければならない。

以降の章では、どのようにこの研究を行うか示し、さまざまなテクノロジーについてケーススタディを挙げながら、この研究が必要な理由を明らかにしていく。これらのケーススタディでは、日常のテクノロジーがすでに、いかにニヒリスティックに使われているかだけでなく、テクノロジーをニヒリスティックに使用することにどれほどの危険性があるかも追究していく。こうした危険性を私が伝えるのは、ハイデガー派の悲観論に導きたいからでも、存在の運命の決定論的な見方に導きたいからでもない。向かう先はむしろ、ニーチェ的な楽観主義(オプティミズム)だ。「神は死んだ」として人間である意味を理解していく楽観主義の視点を、「グーグルは死んだ」として人間である意味を再発見することに転用し、楽観主義へと導いていくのが本書の主張である。

原注

1. Martin Heidegger, "The Question Concerning Technology," in The Question Concerning Technology and Other Essays, trans. William Lovitt (New York: Harper & Row, 1977), 3.〔邦訳　マルティン・ハイデガー『技術への問い』関口浩訳、平凡社、2013年〕
2. Heidegger, "Question," 4.〔邦訳　マルティン・ハイデガー『技術への問い』関口浩訳、平凡社、2013年〕
3. Heidegger, "Question," 5.〔邦訳　マルティン・ハイデガー『技術への問い』関口浩訳、平凡社、2013年〕
4. Heidegger, "Question," 12.〔邦訳　マルティン・ハイデガー『技術への問い』関口浩訳、平凡社、2013年〕
5. Heidegger, "Question," 13.〔邦訳　マルティン・ハイデガー『技術への問い』関口浩訳、平凡社、2013年〕
6. Heidegger, "Question," 14.〔邦訳　マルティン・ハイデガー『技術への問い』関口浩訳、平凡社、2013年〕
7. Heidegger, "Question," 15.〔邦訳　マルティン・ハイデガー『技術への問い』関口浩訳、平凡社、2013年〕
8. Heidegger, "Question," 17.〔邦訳　マルティン・ハイデガー『技術への問い』関口浩訳、平凡社、2013年〕
9. Heidegger, "Question," 19.〔邦訳　マルティン・ハイデガー『技術への問い』関口浩訳、平凡社、2013年〕
10. Heidegger, "Question," 18.〔邦訳　マルティン・ハイデガー『技術への問い』関口浩訳、平凡社、2013年〕
11. Heidegger, "Question," 28.〔邦訳　マルティン・ハイデガー『技術への問い』関口浩訳、平凡社、2013年〕

12. Heidegger, "Question," 24.〔邦訳 マルティン・ハイデガー『技術への問い』関口浩訳、平凡社、2013年〕
13. Heidegger, "Question," 35.〔邦訳 マルティン・ハイデガー『技術への問い』関口浩訳、平凡社、2013年〕
14. Heidegger, "Question," 7.〔邦訳 マルティン・ハイデガー『技術への問い』関口浩訳、平凡社、2013年〕
15. Heidegger, "Question," 8.〔邦訳 マルティン・ハイデガー『技術への問い』関口浩訳、平凡社、2013年〕
16. J. A. Symonds, "Twenty-three Sonnets from Michael Angelo," The Contemporary Review 20 (1872): 513.
17. Heidegger, "Question," 18.〔邦訳 マルティン・ハイデガー『技術への問い』関口浩訳、平凡社、2013年〕
18. ハイデガーのこのテーマについて詳しくは、たとえばハイデガーに関するRaffoulの議論、Francois Raffoul, The Origins of Responsibility (Bloomington and Indianapolis: Indiana University Press, 2010)を参照。Raffoulが指摘しているように、ハイデガーの作品の中でこのテーマをより明らかにするには、「あることの開示性、与えられているものに応えて、その『ガーディアン』にならなければならないのなら、『存在と時間』以降、「そこにあるもの (der Gerufene)」としてますますダーザイン (現存在) を見なければならない」(Raffoul, Origins of Responsibility, 244)
19. Heidegger, "Question," 18-19.〔邦訳 マルティン・ハイデガー『技術への問い』関口浩訳、平凡社、2013年〕
20. Martin Heidegger, The Essence of Human Freedom, trans. Ted Sadler (London and New York: Continuum, 2002), 94.

21. Martin Heidegger, “Letter on ‘Humanism’,” in Pathmarks, ed. William McNeill, trans. Frank A. Capuzzi (Cambridge: Cambridge University Press, 1998), 250.〔邦訳　マルティン・ハイデガー『「ヒューマニズム」について―パリのジャン・ボーフレに宛てた書簡』本文3-19、渡邊二郎訳、筑摩書房、1997年〕
22. Heidegger, “Letter,” 252.〔邦訳　マルティン・ハイデガー『「ヒューマニズム」について―パリのジャン・ボーフレに宛てた書簡』本文4-21、渡邊二郎訳、筑摩書房、1997年〕
23. Heidegger, “Letter,” 268.〔邦訳　マルティン・ハイデガー『「ヒューマニズム」について―パリのジャン・ボーフレに宛てた書簡』本文9-68～69、渡邊二郎訳、筑摩書房、1997年〕
24. Heidegger, “Letter,” 271.〔邦訳　マルティン・ハイデガー『「ヒューマニズム」について―パリのジャン・ボーフレに宛てた書簡』本文10-80、渡邊二郎訳、筑摩書房、1997年〕
25. Heidegger, “Letter,” 272.〔邦訳　マルティン・ハイデガー『「ヒューマニズム」について―パリのジャン・ボーフレに宛てた書簡』本文10-82、84、渡邊二郎訳、筑摩書房、1997年〕
26. Nietzsche, Will to Power, 297.〔邦訳　フリードリヒ・ニーチェ『権力への意志　下』第3書I-h-552番、原佑訳、筑摩書房、1993年〕
27. Nietzsche, Will to Power, 299.〔邦訳　フリードリヒ・ニーチェ『権力への意志　下』第3書I-h-552番、原佑訳、筑摩書房、1993年〕、Nietzsche, Will to Power, 59-60.〔邦訳　フリードリヒ・ニーチェ『権力への意志　上』第1書II-b-95番、原佑訳、筑摩書房、1993年〕も参照。その中でニーチェは、「事実のもとに宿命的に屈服することが是認される」として、「決定論」や「『動力因』としての意志の否定」を求める「19世紀」の探求に屈したとショーペンハウアーを批判している。
28. Nietzsche, Genealogy, 17.〔邦訳　フリードリヒ・ニーチェ『善悪の彼岸　道徳の系譜』「道徳の系譜」序言3番、信太正三訳、筑摩書房、1993年〕
29. Martin Heidegger, “The Word of Nietzsche: ‘God is Dead,’ ” in The Question Concerning Technology and Other Essays, trans. William Lovitt (New York: Harper & Row, 1977), 53-112.〔邦訳　マルティン・ハイデガー『ニーチェII―ヨーロッパのニヒリズム』細谷貞雄監訳、加藤登之男・船橋弘訳、平凡社、1997年〕

30. Heidegger, "Question," 62-63.〔邦訳 マルティン・ハイデガー『技術への問い』関口浩訳、平凡社、2013年〕
31. Don Ihde, Technology and the Lifeworld (Bloomington and Indianapolis: Indiana University Press, 1990), 224.
32. Ihde, Technology and the Lifeworld, 21.
33. Peter-Paul Verbeek, What Things Do, trans. Robert P. Crease (University Park: Pennsylvania State University Press, 2005), 129-30.
34. Ihde, Technology and the Lifeworld, 44-46.
35. Ihde, Technology and the Lifeworld, 144.
36. Don Ihde, Technics and Praxis (Dordrecht: D. Reidel, 1979), 125.
37. Martin Heidegger, Being and Time, trans. John Macquarrie and Edward Robinson (New York: Harper & Row, 1962), 78.
38. ハイデガーの初期と後期の作品におけるこの変化については、Verbeek, What Things Do, 80も参照。
39. Heidegger, Being and Time, 98.〔邦訳 マルティン・ハイデガー『存在と時間 上』第1部第1編第15節、細谷貞雄訳、筑摩書房、2013年〕
40. Heidegger, Being and Time, 99.〔邦訳 マルティン・ハイデガー『存在と時間 上』第1部第1編第15節、細谷貞雄訳、筑摩書房、2013年〕
41. Heidegger, Being and Time, 105.〔邦訳 マルティン・ハイデガー『存在と時間 上』第1部第1編第16節、細谷貞雄訳、筑摩書房、2013年〕
42. Ihde, Technology and the Lifeworld, 72.
43. Ihde, Technology and the Lifeworld, 80.
44. Ihde, Technology and the Lifeworld, 97.
45. Ihde, Technology and the Lifeworld, 108.
46. Ihde, Technology and the Lifeworld, 86.
47. Ihde, Technology and the Lifeworld, 76.
48. Ihde, Technology and the Lifeworld, 86.

49. Ihde, Technology and the Lifeworld, 84. アイディは「解釈学的在」の概念について議論しているが、これと「不在」の概念を明確に組み合わせてはいない。したがってこのペアリングは私なりの彼の分析解釈だ。

50. Ihde, Technology and the Lifeworld, 107.

51. Ihde, Technology and the Lifeworld, 103. ここでもアイディは「魅了」の概念について議論しているが、これと「ぼんやりしていること」の概念を明確に組み合わせてはいない。したがってこのペアリングは私なりの彼の分析解釈だ。

52. Ihde, Technology and the Lifeworld, 109. この概念のペアリングも、先の2つと同じく、私なりの彼の分析解釈をベースにした私のオリジナルだ。

53. Ihde, Technology and the Lifeworld, 32-33, 86-87.

54. Ihde, Technology and the Lifeworld, 75-76.

第4章

ニヒリズムと「催眠」テクノロジー

- テレビ
- YouTube
- Netflix
- Hulu
- AR
- ポケモンGO
- VR

4.1　自己催眠──人とニヒリズムの関係 ①

ニーチェが最初に取り上げた人とニヒリズムの関係は、「自己催眠」である。『道徳の系譜』から一部を引用しよう。

> まず第一に、あの幅をきかす不快に打ち勝つ手段として、生活感情一般を最低点まで引き下げるということがなされる。できれば、およそいかなる意欲、いかなる願望をももはやもたないようにすること。情動を刺戟（しげき）したり、〈血〉をつくったりする一切のものを避けること（塩を全然とらないこと、すなわち回教僧の衛生法）。愛さず、憎まず、心動かさず、復讐せず、富まず、働かず、乞食すること。できるならば妻帯せず、あるいはできるだけ妻の数を少なくすること。精神の点では「愚かなるべし」というパスカルの原理をとること、この結果は、心理的・道徳的にいうと、〈脱我〉また〈聖化〉となる。これを生理学的にいうと、〈催眠〉──つまり幾種類かの動物にとっての冬眠や、熱帯の多くの植物にとっての夏眠に似たような状態を、人間のためにつくりあげようとする試みであり、そこでは生命の機能が依然なお保たれてはいるものの、それが実際にはもう意識されなくなってしまった

消耗と新陳代謝との最低限がある。この目的のために、おどろくべき多量の人間のエネルギーが費やされてきた──おそらくは無駄に？[1]

ニーチェによると、人は多大な時間とエネルギーを使って眠ろうとしているらしい。この自己催眠の目的は、何も感じないようにすることである。感じると弱くなってしまうからだ。少し具体的に言えば、何かを感じることによって恐れたり、後悔したりしてしまうことがあるからだ。見ること、匂いがすること、聞こえること、味がすること、感触があること、求めること、大切に思うこと、こうした体験はすべて重荷になりかねない。人はこの重荷を、その時々で、いろんな方法を使って避けようとする。しかし、目指すところはいつも同じだ。すなわち、人生の嫌な部分を、人生の好ましい部分から切り離すこと。言い換えると、私たちは一生懸命に血や汗や涙を注いで、血や汗や涙を取り除こうとしている。

人生で私たちが最も避けたいのは痛みだ。死について、あるいは死ぬのが怖いといったことはよく挙がる話題だろうが、古代ギリシャの何人かの哲学者が指摘しているように、人が死を体験することはない。少なくとも、ほかの誰かの死とか、死にそうな痛みを通じて間接的に死を体験する以外では、私たちが死を体験することはない。ただし、痛みは直接体験してしまう。痛みは無力さを感じる体験だ。痛みは死の味にちょっと似ている。痛みは私たちに、自分が無敵ではないことを感じさせてしまう。不死ではないことを感じさせてしまう。神ではないことを感じさせてしまう。だから、痛みは肉体的にも実存的にも私たちを苦しませるのである。

痛みに対して脆弱になる体験、つまり感じるという体験をすべて忌避することで人が求めているのは、この痛みからの逃避だ。この逃避は、最終的には体験そのものからの逃避になる。仏教への関心が高まったり、心／身体の二元論への哲学的関心がいつまでも続いたりするのは、それで逃避ができるからだとニーチェは考えた。瞑想は心を空っぽにしようとすることであるが、**無を得よう**とすることでもある。二元論は、身体から意味を取り除こうとすることで、身体を「人にとってどうでもいい部分」として切り離す試みだ。すなわち、人の真の「セルフ」は不死の魂だから、死を免れない肉体は牢獄以外の何物でもなく、われわれはそこから逃れなければならない、というわけである。ここに、ニーチェが仏教と二元論の両方に見た共通点、つまり逃避がある。痛みや感覚だけでなく、人間である意味からの逃避だ。さらにニーチェは、自己催眠をニヒリズムの一形態に分類した。人が人であることにうんざりしていて、その嫌気から抜け出そうとしている例だというのである。

4.2 ── 自己催眠からテクノロジー催眠へ

近年、自己催眠を行う手段をテクノロジーに求めることが増えてきた。この現象を本書では「テクノロジー催眠」と呼ぶ。人間の人間らしさや脆さ、有限性から逃げようとする態度は、今も私たちの中にあり、ニーチェの予測どおり、彼の時代より増大していく一方である。今日私たちの多くはおそらく、仏教のスピリチュアルな面とか二元論の形而上学的な面などには、あまり関心がない。それでも自己催眠には大いに興味があり、あれこれテクノロジー的な手段を用いては、自分を眠らせようとしている。やるべきことの先延ばしとでも言えばいいだろうか。もっと平たく言えば「ぼんやり」しようとしている。

ぼんやりするためにテクノロジーを利用するという発想はおそらく、テレビがいちばんわかりやすいだろう。テレビは最初、娯楽を提供し、情報を伝えるためのものだった。視聴者に製品を宣伝することが最も重要な目的だったかもしれない。いずれにせよ発売当初はぜいたく品だったが、徐々にどこの家庭にもあるものになって、使っているのか使っていないのかわからなくても、一度つけたらつけっぱなしにするようになった。

起床する。テレビをつける。すぐに音やら何やらがあふれ出てきて、テレビをつけなければ、ただ静寂と自分自身の思考しかなかったかもしれない空間を満たしていく。テレビを消して、外出する。帰宅して、またテレビをつける。しかしそのあいだも、バスの中で、電車の中で、飛行機の中で、ショッピングモールで、屋外広告で、コンピュータで、スマートフォンで、果ては腕時計でテレビ番組を見る。

世界はスクリーンでいっぱいだ。これは、ニーチェ哲学の観点から言うと、ショッキングな展開ではまったくない。スクリーンが私たちの時間を、空間を、思考を、感情を占めるのは催眠の一種である。ショッキングと言えそうなことといえば、スクリーンを眺めることによる「ゾンビ化効果」に私たちが気づいていながら、それでも何時間も延々とスクリーンを眺め続けていることだ。私たちは昔から、テレビを「バカが見るもの」「バカになる機械」などと表現し、テレビ好きを「カウチポテト」〔ソファに転がるじゃがいもの意〕と称して嘲笑してきたにもかかわらず、至るところにスクリーンを置いて、時間さえあればスクリーンを眺めるという習慣をやめなかった。イブニングニュースなどでは、テレビ視聴がいかに私たちにとってよろしくないかという話までしているのに、それでも私たちがテレビを消すための役にはあまり立っていない。

私たちがスクリーンを好きな理由があるとすれば、それはまさしくゾンビ化効果だろう。仕事に対して、子どもに対して、政治の指導者に対して、何かの理由で私たちは疲れているのだ。

だからテレビの前で何時間か、自らの手で獲得した特権としてぼんやりとする。言い換えると、テレビを見るのは現実逃避だと私たちは知っている。そしてまさに、それこそがテレビを好む理由なのだ。

テクノロジーが人に催眠術をかけられることを私たちは知っている。それなのに、この催眠作用に好感を持っているだけでなく、催眠作用を正当化する。このことが、テクノロジー催眠的なデバイスやウェブサイト、アプリケーションの増加を理解するうえでは重要なポイントだ。第3章で述べたようにテクノロジーには多重安定性があるから、もともとの用途の如何を問わず、ほぼどんなテクノロジーでも完璧にテクノロジー催眠のツールに変えることができる。いまやテクノロジー催眠を求めるのは恥ずかしいことではないので、その設計者はテクノロジー催眠を単なる一機能と捉え、設計ミスとは考えない。

「ネットフリックス・アンド・チル」〔ネットフリックスを見て家でくつろごう、という意味の主にアメリカのスラング。性的な誘いのニュアンスもある〕は婉曲表現として使われ始めたが、すぐさまミーム〔インターネットを通じ多くの人が真似することで広がる情報の連鎖〕になった。ネットフリックスは最初、性的な誘いのツールとして市場に出されたわけではなかったが、ミームが広がると、ネットフリックスは新たに見つかったこの使われ方に味をしめ、マーケティング・キャンペーンに利用した。

ネットフリックスが潜在ユーザーにアピールしたい重要なポイントは、もはやライブラリの充実度ではなくなっている。重要なのは、アルゴリズムによるストリーミングサービスの能力で、アルゴリズムがあなたの見たいものを見つけてくれて、ユーザーはほとんど何もしなくても、そう、「くつろいで（チル）」いられますよ、ということになった。こうして「ビンジウォッチング」（テレビドラマのシリーズなどにハマって止められなくなり、何話も続けて一気に見るような中毒的な視聴方法。ビンジとは度を超した楽しみ、特にドカ食いのこと）が誕生した。「バカになる機械」を前にした「カウチポテト」同様、ビンジウォッチングという言い回しにもネガティブな響きがある。何話も続けて、ノンストップで、何時間も何時間もストリーミング視聴する。これは昔からある自己催眠の一形態「酒のガブ飲み」に似ていて、その場合、人は吐いたり、意識を失ったり、死んだりすることがある。人が誰かをカウチポテトだと言って非難する場合、家にいないで外に出て人と会い、会話をしてきなさい、という意味を含む。あるいは、そんなことをしているならバーにでも行ってこい、かもしれない。したがって、ここでの非難が意図しているのは、「あなたは自己催眠に耽っている」ではなく、「あなたは間違った形で自己催眠をしている、もっとソーシャルに自己催眠しなさい」ということだ。

「ぼんやりするな」ではなく、「1人でぼんやりするな」というこの批判は、ストリーミングサービスやビンジウォッチングがこれほどポピュラーになった理由の説明に使える。もう一度言うが、スクリーンはどこにでもあるのだ。どこにでもあるから、私たちは1つのスクリーンでストリーミングサービスを視聴しながら、同時に別のスクリーンでツイートができる。ストリーミングサービスとソーシャルメディアが手を組んで、ぼんやりする時間を人とつながるソーシャルなアクティビティに変えてくれたのである。テレビ視聴はもはや、1人で行うただの現実逃避の気晴らしではなくなった。

テレビ視聴が人とつながるソーシャルなアクティビティになったのなら、これを「ぼんやりする」とか、テクノロジー催眠とか、ニヒリスティックと見るのは間違いで、意味のある人生の一部と言えるかもしれない。もちろん、仏教についても同じことが言えるだろう。しかしいずれの場合も重要なのは、その活動からいくばくかの意味を引き出しているかどうかではなく、その活動を逃避の道具として使っているのではないか、ということだ。

確かに、ニーチェにとって自己催眠はニヒリスティックなものだった。それはまさに、私たちが現実逃避の夢想から意味を引き出しているからだ。私たちが涅槃を求めたり、ネットフリックスのビンジウォッチングに見出す意味は、私たちが暮らすこの世の価値を下げ、その価値を別の世界に転嫁できることを示している。それは別の世界、すなわち空想の世界であり、自分が自分でいなくていいように、私たちが創造した世界だ。

4.3 ―― テレビもユーチューブも「自分」を見ている

1954年の論文「How to Look at Television（テレビ視聴の仕方）[2]」でテオドール・アドルノは、「テレビが意味するものとそのメカニズムの分析」の重要性――特にテレビの「虚構」を明らかにしている。テレビは世の中に対して「極悪な作用[3]」を及ぼせるというのがその主旨だ。アドルノが特に気にしていたのは、1つには「ポップカルチャー」があらゆる形態のカルチャーを飲み込んで、社会のあらゆる階層に影響を与えられるようになり、ますます人気を得ていくこと。もう1つは、テレビという媒体には、おとなしく従順な、羊のような視聴者を生み出す傾向があることだった。

テレビには基本的な特徴として、長く人気を保っているジャンルやよく知られている言い回しを使い続ける傾向がある、と彼は考え、テレビは本質的に予測可能だと主張した。まさに、この予測可能性のおかげでテレビは緊張を緩和してくれるので、視聴者はリラックスして見られる。たとえば、主役級の人たちが死ぬことはなく、そのために「赤シャツ[4]」がいるようなことだ（テレビドラマ『スター・トレック』の初代シリーズ（邦題は『スター・トレック　宇宙大作戦』）では、赤シャツを着た乗組員が殺されることが多く（実際に乗組員のユニフォームの色別に見た、死亡した乗組員数の乗組員総数に対する比率では、必ずしも赤シャツが最多ではないが）、スター・トレック・ファンのあいだで「赤シャツを着た乗組員はすぐ殺される」のお約束ができあがった）。だが、それだけではない。この予測可能性のおかげで、視聴者は登場人物のことや番組の進行がかなり見極められるので、視聴者の「人生経験能力が鈍らされる可能性がある」[5]という。またアドルノは、テレビのせいで人が暴力的になるのではないかという心配にも同意し、さらにテレビの「虚構」が日常生活にも沁み出してきて、人はテレビというレンズを通して世の中を見るようになり、行動や価値観だけでなく、期待まで形づくってしまうと危惧している。

上司は憎たらしい。でも働き続けないといけないから、同僚に向かって嫌みを言う。魅力的に見える人は、何をしても許されてしまう。誰だって頑張れば魅力的になれるのだから、醜いままでいるのは許せないとして、醜い人をいじめる。外国人のことは疑ってかかる。道端にたむろしている若者は、よからぬことをするに決まっている。空き倉庫はきっと犯罪者のアジトだ。けんか好きのつまらない男は、家では妻の尻に敷かれている。しかし何事も最終的にはうまくいくだろう。世の中は基本的に安定しているはずなので、それを喜べばいい、と思い込むのだ。

アドルノによると、別の言い方をすれば、どうすればよき市民になれるかをテレビが教えてくれるという。それは現状を覆すために、ユーモアとセックス――あるいはシットコム（登場人物や舞台が固定されたお決まりのシチュエーションで、多くの場合1話完結型でつくられるコメディ」と大人の事情――を使うのではなく、現状に感謝し、現状のままどんな問題も解決していく市民だ。私たちがテレビのメッセージに気づきそうにないときは、テレビが笑いの効果音などを入れてくれるので、私たちはテレビが求めているとおりのことを感じられる。要するに、実際は幸せでなくても、とりあえず楽しいし、満足できるということだ。こうして、大衆相手のエンターテインメントが大衆社会をつくる。それは、個人が自分の世界を守れない社会だ。というのは、そこでは誰もが、ほかの皆が見ているものを見て、ほかの皆が話していることを話すものだとされているからであり、そしてもちろん、私たちがテレビで見ている登場人物もそうしているからである。

アドルノは「テレビ番組はそういう意図で企画されているのか」という疑問を掘り下げて、もしかしたら、テレビ番組制作者あるいは「作家」には、番組にすっかりハマる従順な視聴者をつくり上げる意図があるかもしれないが、そのテレビの効果は制作者の産物というよりは、媒体の産物だと主張した。アドルノは次のように書いている。

確かに、作家の制作動機は作品に反映されるが、想像でよく言われるほど、それですべてが決まるわけではない。[中略] 最終的な完成品は、アーティストの意図を反映するチャンスが制限される傾向にある。素材をプロデュースする人は、多くの場合ブツブツ文句を言いながらも、無数の規制や大まかなやり方、セットのパターンに従う。必要最小限ではあっても、アーティストの自己表現の範囲をコントロールするメカニズムがあり、それに従っている。マスメディア作品の大半は、1人で制作するものではなく、多くの人の協力で制作されている（たまたま、これまでに取り上げた例の大半もそうなっている）。この広く蔓延している状況は、ただひたすらこの事実によるものだ。作家の心理面からテレビ番組を考えるというのは、フォードの車について、亡くなったミスター・フォードの心理分析から考えるのにほぼ等しい。[6]

アドルノが見たところ、テレビ番組も組立ラインを出ていく車と変わらない。量産の要求があって、形式に従い、個人ではなく委員会の意見に従ってスケジュールどおりに制作しなければならない。その結果テレビは、視聴者だけでなく、制作者の事情にも沿って番組が制作されていく。

もちろん、この分析は議論を呼ぶだろう。実際アドルノは読者に、彼の分析を覆せるテレビ番組やテレビ制作者の例を探してみてほしいと書いている。アドルノがこの論文を書いた頃、アメリカでいちばん人気があった番組は『アイ・ラブ・ルーシー』（アメリカで1951年～195

7年に放送されたホームコメディドラマ」だった。非常にユニークで革新的だったので、電波に乗せるために、有名な映画撮影技師カール・フロイントを雇わなければならなかったほどだ。[7] だがアドルノなら、こうした例も自分の主張を挫くどころか、裏づけるばかりだというだろう。『アイ・ラブ・ルーシー』も含めて、テレビ番組はどんなものでも、すぐに「画期的」なものから「ジャンルの型どおり」のものになる。ある番組がうまくいくと、その番組の成功した要素がほかの番組でも組み直され、リサイクルされるので、型にはまった予測可能なテレビの性質を突き崩すどころか、むしろ広げていくのだ。さらにテレビ番組は、たとえユニークで革新的なものであっても、番組の成功要素をうまくいったエピソードから次のエピソードへと使いまわしていくので、番組ごとに予測可能な独自の型というものができあがっていく。

だから2005年にユーチューブ（YouTube）の登場が歓迎されて、すぐに圧倒的な人気を獲得したのは驚くことではない。なぜなら、視聴者は自分がその中に組み込まれない番組を見たくなっていて、制作者も組立ラインの労働者のようにならずに番組を制作したかったからだ。それならば、量産の要求に縛られない新しい番組のための媒体が必要、というわけである。まさにその機会が、ユーチューブという媒体によって視聴者にも制作者にも提供され、視聴者が制作者になれる機会さえもできた。

ユーチューブは2005年、ペイパル（PayPal）の3人の同僚がスタートさせた。3人はビデオをお互いにオンラインでシェアする方法を探していて、驚いたことにそういう方法がまだないことがわかった。スティーブ・チェン、チャド・ハーリー、ジョード・カリムの３人は自分たちのＤＩＹ精神をそのままユーチューブに持ち込み、最初はサンフランシスコのガレージから始め、サイトを無料で使えるだけでなく、「わずらわしい広告」をなくした。ジャーナリストのリチャード・アレインは２００８年、『テレグラフ』紙上に次のようなユーチューブの紹介記事を書いている。

これまでになくパワフルなコンピュータ・ハードウェアを購入しなければ、という創設者たちのニーズはすぐにクレジットカードの限度額を上回り、彼らは外部投資家の支援を模索した。

しかし、彼らは自分たち独自の条件でそれをやることに決め、サイトにわずらわしい広告は絶対に載せないと決めた。

結果的に、それは素晴らしい案だった。これによって彼らのサイトはすぐに、スポンサーやらポップアップ広告やらミニコマーシャルだらけの、ほかの駆け出しのサイトとは一線を画すものになった。

一度だけ、彼らはサイトに小さなテキスト広告を載せたとき、冗談めかして「オフィスのシンクを修理するのにお金が必要なんだ」と説明して謝罪している。
これは体制に迎合しない独立したサイトだ、と判断したユーザーたちが彼らのウェブサイトに群がった。[8]

ユーチューブはその「体制に迎合しない独立した」性質のために驚くほど人気が出て、実際に創設者3人だけではリソースが足りなくなった。そこで2006年、3人はユーチューブをグーグルに16億5000万ドルで売却した。

それでもユーチューブの人気は高まる一方だ。グーグルがユーチューブを獲得し、「スポンサーやらポップアップ広告やらミニコマーシャルだらけ」に変えたにもかかわらず。ユーチューブは2005年2月14日にサービスを開始し、2005年8月までに280万人、2006年8月には7200万人のユーザーを獲得した。[9] 2017年8月時点では15億人のアクティブユーザーを獲得していて、フェイスブックに次ぐ第2位の人気を誇るソーシャルネットワークとなった。[10] しかも、これらのユーザーが本当にアクティブに利用しているのだ。ユーチューブのエンジニアリング担当バイスプレジデント、クリストス・グッドロウは、2017年2月17日にユーチューブの公式ブログに「世界中の人々がいまや、10億時間にも上る時間、ユーチューブの底なしの量のコンテンツを毎日見ている！」と書いている。[11] グッドロウはさらに続けて、「わかりやすく言うと」、ユーチューブのユーザーは累積で「10万年」に相当する時間、コンテンツを視聴しているに等しいという。しかも「毎日！」。

ユーチューブが爆発的人気を獲得したカギはもちろんその自由さだが、自由に制作できることと以上に喜ばれたのが、自由に海賊行為ができることだ。ユーチューブは人々が自由にコンテンツをアップロードできるプラットフォームを提供していて、テレビや映画、ミュージックビデオ、スポーツの試合など、著作権で保護されているはずのコンテンツを自由に視聴できる。これが何百万人というユーザーをユーチューブに引き寄せた。ところが同時に、コンテンツ所有者からの訴訟も無数に引き寄せた。グーグルはこれに対し、コンテンツ所有者自身をユーチューブ・ユーザーにすることで、彼らと協力する道を選んだ。グーグルはすでに所有していた広告プラットフォームと新たに獲得したビデオプラットフォーム（ユーチューブ）を組み合わせ、広告を通じて自社もコンテンツプロバイダーもユーチューブから収入が得られる方法を、何年にもわたって次から次へと編み出していった[12]。その1つが「ユーチューブ・パートナープログラム」だ。人気の高いコンテンツをユーチューブにアップロードすると、ユーチューブの広告収入の分け前がもらえる仕組みだ。このパートナープログラムは2007年に始まり、最初は招待制だったが、2009年には、定期的にコンテンツをアップロードして、定常的に人気を獲得できる人なら誰でも利用できるようになった。

メディア企業にしてみれば、ユーチューブから利益を得られるのなら、ユーチューブはもはや脅威ではなく、新たな収入源となった。このユーチューブから利益を得るという方法は、コンテンツ配信をする個人にとっても意味がある。強力なメディア企業との戦いの場というよりは、自分もメディア企業のようになることを目指せる場所ができたのだ。ユーチューブ・パートナープログラムを使えば、個人もただコンテンツを配信するだけでなく、それを仕事にできる。広告収入により、何百万とはいかずとも、何千ドルも稼げる仕事だ。ジェファーソン・グラハムは２００９年、『ＵＳＡトゥデイ』紙の記事で、このプログラムのことを次のように書いている。

ユーチューブ向けにビデオを制作して生計を立てることは可能だが、それには膨大な時間（1週間におよそ75時間）を費やしてビデオを制作し、評判を広めなければならない。あなたの作品に残してくれたコメントを通じて、常にコミュニティのことを理解していなければならない。

1本ビデオの制作が終わったら、次をつくらなければならない。そしてその次を。そのまた次を。

「あなたの評価は最新のビデオで決まる」とマッキヴィーは言う。「だが従来のテレビ界では、パイロット番組を制作し、番組が売れるのを待って、それから1年近くしてからプレミアに入る。ユーチューブのビジネスモデルでは、ビデオをつくる、投稿する。するとすぐに視聴者から反応が得られる。即フィードバックが返ってくるのだ。制作する側からすれば、これにハマる[13]」

つまりどういうことか。ユーチューブはテレビのライバルになったが、それは結果的に、視聴者とクリエイターを量産の圧力から解放したからではなかったのである。いや、ユーチューブはむしろ、量産要求に縛られるであろう人を増やしてしまった。その結果今は、スタジオばかりでなく、個人までもが予測可能で体制順応的なコンテンツを制作するようになってきている。ユーチューブは、パートナープログラムへの参加条件として、コンテンツが「広告主フレンドリー」であることを要求している。広告を通じて収入を得るには、コンテンツは「暴力的」であってはならず、「不適切な表現」や「性的なニュアンスのコンテンツ」は避け、「議論を呼びそうな微妙なイベント」も避けなければならないとガイドラインに明記されている。[14]

人気のあるコンテンツのジャンルや使われる手法の種類はテレビからユーチューブへの移行

で変わったかもしれないが、特定の人気ジャンルや毎度おなじみの手法に頼るやり方は、ユーチューブでも変わっていない。人々は相変わらず形式に頼ってコンテンツを制作し、定期的にアップロードして、広告主にも視聴者にもある程度定常的にウケるようにしている。[15] ユーチューブでは視聴者の統計とコメントが公式に入手できるが、それだけではない。これらはすぐにコンテンツのそばに表示されて、嫌でも皆の目に触れる。その中には、クリエイターもクリエイター志望者も含まれ、ユーチューブではどんなコンテンツの人気が高いのか、具体的にコンテンツのどの要素によって人気が出るのかが明らかになる。こうした「即フィードバック」があるために、クリエイターはどうしても視聴者が喜んでくれるものを繰り返し使おうとする。クリエイターとは言えないような人も、視聴者を喜ばせて集められるよう、人気クリエイターが繰り返し使っているものを真似して使う。したがってユーチューブは、テレビ番組の製造ラインからの避難所ではなく、むしろそのモデルを完璧にしたものだ。ユーチューブは組立ラインの中の組立ラインともいえる仕組みになった。そこでは誰もがユーチューブというワールドワイドな組立ラインのために働きながら、自らのコンテンツの組立ラインになれる。

『アイ・ラブ・ルーシー』と同様に、ユーチューブも当初は「画期的」なものだった。しかしその後、「ジャンルの型どおり」のものになり、シットコム以上にポップカルチャーの一大ジャンルとなった。アドルノが虚構の中心にあるとするジャンルだ。おなじみのシチュエーションで、おなじみのキャラクターが登場することが、おとなしく従順な羊のようなテレビ視聴者を生み出すのに役立つものだとしたら、ユーチューブほどおあつらえむきの場所はないだろう。なぜならユーチューブの場合、カメラとインターネットさえあれば、自分の暮らしをアップロードして他人にのぞき見趣味的に見てもらえるのだから。その最たる例がフェリックス・シェルバーグだ。「ピューディパイ（PewDiePie）」という名の方がわかりやすいだろうか。自身がビデオゲームをしているところを撮った彼のビデオは、ユーチューブ史上最高の登録者数を記録したばかりでなく、彼をユーチューブ・パートナープログラム初のミリオネアにした。[16]

　こうした動画は「ゲーム実況」や「実況プレイ」と呼ばれ、今ではユーチューブの主要コンテンツになっている。独自の定型パターン、形式、制作スタジオを持ち、他人がビデオゲームをするのを何時間も飽きずに見てくれる、数百万というリピーター視聴者に頼る形で成立しているジャンルだ。ピューディパイを始めとする実況プレイヤーたちがこんなに人気が出る理由とされているのが、彼らがビデオゲームをやりながら発する「基本的に面白くて乱暴な」[17]発言と、ファンとのやり取りに費やす時間だ。確かにピューディパイの発言は非常に「面白くて乱暴な」ので、彼はたびたび自分の発言を詫びなければならなくなっている。彼の動画は、女性蔑視、人種差別、反ユダヤ主義の発言多数なのだが、そのいずれもジョークだとして、深刻に考えすぎだと彼は言い訳している。「荒らし」コメント[18]でも有名なサイトのユーチューブは、その荒らしコメントで有名な人物をミリオネアにした。言い換えると、ユーチューブで最も視聴回数の多いコンテンツは、誰か他人（ビデオゲームのアバター）がコメント（ユーザーの「荒らし」）をする様子がスクリーン（ビデオゲームのプレイ画面）に流れて、その荒らしのコメントを煽る発言（ピューディパイのコメント）があり、その姿（ピューディパイ）をスクリーン（ユーチューブ）を通じて見せるものだ。要するに、ユーチューブで最も人気が高いのは、ユーチューブ・ユーザーがユーチューブ・ユーザーになっているものといえる。

しかし、ユーチューブで見られるものなんていくらでもあり、それこそ何万時間でも見られるほどのコンテンツがある中で、人はなぜ自分に近いものをいちばん見たいのだろうか？　その答えはどうやら、人は自分を見ているのがいちばん落ち着くから、ということらしい。これはアドルノによるテレビの分析とも、ニーチェによる自己催眠の分析とも一致していて、2通りの意味で人を落ち着かせる。1つは、自分のこの生き方は正しいのだと確認できるためだ。テレビにテレビを見ている人が映り、ユーチューブにユーチューブをしている人が映ったら、自分がずっとテレビを見ていても、あるいはユーチューブを見ていても、何の問題もないと思うだろう。つまり素直に現状に順応していて何が悪い、と感じるわけだ。もう1つは、リラックスさせてくれて、感情を排除しやすいことである。そこにあるものは過激すぎず、意外すぎず、挑発的すぎでもなく、適度な刺激と、目新しくはあるが新しすぎないものを与えてくれる。

言い換えると、私たちはテレビやユーチューブを見て暮らす生活に心地よさを感じるために、自分たちを見ている自分たちを見るのである。

4.4 —— ストリーミングはやめられない

２０１６年３月、コンサルティングファームのデロイトがプレスリリースを出し、10回目の年次デジタルメディア利用実態調査を発表した。プレスリリースは次のように始まっている。

ビデオコンテンツの消費に関して、アメリカはマラソン王国になったのだろうか？　調査結果の数字は「イエス」を示している。デロイトの第10回デジタルメディア利用実態調査から、いまやアメリカの消費者の70％が、一度に平均５話のエピソードをビンジウォッチングしており、ほぼ３分の１（31％）が毎週ビンジウォッチングしていることがわかった。ビンジウォッチングに加えてアメリカ国民の半数近く（46％）が現在はストリーミングビデオ・サービスを契約しており、14～25歳のミレニアム世代はライブでテレビを見るより、ストリーミングビデオ・コンテンツを見る方が14・25時間長いという結果が出た。[19]

これを牽引したのはやはりユーチューブで、気軽さを追求したエンターテインメントの時代が到来した。この新しいエンターテインメントの時代が重視しているのは、テレビの快適さを最大限に引き伸ばすこと、私たちの私たちによる私たちのためのコンテンツを利用すること、視聴することは暮らし方として何も悪くないと安心させてくれるコンテンツを利用すること、さらには、好きなものを、好きなときに、好きな場所で見られるよう、気軽さを最大化することだ。これ以上ない気軽さが得られたので、「テレビを見すぎないように」という古くからの小言を振り払う行動様式を進展させてしまった。これは、新しいガジェットや新しいデータプランの広告で誇らしげに謳われている行動様式で、リビングを離れても、外出しても、職場でも、バスや飛行機の中でも、場合によっては車の行き交う通りを歩いているときでさえ、絶え間なくビデオが見られる環境が整っている。さらにはその車も自動運転ならば、ドライバーもビデオを見続けていられる。自動運転車を設計するという発想は、私たちが視聴をやめずにすむストリーミングサービスを設計するという発想と同じ頃に起こったものだ。

ユーチューブ、ネットフリックス（Netflix）、フールー（Hulu）はすべて、お勧めの動画コンテンツを提案する機能を備えているだけでなく、自動再生機能も備えていて、次から次へと動画が連続で再生される。再生可能なコンテンツの総時間を考えると、視聴者の寿命が尽きても、連続再生が終わることはない。往年の名作ドラマ『The Twilight Zone』〔邦題は『ミステリー・ゾーン』〕の中のエピソード、「Time Enough at Last」〔邦題は「廃墟」〕では、眼鏡をかけた本の虫のヘンリー・ビーミスが、自分が銀行の金庫室で安全に本を読んでいたあいだに、人類が一掃されたことがわかって喜ぶ。そして1人取り残された彼は、誰にも邪魔をされず好きなだけ読書できるようになる──もちろん、うっかりと眼鏡を壊してしまうまで。これを、ユーチューブ、ネットフリックス、フールーの観点から見ると、このエピソードの教訓は、人は1人でないことに感謝しなければいけない、という話にはならない。もっといい眼鏡や、もっと頼りになるテクノロジーが私たちの娯楽の仲介役として必要だ、ということになる。

ストリーミングビデオサービスで収益を上げようとしている企業が、できるだけ多くの広告を、できるだけ長時間私たちに見せ続けようとする理由はわかる。しかし、何が私たちの欲望を刺激して、こうしたストリーミングサービスの動画を延々と見せ続けることができるのだろうか。私たち皆がヘンリー・ビーミスのように人間嫌いで、他人のことを自分のお楽しみを邪魔する存在と見ているのでないかぎり、視聴をやめさせてもらえないなんて、嬉しいどころか恐ろしいはずだろう。あらためて言うが、こうしたビデオサービスやガジェット、データプランが誇らしげに謳う広告によって、私たちはほとんど強制的に行動様式を決められている。デヴィッド・クローネンバーグの『ヴィデオドローム』やジョン・カーペンターの『ゼイリブ』などの映画〔どちらも人の視覚が支配されることを題材としたホラー作品〕は、エンターテインメント産業複合体（コングロマリット）の台頭に対する恐ろしい警告というよりは、エンターテインメント産業複合体が提供すべきものを表現した広告のように思える。今日、テレビは私たちに何をすればいいかを教えてくれるもので、恐ろしいどころか合理的だと感じてしまう。

　ミームから転じてマーケティング効果を生んだ「ネットフリックス・アンド・チル」の広がりは、ストリーミングサービスと視聴者のあいだに相互利益の関係があることがほのめかされている。コンテンツのストリーミングに対して料金を支払い、見返りに「くつろぐ」ことができる関係だ。くつろぎ方は、当初の意図どおり1人でする気晴らしでも、しだいにその意味になった「イチャイチャする」[20]のでもかまわない。しかし、「ネットフリックスを見てくつろぐ」という言葉から、どうして1人でくつろぐこととまったく逆の意味が派生したのか、実に奇妙だ。「ネットフリックス・アンド・チル」は当初、ヘンリー・ビーミスのように、出かけて人に会うなんて面倒なことをせずに、1人で楽しむことを指していたのに、このフレーズが暗にほのめかす意味はまったく逆のものになった。このフレーズが表すのは、エンターテインメントを楽しむのが最終目的ではなく、別の最終目的に到達する手段として使いたいという欲求である。広義では自分の世界に入りたいわけだが、それは自分たちだけの世界に入りたいということで、コンテンツを見たいは見たいが、それ以上のことをしたい、ということだ。

　2人きりになりたいというのと、単に見る以上のことをしたいというのは、どちらも現在のビンジ文化を表している。「見逃せない番組」という概念は、大半が「競争に勝てる番組」という概念に置き換えられた。というのも今は、毎週放送される番組に合わせて生活を組み立てるのではなく、自分の好きな時間に好きな場所でアーカイブを見られるからだ。NBCとFOXのジョイントベンチャーとして始まったフールーは、ネットフリックスよりビンジウォッチング・モデルを採用することに抵抗してきた。毎週放送する昔からのやり方を維持して、ネットフリックスのように全シーズンを一気に放送してはいないが、ただし複数のシーズンを見ることができるようになった。結局、フールーも先発のサービスに倣い、独自のストリーミングサービスの制作を始め、契約者が新旧の番組の複数シーズンをビンジウォッチングできるようにしたのである。テレビ番組が従来のテレビよりも、ユーチューブと同じような感覚になってきたのは驚くに値しない。

ユーチューブのコンテンツはまず、視聴者が自宅のテレビの前のソファに座っていないことを想定してつくられている。だからコンテンツは短くてシンプルだ。さっと手軽に見られて、どのデバイスでも、いつでも、次から次へと動画を連続して見られるようになっている。ネットフリックスやフールーなどのストリーミングサービスがユーチューブの成功を後追いする形でスタートしたという背景を踏まえると、ユーチューブのようなビンジウォッチングを想定して当然だ。ストリーミングサービスでは番組の全シーズンを一度に見ることができる。そのため、視聴者が一度に複数のエピソードを見ることを想定して、制作されるエピソードの数も増えているようだ。もちろん、これは偶然の結果ではない。なぜならストリーミングサービスは、視聴者にコンテンツを提供するだけでなく、制作側に視聴者のコンテンツ消費傾向を検証できる新たな手段を提供しているからだ。ネットフリックスが2016年に行ったグローバルユーザー調査では、ネットフリックスの「超ヘビーユーザー」は「4日」で1シーズンの全エピソードを見終わり、毎日「2時間30分」視聴していたことがわかった。これに対して、「それよりいくぶん利用が少なめのユーザー」は1シーズンを「6日」で見終えており、毎日「1時間45分」視聴していた。そこからネットフリックスは、「ビンジモデルが視聴者の求めていることだ」との結論に達したのである。[21]

かつてのテレビ番組のスタンダードだった、1話完結のエピソードは稀になった。ストリーミング時代の番組は、シリーズ全体を通したストーリーの中に、1シーズンを通したストーリーを盛り込む。ストーリーテリングの仕掛けにより、視聴者に連続して見るよう仕向けるやり方が増えている。複数のエピソード、複数のシーズンにまたがる情報を小出しし、複数のキャラクター、複数のプロットを登場・進行させていく。各エピソードは毎回宙ぶらりんの状態で終わり、各シーズンの終わり方も同様だ。たいていは問題を残したまま終わり、適当なタイミングでそこに戻ってくる。そのおかげでエピソードがよりドラマチックになり、視聴者の興味をつなぎとめる効果がある。このようにビンジウォッチングを意図した番組構成は、いつまでも完結しないストーリー運びと登場人物設定に加え、尽きないコンテンツとアルゴリズムによるキュレーション（情報集約）を組み合わせて制作されているのだ。

　意図的に謎を残してエピソードを終え、必ずどこかで前の話に戻って、そこから先のストーリーにつなげていくことにより、ビンジ時代の番組に凝った技巧的タッチが生まれ、ソーシャルメディアにもビンジウォッチングのための重要な役割が与えられた。私たちはもう、視聴している1つのエピソードに納得できなくなったばかりでなく、1人で見ていることにも満足していられなくなった。その代わりに私たちは、エピソードを見ながらツイッター（Twitter）やフェイスブックに投稿して、友人や見ず知らずの人たちと視聴しているエピソードに関する話題を共有する。そして、AVクラブ（A.V. Club）やコライダー（Collider）、ヒットフィックス（HitFix）、ヴァルチャー（Vulture）〔いずれもエンターテインメント番組を紹介するウェブサイト〕、『エンターテインメント・ウィークリー』誌、果てはビジネス誌の『フォーブス』のサイトなどでエピソードのレビューを読む。

　フォーブスのようなビジネス中心のサイトがエンターテインメント番組のレビューを掲載するなんて、最初は変に思えるかもしれない。しかしそれも、エンターテインメント番組を見ることがどれほどジョブのようになっているかがわかれば納得するはずだ。エンターテインメント番組のつくり出す「虚構」は、おなじみのシチュエーションで、おなじみのキャラクターが登場するという意味では、現実社会のイミテーションの色合いは薄くなったが、こうしたコンテンツを見ることがますます日課のようになったという意味では、現実社会のイミテーションの色合いが濃くなっている。２０１５年のアンケート調査で、ティーボ（TiVo）（内蔵のハードディスクにテレビ番組を録画できるデジタルビデオレコーダー）の利用者は、回答者の31％が「ビンジウォッチングにより睡眠不足」と回答し、37％が「週末はずっとビンジウォッチングをして過ごしている」と回答していることがわかった。また52％は、「ビンジウォッチングをしていた番組が終わったら悲しい」と回答している。[22]『ニューヨーク・タイムズ』紙に掲載された「The Post-Binge-Watching Blues: A Malady of Our Times（ポストビンジウォッチング・ブルース：現代の病）」の記事に、フリー記者のマシュー・シュナイアーも同様のことを書いている。

僕は終わる前から悲しかった。残念で残念で、寂しかった。ほんの2～3日で9エピソードも見終わってしまった。すごく面白くて、期待以上だった。見終わってしまったら、次のシーズンまで続きが見られない。次のシーズンがあったとしてだが。次のシーズンについてはまだ何も正式発表がない。通常のテレビ番組だったら、シーズンを通して毎週小分けで楽しみがおとずれたのに、これについては僕はビンジングしていたんだ。

でも、僕だけじゃないことがわかった。ソーシャルメディアには同じような悩みを抱えた仲間が山ほどいたんだ。

「どうやらポスト・ネットフリックスのビンジな鬱になったらしい」と@_PhilippaRoseが泣き顔の絵文字つきでツイッターに投稿していた。

「ビンジウォッチするものが何も残っていないって、ほんとつらい」と@FicholasNosterは書いていた。

このポスト・ビンジとでもいうような、シーズン間の離別を表す語はあるかな、と考えていた人もいた。こんなのはどうだろう。特定の季節にのみ鬱の症状が出る気分障害からもじって、「非季節性情動障害：ポスト・ビンジ虚脱感[23]」。

この「ポスト・ビンジ虚脱感」はビンジマラソンが終わってしまった悲しみから来るもので、もう征服する世界がなくなってアレクサンダー大王が感じた悲しみにも、シシュポスが、自分の労働は目的もなければ終わりもないことを悟ったときに感じた悲しみにも似ている〔シシュポスはギリシャ神話の登場人物で、最も狡猾な人物とされる。神を欺いた罰として、冥界で巨大な岩を転がして丘の頂上まで運び上げる労働を課されたが、岩は苦労して頂上まで運び上げた途端に転がり落ち、シシュポスは永遠にこの岩を転がして運び上げ続けなければならなかった」。ドイツのＧｆＫによる２０１６年の調査「binge viewers in the United States（アメリカのビンジビューワー）」では、回答者の40％が、ビンジウォッチング後に達成感を感じていたのに対して、36％は「終わって悲しい」と答え、18％は「残念だ／何もする気が起こらない」と回答していた。[24] おそらく、このポスト・ビンジの悲しみや倦怠感は、「ネットフリックス・アンド・チル」が文字どおりの意味から婉曲表現が派生した理由の1つになるのではないか。きっと、ビンジウォッチングが見事に虚しさを演出する役目を果たしてしまって、テレビから気を逸らせる別の行為が必要なのだろう。もちろん、テレビはもともと、仕事や雑事から気を逸らせるためのものだったのだが……。要するに、ビンジウォッチングに代わる気晴らしが必要になったということだ。

4.5——非現実に囚われる人たち

しかし、ビンジマラソン後に悲しくなったり、残念に思ったりする理由はおそらく、それだけではないだろう。ビンジウォッチングは別世界に浸りきれるが、それはビンジするものがなくなってしまったら消えてしまう世界だ。私たちは否応なしに現実世界に引き戻される。私たちをビンジへと逃げさせた世界に。本やテレビ、映画、ビデオゲームでの新しい世界探しの旅に私たちを向かわせるのは、今いる世界とは別の世界を見つけたいという同じ欲望だ。今いるところより、いい世界。とはいえ、こうしたエンターテインメントが私たちを楽しませ続けてくれるのは、コンテンツが残っているあいだだけだ。しかしありがたいことに、科学者やエンジニアが何十年も前から、この問題の解決に取り組み、テクノロジーを開発してくれている。

1つは一般に拡張現実（AR）デバイスと呼ばれるものを用いて、現実世界そのものの見え方を変えるやり方。もう1つはさらに進んで、一般にバーチャル・リアリティ（VR）デバイスと呼ばれるものを用いて、代替現実の世界に私たちを浸らせるやり方である。

1965年の論文「The Ultimate Display（究極のディスプレイ）」でアイバン・エドワード・サザランド——「コンピュータ・グラフィックの先駆者の1人[25]」——は、人とコンピュータの相互交流の未来と考えられるものについて書いている。その中でサザランドは、次のように結論づけていた。

究極のディスプレイは、もちろん、その中でコンピュータが物の存在をコントロールできる部屋だろう。そのような部屋に映し出された椅子は、座り心地がよいはずだ。そのような部屋に映し出された手錠はしっかりと拘束でき、そのような部屋に映し出された弾丸は必ず人を死に至らせる。そうしたディスプレイをうまくプログラミングできれば、文字どおり、アリスが迷い込んだ不思議の国（ワンダーランド）になるだろう。[26]

サザランドは、「究極の」が「最高の」ディスプレイを意味するのか、あるいは「最後の」ディスプレイを意味するのかをまったく明らかにしていない。サザランドはこのディスプレイを使った椅子づくりから手錠づくりへ、そして弾丸づくりへとイマジネーションを飛躍させていき、「心地がよい」ものから「しっかりと拘束でき」るものへ、さらには「死に至らせる」ものに発想を移している。サザランドが「究極のディスプレイ」の意味を曖昧にしたのは、もしかしたら偶然ではないかもしれない。『新スター・トレック』には、『新スター・トレック』版「究極のディスプレイ」ともいえる「ホロデッキ」が登場する。複数のエピソードでたびたびその夢のような側面と悪夢のような側面が描かれていたことを考えると、もしかしたら、こうしたテクノロジーがある程度の両面性を備えることは致し方ないのかもしれない。

この両面性については、「初のＡＲディスプレイ」を開発したサザランド自身も、それをほのめかすような発言をしている。サザランドはこのヘッドマウント型の「初のＡＲディスプレイ」に「ダモクレスの剣」[27]という名前をつけている。キケロ（共和制ローマ末期の政治家、文筆家、哲学者）によると、ダモクレスの剣は、僭主（せんしゅ）ディオニュシオス2世が、僭主の権力を羨んでいたダモクレスに、強大な権力は大きな幸せをもたらすものではなく、大きな危険を伴うものであることを教えるのに用いたものだという。キケロはここから、「何かに脅かされている場合、幸せは得られない」[28]との教訓を読み取った。ディオニュシオス2世が経験した恐怖は、僭主が若き日にその権力によって成し遂げた実績と権力によるものだった。僭主が剣を与えることによってダモクレスに教えたのは、まさにそうした恐怖を伴う実績と権力だった。そして、初のＡＲディスプレイにはこの逸話の剣の名がついているのだ。

このような両面性を考えると、どうしてもある疑問が浮かんでくる。そもそもなぜ人はそんな「究極のディスプレイ」を求めるのだろうか。椅子だって、手錠だって、弾丸だって、何の問題もなく存分につくれそうな世の中において、なぜだ？　単純に面白いから、と答える人もいるかもしれない。ホロデッキと同じで、そういうテクノロジーの目的は人に新しいエンターテインメントの形を提供することだと。だがサザランドは先の論文の最初の方で、その答えは、こうしたテクノロジーは私たちに新しい問題解決の方法を与えてくれるからだと明言している。サザランドはこう書いた。「デジタルコンピュータに接続されたディスプレイがあれば、物質世界では把握することが難しい概念をわかりやすく捉えられるチャンスが生まれる。不思議の国（ワンダーランド）を見るための鏡だ」[29]。言い換えると、そうしたテクノロジーの目的は「既成の枠組みを離れて考えられるようにすること」というわけだが、ここで注意したいのは、この場合、私たちが逃れようとする既成の枠組みは「物質世界」だということだ。

現実を拡張したり、バーチャル世界をつくり上げたりするテクノロジーの目的は、サザランドが見たところ、そのテクノロジーがなければ「想像」することしかできないものを「可視化」することだという。人は想像力でいくらでも「不思議の国（ワンダーランド）」を探検できるのだが、サザランドが言うには、人間の欲望はその限界を超えており、頭の中の世界と物質世界を融合させて、不思議の国を現実にしたいらしい。確かにこの欲望があるからこそ、人はイノベーションの軌道に向かって突き進み、その過程で思考を会話に変え、会話を文字に変え、文字を絵に変えて、絵をアニメーションに変えてきた。そしてさらに、そのアニメーションが映画になり、映画のようなビデオゲームが登場し、ビデオゲームからＡＲへ、ＡＲからＶＲへと発展しつつある。こうして見ると、頭の中で描いたことを物理的に実現したい、空想を現実にしたいという欲望は、今に始まったことではないのだが、昔と違うのは、テクノロジーにこの欲望を実現させようとする発想だ。

この例のようなイノベーションの軌道を思い描くということは、進化論的にイノベーションを捉えているも同然で、イノベーションは生き残りを賭けた戦いに等しいということになる。つまり、新しいイノベーションは必ず、それまでのものを時代遅れにして、既存のものをすべて衰退の危機に晒さなければならないように思える。「新技術が誕生するたびにそういう心配が聞かれるが、新技術と並んで旧技術だって生き残っているし、そんな心配はあまりに保守的で現実的ではない」と言ってしまえば、このような議論は簡単に払拭できるかもしれない。しかし問題は、ＡＲやＶＲがそれまでの技術にすっかり置き換わってしまうかどうかではないのである。それよりも、こうしたイノベーションの軌道そのものが示すものが問題なのだ。人間のイマジネーションは、人にどこまでも試行錯誤を繰り返させ、空想を現実に変えさせようとするのか？　この軌道は、イマジネーションの捉え方と、現実の捉え方の両方を表しているように思う。ここで問題提起したいのは、ＡＲやＶＲが読み書きを時代遅れにしてしまうかどうかといった種類の話ではなく、ＡＲやＶＲをつくりたいという欲望が、現実はおろかイマジネーションまでも時代遅れにしてしまうのではないか、ということだ。

１９６４年の『MIT Science Reporter（ＭＩＴサイエンス・レポーター）』（１９５０年代から60年代に

かけて放送されていたテレビ番組で、各方面の科学者やエンジニアに、自分たちの仕事をテレビの視聴者に向けて広く紹介してもらう内容の番組）のエピソードに、マサチューセッツ工科大学（MIT）のリンカーン研究所でのサザランドたちの仕事を取り上げたものがある。その中でスティーブン・クーンズ教授が、自分たちが開発中のCAD（キャド）――「スケッチパッド」と呼ばれていたプログラム――は、コンピュータを通じてイメージを完成させていく可能性を広げるばかりでなく、初めてコンピュータでイメージをつくり上げることを可能にするものだ、と説明していた。クーンズはこの「人とコンピュータの新しい関係」を次のように説明している。

設計者が効率よく順を追って問題を解決しているのがわかるでしょう。この設計者は最初、何が問題なのか正確にはわかっていません。もちろん解決策もわかっていません。けれども、彼は1つずつ1つずつアイデアを調べ始め、コンピュータと彼とで密接に協力して、この仕事に取り組み……［中略］これまでのコンピュータの問題解決方法はといえば、問題を非常によく理解して、最初期の段階で、問題解決にどんなステップが必要かを正確にはじき出すものでした。したがってコンピュータは、ある意味「非常に高度な計算機」以外の何物でもなかったのです。しかし今、私たちは、より人間のアシスタントに近いコンピュータをつくっています。コンピュータにある程度の知性が備わったかのようです。本当に知性が備わったわけではなく、こちらが植えつけた知性以上のものではないのですが、それでも知性があるように見えます。[30]

昔のコンピュータ・プログラミングでは、たとえばプログラマーがパンチカードを使ってプログラムを正しく書き、それを正しく入力する必要があった。つまり、プログラマーとコンピュータは独立していた。こうしたプログラミングでは、プログラマーができることにも、プログラムが実行できる内容にも制約があった一方で、プログラマーの技能や知識のみならず、プログラマーのクリエイティブ能力とイマジネーションも向上した。

サザランドたちが可能にしたのは、コンピュータで「アイデアを調べ」る方法であり、コンピュータと「密接に協力」する方法だった。人とコンピュータが別々で作業をするのではなく、チームとして課題に取り組む。要するに、片方がプログラマーという役割で、片方はプログラムされるだけ、という関係ではなくなったのだ。スケッチパッドやこれに準ずるプログラムの登場で、プログラミングに必要な専門知識のレベルは下がり、より多くの人がプログラミングに携われるようになった。その一方で、プログラム側に必要な専門性のレベルが上がった。結果として、コンピュータがプログラミングに関われるチャンスが広がり、まるで「人間のアシスタント」のようになって、コンピュータに「知性が備わったかのよう」になった。簡単に言うとサザランドたちは、イマジネーションを現実に変えるために人の手伝いをするというコンピュータの役割を、イマジネーションの働かせ方そのものに影響を与える役割へと移行させたのである。そして、コンピュータが人間と一緒になって想像し、おそらくは人の代わりに想像してくれることまで可能にした。

ポスト現象学におけるテクノロジー研究の中心にあるのは、これまで見てきたとおり、テクノロジーによって人間の能力を増強しようとすると、人間の能力との仲介役を果たすテクノロジーの役割を忘れがちになる、という議論だ。ＡＲに関する分析で、ローゼンバーガー〔ジョージア工科大学准教授（哲学）〕とフェルベーク〔トゥエンテ大学哲学部長。哲学・技術学会（Society for Philosophy and Technology）元会長〕は、彼らが「拡張関係[31]」と呼ぶものを、具現化と解釈学的関係の組み合わせと評している。なぜならＡＲデバイスは、世界を見る私たちの能力と、世界を解釈する私たちの能力の両方を拡張するからだ。このダブルの拡張には、当然ながらダブルの縮小が伴う。というのもＡＲは、世界をどんどん拡張して体験させてくれて、ますます多種多様な形で世界のことを知れるようにしてくれるが、一方でその体験や知識にＡＲの仲介があることを、私たち人間に忘れさせるからだ。

ＡＲが可能にする拡張や縮小の力学は、ナイアンティックが２０１６年７月にリリースしたＡＲゲーム、ポケモンＧＯからも明らかだ。２０１６年８月には、アメリカのシンクタンクであるアーバン・インスティテュートのリサーチャー、シヴァ・コーラガヤラとタナヤ・シリニが、ポケモンGOに関する詳細な調査報告書を発表した。報告書によると、ポケモンGOはリリースからわずか3週間で、ツイッターをしのぐ人気を獲得し、人々を家から出て遊びたい気にさせる新たな方法として広く認知され大成功を収めたが、万人が等しく楽しめるものではなかったという。コーラガヤラとシリニは次のように書いている。

人口密度と近隣地域におけるミレニアム世代の比率を考慮に入れても、白人人口の割合が増加するにつれ、ポケストップ〔ポケモンGOでポケモンを獲得するためのアイテムなどが入手できる場所〕およびジム〔ポケモンGOで相手チームのポケモンと戦うことができる場所〕の数が増加することがわかった。その差はどれくらいかというと、白人が大多数を占める地域には、平均してそれらのポータルが55カ所あった。これに対して黒人が大多数を占める地域には、19しかなかった。［中略］このような差はポケモンGOに限ったことではなく、コミュニティにとって意味がある。人々の生活の質を向上させられるような公共の場を共同でつくる場合において、場所づくりの中心課題を浮き彫りにするものだ。ポケモンGOは、プレイヤーが日常の移動に新たな意味を見出し、レアなポケモンを求めて近隣で新たな場所を探索しながら、おそらくこのゲームがなければ絶対に関わることのなかった人と関係を築いていくので、バーチャルな場づくりに役立つ。しかし、ポケモンGOには問題もある。その場づくりは、このプロセスに参加する人たちだけを対象として行われる、という問題だ。[32]

ポケモンGOのようなARゲームは、ユーザーが新しくエキサイティングな方法で世の中に関われる機会を創出するが、同時にユーザーの世の中に対する関わり方を一変させてしまう可能性もある。ARは、世の中のどのような部分は経験する価値があるか、という価値観を形づくる。「この部分には目を向けるけれど、この部分からは目を逸らす」というように、さりげなくユーザーを誘導してしまう恐れがあるだろう。

プレイヤーとAR世界との関わり方は、プログラマーのさじ加減によって決まる。要するに、プログラマーも気づかぬうちに、特定のユーザーを特定の場所から締め出してしまう可能性があるということだ。クーンズがスケッチパッドについて述べているように、人は、プログラムがインテリジェントなのではないかと思えてくるほど、ARプログラムとしきりにやり取りしてしまっている。ARは、ARの介在があってこそ私たちがその世界と関われていることに気づかなくさせるばかりか、その仲介役を果たしているのはARそのものではなく、裏にいるプログラマーだということにも気づかなくさせる。ARとともに行動すればするほど、私たちはARに誘導され、ARを信頼するようになるのだ。「ARに偏りなどない。ARが信頼できないともない。何だかんだ言っても、それはプログラムであって、人ではないのだから。偏りがあって信頼できないのは人間の方だ」。当たり前のようにそう思っている人は多い。これをポスト現象学的に言うと、ARの具現化関係は人の世界に対する認識を増幅させ、その認識の形成にARプログラマーが果たす役割に気づかなくさせることがある、ということになる。また、ARを解釈学的に捉えると、世界について人が得る情報を増幅させ、その情報の形成にARプログラマーが果たす役割に気づかなくさせることがある、ということになる。

認識が増幅し、気づきが低下する作用は、ナイアンティック自身も発見していた。2016年9月、ナイアンティックはポケモンGOのウェブサイトに「利用上のご注意」のページを追加し、以下のようなガイドラインを掲載した。

＊屋外で遊ぶ場合、常に周囲に注意し、1人で移動しているときや、よく知らない場所にいるときは特に注意を怠らないようにしてください。ゲームを始めるときには必ず、この注意を思い出させるメッセージが表示されます。

＊安全にご利用いただくために、自動車や自転車の運転中、重機の操作中、そのほか少しでも注意を怠ってはいけないことをしている最中の「ながらスマホ」は、絶対にやめま

しょう。

＊屋外で探索しているときは、適度に休憩を取りましょう。そうすれば注意力が持続し、プレイ中に元気でいられるでしょう。[33]

最初の注意書きは、ユーザーにゲームの没入性を警告するものだ。ゲームは人の注意をすっかり奪ってしまうので、自分のいる場所や、自分のしていることが見えなくなる。２つ目の注意書きは、飲酒や薬を服用する際の注意書きとほぼ同じで、ゲームの中毒性を警告している。プレイしていると危険な状況でも、ゲームがやめられなくなってしまう場合があるということだ。３つ目はユーザーに、ゲームの催眠性を警告している。ゲームにもゾンビ化効果があり、周囲のことも自分自身のこともわからなくなる作用があるといわれる。ポケモンＧＯは没入性や中毒性が高く、さらに催眠性も高いため、ユーザーに「これはＡＲが拡張させたり、縮小させたりしている現実なのです」ということを思い出させてやらなければならないのだ。

テレビ、ユーチューブ、ストリーミングサービスを分析してわかったとおり、どうやらＡＲの没入性、中毒性、催眠性も特徴であってバグではないらしい。ＡＲは私たちに世界のある面を体験させてくれるが、ほかの側面は見えないようにしてしまう。私たちが体験する世界は、より魅力的になる。そうでない世界、体験したくない世界は、簡単に忘れさせてしまう。ARは白昼夢のように機能し、その中に留まることができ、しかもそれを他人と共有できるようにする。そしてその白昼夢は人が操ることができる。もっとはっきり言うと、ARは人に「操れる幻想」を抱かせる。なぜ「幻想」と表現するかというと、ARはイマジネーションの境界を踏み越え、現実世界にファンタジーをもたらすが、そのファンタジーは私たち自身がつくったものではなく、他人がつくったもので、プログラマーとコンピュータが一緒になって創作し、現実を歪めたものだからだ。そして私たちは歪められた新しい現実に夢中になり、これまでの現実を見失い、新しい現実が歪められていることにも気づかない。

もし私たちが「気晴らし」とか「罪深き楽しみ」と呼ぶエンターテインメント、つまり読書や観賞に求めているものが「没入すること」だとしたら、人が「究極のディスプレイ」を追い求めるのも納得できる。現実世界を拡張するだけでは飽き足らず、VRまでつくりたいと思っても当然だろう。バーチャルな世界でバーチャルな暮らしを送りたいというのは、自分の好きな現実の中にだけ自分が存在して、そうでない世界からは逃げたいと言っているも同然で、それはほとんど欲望の頂点である。ヘンリー・ビーミスみたいだ。これは自由を求める欲望といえるが、このような形の自由は、ARやVRが登場する以前は想像すらできなかった。ARやVRが登場して、もう自分で想像する必要がなくなるという自由。イマジネーションから解放される自由。ARやVRがもたらす自由は、逃げられる自由で、つくり上げる自由ではない。言い換えると、ユーザーに向けてつくられた自由で、ユーザーがつくった自由ではない。しかし私たちは、これまでもよりよい現実に逃げ場所を求めてきた。それと同じように、よりよいイマジネーションに逃げ場所を求めていくだろう。だから自分のイマジネーションよりも、作家のイマジネーション、アーティストのイマジネーション、プログラマーのイマジネーションを気に入り、受け入れる。このような理由から、ARやVRが提供してくれる自由のバージョンこそ、私たちが心から求めていた唯一の自由（催眠術にかけられたような自由だが）になるのだろう。『ブラック・ミラー』の「サン・ジュニペロ」のエピソードで描かれていたように、もしかしたら私たちはこれを「自由天国」と呼ぶのかもしれない。

4.6 ―― テクノロジー催眠の危険性

眠りは日々の暮らしに必要なものだ。眠りは生活の一部で、大変重要なものであり、私たちは睡眠に人生のほぼ3分の1を費やしている。眠りはノーマルなものだし、自然なことなので、人が眠りたいと思っても、それをアブノーマルだとか不自然だとは思わない。あと5分だけ、と思いながら何度もスヌーズボタンを押し、敵を見るような目で目覚まし時計を見ても、異常だとは思わない。それでも私たちは目覚まし時計を自分で買い、アラームをセットして、場合によっては複数の目覚まし時計を周りに置いたりする。さらには通知やアップデート、リマインドなど、いつでも、どこでも、希望の時間を知らせてくれるアプリやデバイスをいくつも揃えている。私たちは、本当は眠っていたい。その気持ちはあまりに強く、起こしてもらうための方法や、起きていられる方法を次々と考え出しては、それらを使って安心して眠れる方法を編み出そうとする。

起こしておきながら眠らせておく、革新的な方法を編み出そうとするこの力学。私たちに緊張感を促しながら、気を散らそうとするこの力学。注意せよと言いながら、注意を逸らせようとするこの力学は、まるで自分の中で綱引きをやっているようなもので、私たちは眠って過ごしたいと思いつつ、眠って過ごしたくないと思っている状態になっている。眠りたい、でも起きていたい、という自分の中での闘いは、私たちをこの両方の欲求を同時に満たす方法を模索する試みへと仕向ける。その方法は理想の仕事を見つけることだったり、仕事中にちょっとぼんやりする時間を見つけることだったりするだろう。あるいは仕事を忘れるために酒を飲んだり、ドラッグをやったり、テレビを見たりして、恍惚状態になる時間を見つけることかもしれない。

恍惚状態になりたいという願い、すなわち自己催眠を求めることは、昔からその欲望を抑えられない危険性があった。「酒を飲みたいけれど、飲みすぎないでおこう」「ドラッグをやりたいけれど、ハマったら怖い」「テレビを見たいけれど、見すぎるのはよくない」。ここで心配なのは、アルコールやドラッグの場合は、身体に有害で脳を委縮させることで、テレビの場合は脳に害を及ぼし肉体を衰えさせることだ。けれども、この催眠欲求を叶えてくれる新技術の登場で、人はなんとか旧来の危険に陥らないようにしようとし、その過程で新しい危険をつくり出してしまった。私たちは酒を飲んで前後不覚になることを避け、素面でいながら前後不覚になる方法の開発を進めてきた。両方の世界のいいところだけを体験しようという魂胆である。それによって人は、素面でさえいれば、アクティブでさえいれば、外出してさえいれば、健康的で、前向きで、生き生きしていると思いがちになってしまった。

自己催眠からテクノロジー催眠へ、テレビからユーチューブへ、ただ視聴することからビンジウォッチングへ、イマジネーションからARへの移行を可能にしてきたイノベーションの軌道は、私たちが現実逃避のニヒリズムから現実置換のニヒリズムへと移行できる道も同時につくってきた。アドルノが言うように、テレビなどの催眠性のあるテクノロジーが持つ危険性は、人を心地よくさせるだけでなく、自己満足に陥らせることだ。もっとはっきり言うと、テレビを見ていて心地よいのは、テレビが視聴者に自己満足を与えてくれるからだ。おなじみの言い回し、おなじみのキャラクター、おなじみのストーリーは、「慣れ」の安心感を与えてくれるので、人はますます慣れたもの、これがノーマルだといって提供されるものにしか心地よさを感じなくなる。つまり現状にあぐらをかいて、テレビを見ていて何が悪い、人の思考がテレビ視聴によって形づくられて何が悪い、という考え方にすんなり落ち着いてしまう。

しかしここで言う危険とは、テレビによって私たちの思考が形成されてしまう可能性がある、ということではない。それはアドルノも指摘していることで、前述のポスト現象学の話を振り返ればわかりやすいと思うが、催眠的なテクノロジーにはそれ特有の、人の思考を左右する役割に気づきにくくさせる働きがある、ということだ。何かのイデオロギーに引きずり込もうとしているのではないかと、特定のコンテンツやクリエイターのことだけを心配する人は多いが、それは思考に偏りがあるのは人間だけで、人を誤った方向に誘導できるのは人間だけ、というイデオロギーを受け入れてしまっていることを意味する。テクノロジーは中立なツールだから、使う人の意図しだいで革新的にも保守的にもなり、変革に対して積極的にも消極的にもなるというイデオロギーを受け入れてしまっているということだ。ここで特に気になるのは、こうした世界観こそ、催眠的なテクノロジーが私たちに受け入れさせようとしている世界観だという点である。催眠的なテクノロジーは、単に世間の見え方を提供するだけでなく、世界観も提示できるのだということに、私たちは気づきにくい。私たちはテクノロジー催眠の世界を受け入れることも、拒否することもできるのだということに気づかなくてはならない。この点に気づくことなく、いつの間にかその世界観を受け入れてしまうと、私たちに現実として示されているものが本当の現実だと当たり前のように思い、それはテクノロジーが形づくっているバージョンの現実だということに思い至らず、私たちはテクノロジーの介在を忘れてしまう。

ニーチェ哲学の観点から言うと、そもそも人はこの気づく能力の低下を追い求めて、催眠的なテクノロジーの開発や利用を推進しているといえる。だからこそ私たちは、催眠的なテクノロジーが見せてくれる世界がつくりものだとは思わずに、ありのままのものとして受け入れてしまう。その世界は、私たちが誤った方向に誘導された結果なのではないかという疑問は、頭をよぎりもしない。ここまで見事に操られると、懐疑的な目をテクノロジーによりシャットダウンされた結果というよりは、むしろ、リラックスしたいという気持ちから、自ら望んで懐疑的な目をシャットダウンした結果だと思ってしまう。

自己催眠に関してニーチェが心配したことが2つある。1つは、それが世界を辞したい欲求を表すものであること。欲望から解放されたい、生活せずに生きていたい。そうした欲求を表すものであることだ。そしてもう1つは、そうした欲望を私たちの中に認めるや否や、僧侶が私たちを禁欲主義に宗旨替えさせられるようになることである。そして禁欲の理想こそが唯一の理想で、自分を持たないことが美徳中の美徳だと信じさせられてしまう。

テクノロジー催眠は自己催眠よりもっと危険だ。というのも、テクノロジー催眠も同様に人を自己否認に導いてしまうが、その自己否認へ導くのは僧侶ではなく、テクノロジーだからだ。催眠的なテクノロジーは、私たちの気づく能力が低下していることにも気づかないようにさせる。私たちが思う以上に、おそらくは私たちが望む以上に気づく能力を低下させるのだ。テレビは私たちをくつろがせてくれるけれども、同時に現状に満足させ、テレビ番組を現実のように思わせ、現実をテレビ番組のように思わせることができる。ユーチューブは私たち自らにコンテンツをつくらせてくれるが、自分自身を制作スタジオに変え、自分の暮らしをステージにし、録画してアップロードすることで大量消費されるコンテンツにまで仕上げてくれる。ネットフリックスなどのストリーミングサービスは、好きなものを好きなだけ食べられるコンテンツのビュッフェにいるような気にさせてくれるが、のんびりと食事を楽しんでいるというよりは、コンテンツの早食い競争に出場しているような、いつ終わるともしれない競争に臨んでいるような気にさせるところがある。ARのおかげで人は世界と関われるようになるという側面もあるが、ARは自分と関わりのない世界を表示しないでおいてもくれるので、そうした世界を無視しやすくなる。ARがより魅力的に映し出してくれない世界、ARによってまだアップグレードされていない世界、そしてARでアップグレードする値打ちもない世界は、無視されるのだ。

VRについてはまだ黎明期なので、私たちに何を提供しようとしているのか、はっきりわからない。わかっているのは、フェイスブックのような巨万の富を稼いでいる企業がオキュラス(Oculus)〔VRのハードウェアおよびサービス名〕などに投資していることから察するに、VRは未来の視聴サービスの方法になると思われているらしいということだ。VRは、これまでの催眠的なテクノロジーが提供を約束するものの頂点に位置するものだろう。VRは、テレビが与える気楽さ、ユーチューブが持つパーソナルなコンテンツ、ネットフリックスが揃える幅広いコンテンツ、ARがもたらす世界との関わりをすべて備えている。そこで問題になるのは、VRにはどこまでテクノロジー催眠の脅威があるのか、ということだ。VRもテレビ同様に、自己満足を与える恐れがあるのだろうか? ユーチューブのように「コンテンツとしてのユーザー」をつくり上げてしまうのか? ネットフリックスのように、コンテンツをビンジ消費させるのか？　ARのように錯覚を起こさせるのか？　しかし、ここでも気にしたいのは、VRが私たちにどんなことをするかではなく、人はVRで何をしようとしているのか、ということだ。あまり物事に気づきたくないという私たちのニヒリスティックな欲求が、VRのような気づく能力を低下させるテクノロジーと組み合わさったときの、行き着く先はどこだろう？　いずれにせよ肝心なのは、催眠術にかかる素質を人が持っているからテクノロジーが催眠性を持つのではなく、催眠術にかかりたいと人が願っているからテクノロジーに催眠性が生まれるということだ。

原注

1. Nietzsche, Genealogy, 131.〔邦訳 フリードリヒ・ニーチェ『善悪の彼岸 道徳の系譜』「道徳の系譜」第3論文17番、信太正三訳、筑摩書房、1993年〕
2. Theodor Adorno, "How to Look at Television," in The Culture Industry, ed. J. M. Bernstein (London and New York: Routledge Classics, 2001), 158.77.「文化産業」に対するアドルノの見方と、それがユーチューブなどの現代のテクノロジーに当てはまるかについては、Babette Babich, The Hallelujah Effect: Philosophical Reflections on Music, Performance Practice, and Technology (Farnham: Ashgate, 2013)を参照。
3. Adorno, "Television," 158. この点については、Gunther Anders, "The World as Phantom and as Matrix," Dissent 3, no. 1 (Winter 1956): 14.24も参照。
4. TV Tropes, "Red Shirt," TV Tropes, http://tvtropes.org/pmwiki/pmwiki.php/Main/RedShirt.
5. Adorno, "Television," 171.
6. Adorno, "Television," 168.
7. Ted Eldrick, "I Love Lucy," Director's Guild of America Quarterly, July 2003, https://www.dga.org/Craft/DGAQ/All-Articles/0307-July-2003/I-Love-Lucy.aspx.
8. Richard Alleyne, "YouTube: Overnight Success Has Sparked a Backlash," Telegraph, July 31, 2008, http://www.telegraph.co.uk/news/uknews/2480280/YouTube-Overnight-success-has-sparked-a-backlash.html.
9. BBC News, "Google Buys YouTube for $1.65bn," BBC News, October 10, 2006, http://news.bbc.co.uk/1/hi/business/6034577.stm.

10. Statista, "Most Famous Social Network Sites Worldwide as of September 2017, Ranked by Number of Active Users (in Millions)," Statista, https://www.statista.com/statistics/272014/global-social-networks-ranked-by-numberof-users/.
11. Cristos Goodrow, "You Know What's Cool? A Billion Hours," YouTube Official Blog, February 27, 2017, https://youtube.googleblog.com/2017/02/youknow-whats-cool-billion-hours.html.
12. YouTube, "History of Monetization at YouTube," YouTube 5 Year Anniversary Press Site, https://sites.google.com/a/pressatgoogle.com/youtube5year/home/history-of-monetization-at-youtube.
13. Jefferson Graham, "YouTube Keeps Video Makers Rolling in Dough," USA Today, December 16, 2009, https://usatoday30.usatoday.com/tech/news/2009-12-16-youtube16_CV_N.htm.
14. YouTube, "Advertiser-Friendly Content Guidelines," YouTube Help, https://support.google.com/youtube/answer/6162278?hl=en&ref_topic=1121317.
15. ユーチューブのジャンル、言い回し、虚構について詳しくは、たとえば、Dan Olson, "Vlogs and the Hyperreal," Folding Ideas, July 6, 2016, https://www.youtube.com/watch?v=GSnktB2N2sQ.を参照。
16. Christopher Zoia, "This Guy Makes Millions Playing Video Games on YouTube," The Atlantic, March 14, 2014, https://www.theatlantic.com/business/archive/2014/03/this-guy-makes-millions-playing-video-games-onyoutube/284402/.
17. Zoia, "This Guy."
18. 第8章参照。

19. Deloitte, "70 Percent of US Consumers Binge Watch TV, Bingers Average Five Episodes per Sitting," Deloitte Press Releases, March 23, 2016, https://www2.deloitte.com/us/en/pages/about-deloitte/articles/press-releases/digitaldemocracy-survey-tenth-edition.html.
20. Kevin Roose, " 'Netflix and Chill' : The Complete History of a Viral Sex Catchphrase," Splinter, August 27, 2015, http://splinternews.com/netflix-andchill-the-complete-history-of-a-viral-sex-1793850444.
21. John Koblin, "Netflix Studied Your Binge-Watching Habit. That Didn't Take Long," New York Times, June 8, 2016, https://www.nytimes.com/2016/06/09/business/media/netflix-studied-your-binge-watching-habit-it-didnt-takelong.html.
22. Statista, "Reasons for Binge Viewing TV Shows among TV Viewers in the United States as of September 2017," Statista, https://www.statista.com/statistics/620114/tv-show-binging-reactions-usa/.
23. Matthew Schneier, "The Post-Binge-Watching Blues: A Malady of Our Times," New York Times, December 6, 2015, https://www.nytimes.com/2015/12/06/fashion/post-binge-watching-blues.html.
24. Statista, "Reasons for Binge Viewing."
25. Frank Steinicke, Being Really Virtual: Immersive Natives and the Future of Virtual Reality (Cham, Switzerland: Springer International, 2016), 19.
26. Ivan Sutherlandの論文 "Augmented Reality: 'The Ultimate Display'," のBruce Sterlingによる『Wired』誌への再掲記事参照。Proceedings of IFIP Congress, 1965, 506-508を引用。オンラインで閲覧可能：https://www.wired.com/2009/09/augmented-reality-the-ultimate-display-by-ivan-sutherland-1965/
27. Steinicke, Being Really Virtual, 27.
28. Cicero, On the Good Life, trans. Michael Grant (London: Penguin Books, 1971), 85.

29. Sutherland, "AR: 'The Ultimate Display'."

30. bigkif, "Ivan Sutherland : Sketchpad Demo (1/2)," YouTube, November 17, 2007, https://www.youtube.com/watch?v=USyoT_Ha_bA.

31. Robert Rosenberger and Peter-Paul Verbeek, "A Field Guide to Postphenomenology," in Postphenomenological Investigations: Essays on Human-Technology Relations, eds. Rosenberger and Verbeek (London: Lexington Books, 2015), 22.

32. Shiva Kooragayala and Tanaya Srini, "Pokemon GO Is Changing How Cities Use Public Space, But Could It Be More Inclusive?," Urban Wire, August 1, 2016, http://www.urban.org/urban-wire/pokemon-go-changing-howcities-use-public-space-could-it-be-more-inclusive.

33. The Pokemon Company, "Pokemon GO Safety Tips." Pokemon GO, http://www.pokemongo.com/en-us/news/pokemon-go-safety-tips.

第5章

ニヒリズムと「データドリブン」テクノロジー

アルゴリズム

Fitbit

ゲーム化

データブローカー

AI（機械学習）

5.1 機械的活動――人とニヒリズムの関係 ②

ニーチェが示した2つ目の人とニヒリズムの関係は、「機械的活動」の関係で、ニーチェは『道徳の系譜』に次のように書いている。

> 感受性、つまり苦痛感受力を、このように全的に催眠術的に鈍麻させるというのには、すでに並みなみならぬ力量を、とりわけ勇気、臆見への軽蔑、〈知的ストア主義〉を必要とするのは勿論だが、しかし沈鬱状態に対する療法としては、そうした催眠術的鈍麻よりもさらに頻繁に、どっちみちそれよりもっと手軽な別の**トレーニング**が試みられる。すなわち**機械的活動**がそれである。これによって生存の苦悩というものが少なからず軽減されるということには、何の疑いもない。今日ひとはこの事実を、いかがわしい呼びかただが、〈勤労の祝福〉と称している。この場合の苦悩の軽減は、苦悩者の関心がほとんどまったく苦悩から他へそらされるというところにある、――言いかえれば、たえず繰りかえし一つの行為だけが意識に入ってくるので、ためにそこには苦悩の占める余地がほとんどなくなってしまう、というところにある。というのも、人間の意識というこの部屋は、**狭い**からな

のだ![1]

前章では自己催眠によってアクティブに我を忘れる時間を持つことを解説した。ここでは少し視点を変えて、人は単純にルーティンワークで時間を埋め、自分を振り返る時間をつくらないようにすることができるという話がテーマになる。ニーチェが頭に浮かべていたのは「勤労の祝福」、つまりプロテスタントの労働倫理のようだ。一生懸命コツコツと努力すれば救済が得られる、という信念である。この労働倫理はプロテスタント主義を超え、労働の世界を超えて広がり、日々の暮らしすべてを統制するようになった。まさにこの統制が日々の暮らしに浸透しているので、私たちは日々の暮らしにおける日常性を回避できる。つまり、無数の分、時間、日、年、必要性、欲求、望み、重荷、痛み、誕生日、記念日、休日、死、こんにちは、さようなら、ありがとう、どういたしまして、愛している、大嫌い……こういったことに加え、最も重要なことに、決断、決断、決断の積み重ねで私たちの存在が成り立っていることを忘れていられるのだ。

私たちは習慣の中で暮らしている。認めたくないかもしれないが、私たちはルーティンを欲しがっており、自発的に行っても安心・安全だろうと判断して、あらかじめ考えておいた計画に沿わないことはいっさい、自発的に行うのを避けようとする傾向にある。人はよく、こうした習慣、ルーティン、自発性のなさに不平を言う。しかし実際に自分の習慣に対して変な顔をされたり、ルーティンに邪魔が入ったり、真の自発性が誰かに示されたりすると、防御を固め、困惑し、不安になり、「普通であることの心地よさ」に助けを求めるのだ。そうすれば、外にいても家にいるような安穏さを感じていられるし、選択をしたり決断をしたりすることから逃げ、とにかく説明責任の重荷に向き合わずにすむ。

第1章で提示した、イノベーションの「解放としての余暇」モデルに対して、ニーチェ哲学が反論するのもこの点だ。繰り返しになるが、ニーチェ哲学からすると、これは私たちが忙しすぎて自分を見つけられなくなっているのではない。忙しすぎるから、退屈でつまらない雑事から解放されて人間らしさを取り戻すために必要な余暇の時間を持たなくてはいけない、と思っているわけではないのだ。私たちがわざわざ雑事で忙しくしているのは、まさにそれが単調でつまらない仕事だからだ、ということをニーチェは暗に示している。この説を取ると、マルクスの予言した革命が起こらなかった理由も説明がつくかもしれない。つまり、忙しくしていないと、自分が自分のために行動していないことを、人間らしさを取り戻せていないのを、他人のせいにできないからではないだろうか？

5.2 ―― 機械的活動からデータドリブンな活動へ

本書では、近年テクノロジーに自分たちの日々の暮らしを統制・制御してもらおうとする傾向が強くなっている現象を「データドリブンな活動」と呼ぶ。19世紀の頃は、他人にあれこれ命令してもらって、忙しくしていられる雑用を与えてもらわなければならなかった。しかし今日なら、アップルが「there's an app for that（そのためのアプリがあります）」〔アップルが商標登録しているスローガン〕と言ってくれる。ネットフリックスも何を見ればいいか教えてくれるだろう。アマゾン（Amazon）も「あなたへのおすすめ」を示してくれるし、イーハーモニー（eHarmony）〔独身者用のマッチングサイト〕なら誰を愛したらいいかまで教えてくれる。

これは、まるで時計仕掛けの機械のような、頭を使わない規則性の世界だ。機械的な規則性は昔からあり、それがデータドリブンな予測、オプション、コマンドといったアルゴリズムに置き換わっただけだ。アルゴリズムは、オンラインとオフラインの両方で私たちの行動すべてを追跡し、プロファイルを作成しようとするため、こうしたアルゴリズムをプライバシー侵害のように感じる人たち（アメリカ連邦取引委員会など）[2]もいるだろう。しかしテクノロジーの進歩は、私たちのプライバシー保護よりも、アルゴリズムによる予測の正確さで測られることが増えてきているようだ。[3] トレンドウォッチング（trendwatching.com）はこれについて、次のように書いている。

便利さ。シームレスさ。自分との関連性。これらが互いに絡み合った基本的なニーズに関する顧客の期待は、2017年はさらに高まるだろう。ジョージ・オーウェルの『一九八四年』では、ビッグ・ブラザーが暗黒の未来社会における独裁者だが、(ごく最近になって見られるようになった) 恐ろしくハイレベルなパーソナライズ・サービスを求める容赦のない要求が、新しいインテリジェントなテクノロジーと出会って、次世代のビッグ・ブラザー・ブランドを生み出すだろう。そして私たちはこれから、むしろ喜んで監視されていく。[4]

「ビッグ・ブラザー」はもはや、監視社会の出現を予言する、時代を先取りした警告――小説に登場する監視社会に暮らす未来人に向けてではなく、今日の読者に向けての警告――ではなくなってしまった。「ビッグ・ブラザー」は警戒の対象から外れ、むしろテクノロジー進歩の理想形となり、自分の家に、デバイスに、身体に「喜んで」招き入れる、「インテリジェントなテクノロジー」である。そこでどうしても気になるのが、そのような「恐ろしくハイレベルなパーソナライズ・サービス」は、私たちの人となりを**学習**することで実現されるのか、それとも私たちの人となりを**形成**することで実現されるのか、という問題だ。

5.3——終わりのない目標とフィットビット

ウェアラブルなアクティビティ・トラッカー（活動量計）がどんどん市場にあふれてきている。たとえば、最近は健康管理やフィットネス向けのトラッカーや関連アプリケーションが出回っていて、例を挙げるとアップルやマイクロソフトのヘルスケアサービス、マイフィットネスパル（MyFitnessPal）、ガーミン（Garmin）、ジョウボーン（Jawbone）、ＵＡレコード（UA Record）、ムーブス（Moves）、ランキーパー（RunKeeper）、フォースクエア（Foursquare）、ウィジングズ（Withings）、ランダブル（RunDouble）、ストラバ（Strava）、フィットバグ（Fitbug）、デイリー・マイル（Daily Mile）、ライフフィットネス（LifeFitness）、アイヘルス（iHealth）、エクスプレッソ（Expresso）、Ａ＆Ｄコネクト（A&D Connect）、カディオ（Qardio）、ワン・ドロップ（One Drop）、マップマイフィットネス（MapMyFitness）、マップマイラン（MapMyRun）、マップマイライド（MapMyRide）、マップマイウォーク（MapMyWalk）、マップマイハイク（MapMyHike）などきりがない。

いろいろ挙げてみたが、ここではいちばん人気のトラッカー、フィットビット（Fitbit）にだけ焦点を当てたいと思う。フィットビットは２００９年にリリースされ、２０１０年の売上は５００万ドルをほんの少し上回っただけだった。ところが２０１５年には、18億５０００万ドル超に達している。そのあいだにフィットビットは、世界中で3800万台を超える端末を販売した。[5]データサイエンティストのルカ・フォスキーニによると、「購入後1週間以内に端末の使用をやめているのは5％で、1カ月以内にやめているのは12・5％」なので、「フィットビット・ユーザーは実際、本気で熱心に活動している」[6]という。

フィットビットなどのヘルス&フィットネス・トラッカーは、歩数や消費カロリーをモニターするだけでなく、ジムトレーナー代わりにも利用される。もっと歩くよう促したり、もっとカロリーを消費するよう喝を入れたり、果ては他人にも見えるよう自分のデータをアップロードして、こんな数字では恥ずかしいからもっと頑張ろう、という気にさせたりしてもらう人が増えている。

一見したところ、これはネガティブなことには思えない。人は健康的でいたいと思うものだし、パーソナルトレーナーを雇うよりデバイスに頼った方が手っ取り早く、コストパフォーマンスもいい。あるいは、フィットビットが自社のウェブページ「フィットビットが選ばれる理由」で書いている言葉を借りてみようか。

どんな瞬間でも、小さな活動でも、大きな変化を起こします。フィットネスは人生の総括といえるでしょう。フィットビットはこのアイデアの下につくられました。フィットネスとはジムで過ごす時間のことだけではなく、一生続くものです。日々の過ごし方が、目標に到達する日を決定づけます。進捗状況を見ることで、これから何をするべきか確認できます。

それを願い、求める人生を生きましょう。[7]

要するに、フィットビットは単なるトラッキング・デバイスではないということだ。フィットビットは生き方。自分の健康を気にするならフィットネスを考えるべきで、フィットネスを考えるならできるだけその時間を取るべき――暮らしのすべてをフィットネスの時間にするべきなのだ。動いていない時間は健康増進に何の貢献もしない。

フィットネス向上のカギは、モニターすること（「進捗状況を見ることで、これから何をするべきか確認できます」）。進捗状況を見れば、どれくらいフィットネスに時間を費やしているか、どれくらい費やすことが可能か、嫌でもわかるからだ。何歩歩いたか、今どれくらい何キロカロリー消費したかは、同時に、何歩足りないか、何キロカロリー消費が足りないかの指標になる。そして、フィットネスは終わりのない目標に向かう。

フィットビットのモニタリング機能は、単に歩数や消費カロリーを計算してくれるだけではない。フィットビットのヘルプページには次のように書いてある。

フィットビット・トラッカーは3軸加速度計を使用して、あなたの動きを理解します。加速度計は、身に着けることで動き（加速）をデジタル測定値（データ）に変換するデバイスです。この加速データを分析して、フィットビット・トラッカーが動きの頻度、持続時間、強さ、パターンの詳細な情報を算出し、歩数、移動距離、消費カロリー、眠りの質を割り出します。3軸を採用したことで、フィットビット・トラッカーの加速度計は、あなたのどんな動きでも計測でき、これまでの1軸の歩数計より正確にアクティビティを計測できるようになっています。[8]

フィットビットは単にカウントして計算するだけでなく、「動きを理解」しようとしていて、眠っているあいだも全部含めて、動きを捉えている。どうやって理解しているかというと、加速をデータに変換し、データをパターンに変換して、そのパターンを評価している。端的に言うと、評価基準は1つだ。動け！

5000歩歩きました。1万歩を目指しませんか？　1万歩歩きました。1万5000歩を目指しましょう。

このように人生を定量化すると、行動から目的を切り離すことになりやすい。動くという行為が、どこかへ行くために動くのではなく、ただ動くためにだけ動くことになるからだ。動きが目標に到達するための手段ではなくなり、目標そのものになるともいえる。「フィットネス」は確かに、「ずっと続ける」という宣言目標ではあるが、どこまでいっても到達できない目標であり、かつ定義することのできない相対論的な概念だ。どうして続けなければならないかという話になると、他人にはもとより、自分自身にも説明するのは案外難しい。[9] フィットビットが「動け！」と言い、あなたは動く。でもそれは、フィットビットに動けと言われたからか？　それはおかしいだろう。本当は、あなたがもっと引き締まった身体になりたいからであるはずだ（でもそれはどのくらい？）。

それにしても、フィットビットがモニターして、ハッパをかけ、「理解」しようとしている「あなた」は誰だろう？　定量化は、行動から目的を切り離してしまうばかりでなく、「行動」から「行動する人物」も切り離してしまう。動くために動く、とにかく「フィットネス」のために動くと、重要なのは人でなく数字になってしまう。そう、数字の裏にいるはずの人が、不在になってしまうのだ。少なくとも、「人」が測定可能なもの、データに変換できるもの、という以外の意味を持たなくなる。活動するために活動するというのは、行動から人間らしさや、個性が剥ぎ取られることで、行動が意味あるものでなくなる。機械的にであれ、アルゴリズム的にであれ、ニーチェがニヒリスティックと定義したのも、まさしくこの行為者なき行動なのだ。このような行動は人を、誰でもよい1人の何者でもない人にしてしまう恐れがある。意思決定の重荷も責任もなく、ただ行動するだけの人だ。1人の何者でもない人を何者かにするのは、意思決定の重荷と責任だというのに。[10]

5.4 —— 日常生活のゲーム化

もう1つ、人生を単なるデータ（歩数、カロリー数、数字を見て過ごした時間など）の集合にしてしまうことの問題点として、こうしたデータから換算された数値などがだんだんビデオゲームのスコアや得点のように見えてきてしまう、ということがある。常に指をすり抜けていくフィットネスの目標を追いかけるうちに、どんどん現実感がなくなって、データの見映えをよくするために動くようになる。

カロリーというのは、たいていの人は数値を言われてもあまりピンとこない。でも、点数などで提示されるとよくわかる。これは自分の現在地を知るのに便利な方法で、ほかの人も同じように単なるデータに変えられているので、ほかの人との比較で自分のポジションを知るのに都合がいい。

このように、自分自身のデータを収集するのは、便利な場合もあるが、中毒になる場合もある。もっと、もっと、と高い得点を目指してゲームセンターのゲーム機に25セント硬貨を次々と注ぎ込むように、私たちは自分の統計結果を際限なくチェックしてしまう。もちろん、他者との比較で自分を測るのは目新しいことではない。けれども、行動を何もかも定量化して常にフィードバックされるとなると話は別だ。そのフィードバックにより、ジムやゲームセンターに行かなくても他人との比較ができる。場合によっては、まるでプロのアスリートになったような気になれる。この感覚は、自分を実際の自分以上に感じさせてしまう。いつでもアスリートのような気分になれるのなら、周りの世界はいつでも競技場のように見えてくるに違いない。

フィットビットだけが、人生をゲームや試合に変え、世の中を競技場に変えることのできるテクノロジーの唯一の例ではない。ARテクノロジーの例を挙げると、ポケモンGOなどのゲームでは専用のゲーム機がなくてもゲームができ、もちろんテレビの前に座っている必要もなく、スマートフォンさえあればいつでもどこでもスコアを稼げるようになった。

ワイヤレスになったことで起こったイノベーションはいくつもあるが、それらと同じでARゲームの売りはまさにこの「解放」だ。ARなら、家に長時間こもっていても文句を言われることなく、ゲームを中断せずに外に出かけられる。さらに、自分たちは「ファンタジーの」世界で「時間をムダにしている」のとは違うとも主張できる。なぜならARは、新しくてエキサイティングなやり方で、「現実」の世界を探索する能力を与えてくれているのだから、と。

前の章ですでに、テクノロジー催眠の観点からARがいかにニヒリスティックかを議論してきた。特に、どうしてARユーザーは、デバイスに現実を拡張してもらわないと世界の探索に意味を見出せないのかを集中的に見てきた。ここで、データドリブンな活動に関して、あらためて質問だ。これはフィットビットでも同じことが言えるが、ARゲームをやっている「あなた」は誰だろう？　ということである。つまり、ARユーザーはARゲームで遊んでいる人なのか、それともARゲームに遊ばれている人なのか？

従来のビデオゲームでは、プレイヤーはコントローラーを操作し、アバターがゲームの世界のナビゲーターとなっていた。ところがARゲームでは、スマートフォンがコントローラーの役割をするものの、ユーザーがコントローラーを操作するわけではなく、ユーザーはむしろそれに操作される。スマートフォンがユーザーに、あっちへ行け、こっちへ行け、と言うのだ。したがってARゲームでは、ゲームの世界のナビゲーターになっているのはアバターではなくユーザーなのだが、そのナビゲーションはユーザーの意思決定によるものではなく、ゲームが決めた指示に従って行われている。従来のゲームはプレイヤーがアバターに指示を出さないかぎり動けないのとまったく同様に、ARユーザーはARゲームに指示してもらわないかぎり動けない。

さらに、ARゲームで探索する世界は平面的で、ビデオゲームというよりはボードゲームの世界に近い。ビデオゲームの場合、アバターは出たり入ったり、行ったり来たりしながら、ゲーム内の世界をx軸とy軸方向だけでなく、z軸方向にも探索する。しかしARゲームでは、ユーザーはさまざまな意味で物理的な法則に縛られている。ビデオゲームのアバターの場合にはないことだ。ＡＲユーザーは右か左か前にしか行けない。ＡＲユーザーはまた、常にＡＲデバイスを通して世界を見なければいけないという制約にも縛られている。だからＡＲユーザーは、常に下の方を向いていることが多いだろう。見ているのは世界ではなくてデバイスだとも言える。

サンディエゴ州立大学、カリフォルニア大学サンディエゴ校、ジョンズ・ホプキンス大学、南カリフォルニア大学、およびＡＡＡ交通安全基金の研究者らが行った最近の調査で、わずか10日間のあいだに、「ドライバーまたは歩行者がポケモンＧＯに気を取られていた例が11万件以上あり、衝突事故に至った例もある」[11]ことがわかった。この中には、「もう少しで車にはねられそうになった」と話しているユーザーや、「車で木に衝突した」と話しているユーザーもいた。同様に、ボルチモア警察署も、ポケモンＧＯのユーザーが運転する車がパトカーにぶつかった動画を、「Pokemon GO is not all fun and games（ポケモンＧＯは面白いことばかりのゲームではない）」とのメッセージを添えてツイッターに投稿している。[12]

研究者ばかりでなく、犯罪者も、ポケモンＧＯのユーザーは無条件にゲームのコマンドに従ってどこへでも行くことを発見している。ＡＲの位置情報機能とＡＲユーザーのアバターのような従順さを利用して、犯罪者がポケモンＧＯユーザーを騙してワナにかけた事件があった。犯罪者が仕組んだ偽の情報によって誘導されたユーザーは、その場所で暴行されたり、[13]銃を突きつけられて金品を奪われたり、[14] 性的ないたずらの被害者になったりしている。[15]

ここでも見られるのは、フィットビット・ユーザーと変わらないデータドリブンなニヒリズムで、行為者不在の行動だ。何百万という人がフィットビットの「動け！」というコマンドに従う。何百万という人がポケモンGOの「プレイ！」というコマンドに従う。いずれの場合も、フィットネスのためとか、ポイントのためという見かけ上の理由によって無条件の服従が覆い隠されてしまっている。そうした服従の裏にある真実は、頭を使わないただの無意味である。具体的には、デバイスやアプリケーション、つまりアルゴリズムが私たちに代わって決定してくれるので、頭を使わなくても行動できる、意味を持たない行動だ。

5.5 ―― アルゴリズムへの信頼

このデータドリブンへの無条件な服従が最も広く蔓延している例は、アルゴリズムへの信頼拡大だろう。グーグルのアルゴリズムは、何を検索しようとしているか予測するだけに留まらず、いつそれを見つけたかも教えてくれる。アマゾンのアルゴリズムは、何を買いたいかを予測することに加えて、いつそれを買うべきかも教えてくれる。フェイスブックのアルゴリズムは、誰と友達になりたいか予測し、さらには、いつ、誰とやり取りをすればいいかも教えてくれる。

ここで問題なのは、これらのアルゴリズムが私たちのことを知っているという点ではなく、私たちがアルゴリズムを信じていることだ。アルゴリズムが私たちに推薦してくれる。あなたの好みに合わせて、あなたのプロフィールに合わせて、あなたの過去の行動に合わせて、レコメンドをしてくれる。こんな謳い文句もあるくらいだ。「ネットフリックスは、見れば見るほど、あなたが好きだと思われるテレビ番組や映画をうまく推薦できるようになります[16]」。しかし私たちには、それが適切なのかどうか、どこまで本当なのかを知る術がない。

多くの人は、今利用しているテクノロジーの裏でアルゴリズムが働いていることにすら気づいていない。「人はアルゴリズムによってオンラインでどのように行動するか」を調べたある研究者によると、その調査の参加者たちは、そうとは知らずにアルゴリズムの影響を受けて行動していたことがわかったそうだ。この調査では、「62％の人が、自分の〔フェイスブックの〕ニュースフィードが検索条件に追加されていることを知らなかった。被験者にアルゴリズムの説明をした際に、マトリックスが人工物であることをネオ〔映画『マトリックス』の主人公〕が知ったシーンのことを思い出した人もいた[17]」。

たとえ私たちがそうしたアルゴリズムに気づいていたとしても、アルゴリズムは私たちの何を知っていて、そのデータをどのように活用しているかまではわからない。２０１４年、アメリカ連邦取引委員会（ＦＴＣ）は「Data Brokers: A Call for Transparency and Accountability〔データブローカー：透明性と説明責任を求める声明〕」と題した報告書を発表したが、その中に以下のような記述があった。

> データブローカー〔本レポートでは、「消費者の個人情報を収集し、その情報を再販したり、ほかの企業と共有したりする」企業をデータブローカーとしている〕は、アメリカのほぼすべての個人および商用トランザクションから、大量のデータを収集して保存している。９つのデータブローカー〔アクシオム、コアロジック、データロジックス、イーブルー、IDアナリティクス、インテ

リアス、ピークユー、ラプリーフ、レコーデッドフューチャーの9社」のうち、あるデータブローカーのデータベースには14億件のコンシューマー・トランザクションの情報と、7億件を超える集計データが保存されていた。別のデータブローカーのデータベースには、1兆ドル分のコンシューマー・トランザクションが保存されていた。さらにまた別のデータブローカーは、毎月、自社のデータベースに30億件のレコードを新たに追加している。最大の問題は、データブローカーが個人消費者の情報を大量に保持していることだ。たとえば、9つのデータブローカーのうちの1つは、アメリカの消費者のほぼ1人につき3000項目のデータを保持している。[18]

連邦取引委員会にはこの情報を突き止める力があるが、平均的な消費者にその力はない。ただし、自分についてどんなデータが収集されているのか追跡できるよう、手助けすると言っている企業がある。たとえばアクシオムだ。アクシオムはAboutTheData.comというウェブサイトを運営していて、名前とメールアドレス、社会保障番号の下4桁を入力すれば、どのデータブローカーがあなたの情報を保持しているかを教えてくれる。もちろん、アクシオムがこの情報を消費者に伝えられるのは、アクシオム自体がデータブローカーで、「アメリカの消費者のほぼ1人につき3000項目のデータを保持」しているばかりでなく、「登録の際にあなたが入力した情報を、マーケターと共有[19]しているからだ。

アルゴリズムは私たちのことを学習できるが、私たちはアルゴリズムのことを学習できない。この決まりごとを私たちは受け入れているどころか、日々積極的に参加していると言える。もちろん中には、それに抗おうとしている人もいるだろう。しかしたいていの人はそうではない。データブローカーが大量のデータ収集を正当化するためによく使う口実は、私たちによりよいグーグルの検索クエリを提供するため、よりよいアマゾンのレコメンドを提供するため、よりよいフェイスブックのニュースフィードを提供するために私たちのことを知ろうとしている、といったことである。

キャス・サンスティーン〔法学者、ハーバード大学ロースクール教授。合衆国最高裁判所でも勤務した〕を始め、多くの人が「よりぴったりの結果」と「あなたにとってよりよい」は結局同じだという主張に反論している。サンスティーンは次のように書いている。

1995年、MIT（マサチューセッツ工科大学）のテクノロジー専門家ニコラス・ネグロポンテは、パーソナライズされた情報がすべて前もって選択されている「デイリー・ミー」〔よくある新聞の名称をもじったもの。日本語では「日刊自分新聞」などと訳される〕の登場を予言した。ネグロポンテの予言は決して大それたものではなかった。結局のところ、デイリー・ミーを自分でつくる必要はなかった。他人がつくってくれるのだから。あなたに関して少しばかり情報が得られると、相手には「あなたのような人」が何を好む傾向にあるかがわかって、それをあなたに伝えられる――そして、ものの何秒かで、あなた向けのデイリー・ミーができあがるのだ。[20]

サンスティーンが懸念しているのは、こうしたアルゴリズムによるキュレーション〔情報集約〕が行われると、民主主義が正しく機能しなくなる恐れがあるという点だ。フィルタリング、エコーチェンバー現象〔閉鎖的空間内でコミュニケーションを繰り返すことによって、特定の信念や思想が増幅される現象のこと〕、集団成極化〔グループの構成メンバーにもともと存在する傾向が、グループになることによって極大化する現象のこと。集団極性化、集団分極化ともいう〕、過激思想につながる――ひいては「アメリカを再び偉大に」につながる――ということだが、私が気になるのはむしろ、そもそもどのような理由から「デイリー・ミー」を求めるのか、という点である。アルゴリズムにキュレーションされた暮らしを送ることの危険性を指摘したところで、なぜ人がそのような暮らしをしたがるのかが理解できないと、何も変わらないからだ。

アルゴリズムは、一連の命令が組み込まれたコンピュータ・プログラム以外の何物でもない。これらの命令は、プログラムが大量のデータをソートし、プロファイルを作成して判断し、たとえば「『あなたのような人』は何を好む傾向にあるか」などを決定できるよう設計されている。こうしたアルゴリズムが人の姿を取ったのがシャーロック・ホームズだ。あるいは最近のBBCのTVシリーズ『シャーロック』でベネディクト・カンバーバッチが演じた新世代のシャーロック・ホームズ、と言った方が正しいか。カンバーバッチのホームズ（こちらをカンバー・ホームズと呼ぼう）は、会うなりすぐさま会った相手のプロファイルを作成してしまうが、そのプロファイルは、これまでに会った人々や研究してきた人々から長年かけて集めた情報にもとづく「推理」によって作成されている。

カンバー・ホームズは、相手の発言には注目していない。それよりも、着ているものや匂い、歩き方などをよく観察する。人の言動は信用できないからだ。カンバー・ホームズが信用するのはデータだけである。なぜなら、カンバー・ホームズは自分のデータ処理能力に非常に自信を持っているため、瞬時にそのデータ処理結果を、今、目の前にいるデータ処理対象の相手に伝え、自分の能力を喜んでひけらかす。この結果を伝えられた相手はたいてい、怒り、困惑、驚きの入り混じった感情を経験する。それは、データにもとづいてカンバー・ホームズが行った推理が正しいからだ。カンバー・ホームズはいつだって正しい。

だからこそ、難事件の被害者のみならず、警察や政府からも援助を求められるのだが、警察や政府が彼を呼ぶのは、彼の力がよいことにも悪いことにも使えるから、ということがシリーズの最初からほのめかされている。コンピュータ・プログラムと同じく、カンバー・ホームズもそのデータ処理を自分で止められないものとして。だから彼の「推理」が、人を救うことにも、人を破滅させることにもつながるのだ。

カンバー・ホームズは非常に頭が切れる。そして非常に役に立つけれども、非常に危険である。それでも彼はヒーローで、私たちは彼を応援し、もしかしたら自分のことも推理してほしいと思うかもしれない。ドラマシリーズ『24』のジャック・バウアーが悪を正そうとしながらも、拷問には反対しない――これはバウアーをヒーローにするのと同時に、スリリングな効果を演出しているようだ[21]――のとほぼ同様に、カンバー・ホームズも悪を正す手伝いをしながらも、いまや「ビッグデータ」が代わりを務めている「ビッグ・ブラザー」のアルゴリズムを支持している。

さて、本題に戻ろう。カンバー・ホームズとアルゴリズムのどちらでも構わないが、その予測力の何に、私たちはそれほど惹かれるのだろうか？　予測アルゴリズムはいたるところにある。グーグルやアマゾン、フェイスブックを使って何かを決める際だけではなく、あらゆる決断の裏に予測アルゴリズムが存在するケースが増えている。フランク・パスカル〔ブルックリン・ロースクール教授〕はこう述べている。

ワインや映画を選ぶ場合、危険度はそれほど高くない。しかしアルゴリズムが、雇用や昇進、健康、信用、教育の重要な機会に影響を及ぼし始めるとき、より慎重に目を光らせなければならなくなる。アメリカの病院はビッグデータドリブン・システムを利用して、どの患者のリスクが高いかを見極めており、従来の保健衛生記録とは遠くかけ離れたデータが、そうした決定を左右する情報を伝えている。ＩＢＭは現在、アルゴリズムによる評価ツールを使って、費用対効果の基準に従い、世界中の従業員のソートを行っているが、上級管理職には同様の侵害的監視やランクづけを用いていない。政府も同様で、アルゴリズムによる危険度評価を用いて、刑期を長くしたり、渡航者の搭乗拒否リストを作成したりすることがある。何十億という貸付にも信用度評価が用いられているが、評価方法はヴェールに包まれたままだ。誤って、あるいは不公平に処理されたデータのおかげで、借り手は平均で一生のうちに何万ドルもの損失を被っている可能性がある。[22]

アルゴリズムは安全と保護を約束する。私たちが時間と労力を節約できるよう、信頼性の高い予測の実現を約束する。企業であれば、そのおかげでリソースを節約できる場合もある。政府機関なら、命を救えることもある。しかし、アルゴリズムの予測、あるいはカンバー・ホームズの予測がそれほど信頼できる理由は？　もっとはっきり言おう。どうしてそこまでアルゴリズムの予測に頼ろうとする？

過去に人が行ったことは、たとえ全人類が行ったことでも、必ずしも将来誰かが何をするかを予測する指標にはならない。アルゴリズムもカンバー・ホームズも、演繹法ではなく論理的な誘導で結論にたどり着く。過去の出来事から未来を演繹的に推理するのは、デイヴィッド・ヒューム〔18世紀の哲学者。経験論の代表格とされる〕の有名な言葉どおり不可能だからだ。しかし、アルゴリズムもカンバー・ホームズも、まるで演繹法を用いているかのように扱われている。単に学習した事柄から推測しているというよりは、未来が見えるかのようだ。

こうした事柄は、山のようなデータからの学習により推測するものとされている。けれども、ニーチェの意見は異なるようだ。そうした推測が可能になるのは、人の行動全般に関して大量の情報を集めたからではなく、当該人物についての情報を集めたからだという。かつてニーチェはこう書いている。

> まさにこれこそは**責任**の由来の永い歴史なのである。約束することのできる動物を育成するというあの課題は、われわれがすでに理解したごとく、その条件や準備として、まずもって人間を或る程度まで**必然**的な、一様な、同等者のあいだで同等な、規則的な、したがってまた算定可能なものとするというより差し迫った課題を含んでいる。私が〈習俗の

倫理〉と呼んだもののあの巨大な作業〔『曙光』九節、一四節、一六節参照〔第1書9番、14番、16番〕〕——人類のもっとも長きにわたった期間に人間が自己自身に加えてきた本来の作業、人間のあの前史的な作業の全体は、たとえその内にどんなに多くの冷酷、暴虐、痴愚が宿っているにしても、右の課題に関する点でその意義をもち、立派に申し開きが立つものとなる。それというのも、人間は習俗の倫理と社会的拘束の緊衣とのおかげで本当に算定しうるものとされたからである。[23]

もしアルゴリズムに人間の行動が予測できるとしたら、それは人が予測可能になってきたためだ。このように人が予測可能になってきたのは、ニーチェによると、風習〔「習俗の倫理」〕や礼節〔「社会的拘束の緊衣」〕を通じて互いに、どのように振る舞うのが正しくて、正常で、責任ある態度かを教え合い、自分に対しても教え込んできた結果だという。

私たちの適切で、正常で、責任ある行動によってどこまで予測可能になってきたかは、スティーブン・ソダーバーグ監督による1996年の映画『スキゾポリス』を見ればよくわかる。この作品はシュールなやり取りが満載だ。

フレッチャー・マンソン：［明るい様子で帰宅して］一般的なあいさつ！

マンソン夫人：［温かく迎えながら］同じあいさつのお返し！
［お互いにキスをして、互いにクスクスと笑う］
フレッチャー・マンソン：切迫した栄養。
マンソン夫人：食事への過度な期待。
フレッチャー・マンソン：Ｏｏｏｈ！　空腹と期待の混合反応！[24]
〔主人公と妻の掛け合い。邦訳は『スキゾポリス』日本語字幕より引用〕

アルゴリズム予測は信頼できる。なぜなら、信頼できると私たちが思うからだ。信頼に足るため、ソダーバーグ監督が見せてくれたように、私たちは誰かとの会話がどんなふうになるか、前もって計画できる。それはまるで、私たちの会話が事実上「アルゴリズム的」になったかのようだ。そしてこれは、親しい人との会話に限ったことではない。見ず知らずの人が相手でも同じで、その相手との出会いの状況から察し、昔からの友達と同じように予測できる。「デイリー・ミー」なら、自分の聞きたいことだけを聞くことができる。しかし、サンスティーンが言うように、この「デイリー・ミー」を私たちのためにつくってくれるのは、自分ではなく他人なのだ。カンバー・ホームズに夢中になる人たちも同じで、これらはあることを示唆している。すなわち、私たちが聞きたいのは、「私は何者なのか?」ということだ。私たちがアルゴリズムを使うのは、世界をフィルターにかけて自分のイメージどおりに仕上げたいからではないか、とサンスティーンは懸念している。だがそのためには、自分が何者なのかを知らなければならない。「デイリー・ミー」の「ミー」が何者なのかを知らなければならないのだ。そしてここで問題なのが、まさにこの、自分を知らないことなのだ。

自分たちのことを予測可能にするために、ニーチェが言うように、私たちはただ「算定可能」になっただけではなく、「必然的な、一様な、同等者のあいだで同等な、規則的」になってきた。要するに、没個性的だということだ。個性は予測不可能なので、危険である。だから、どんどん予測可能になって、どんどん信頼できるようになった方が、居心地がいいし、型どおりで安全だ。つまり、社会になじむために個人のアイデンティティを犠牲にするわけだが、この考え方から、私たちがアルゴリズムの決めてくれた生活を送りたがる理由もわかるだろう。なぜなら、アルゴリズムは私たちのことをわかっているというのだから、アルゴリズムに聞けば自分が何者なのかわかるためだ。「あなたのような人」へのお勧めには絶大な信頼を置く。こうしたデータドリブンな活動はすべて、頭を使うことなく行える。自分の考えを働かせなくていい。そんなことをしなくても、アルゴリズムによって処理されたデータを見れば、知りたいことを知ることができる。神の存在を証明しようとした中世のニヒリズムが、現代では、自分自身が存在することを証明しようとするニヒリズムに代わっただけだ。ビッグ・ブラザーなりビッグデータなりが、自分のことを見張っているのだとしたら、そこに私は存在していて、監視する値打ちがあるに違いない。

5.6 ——データドリブンな活動の危険性

これまでに分析したデータドリブンな活動の特徴は、ニーチェが機械的活動に見た特徴と同じく、目的もなく、主役もなく、説明責任もない活動だ。要するに、生きることの重圧、特に意思決定の重圧から解放されるよう設計された活動ということだ。あるいは、サルトルの表現を借りるなら、「自由であることを運命づけられている」重圧からの解放ということになる。

人が予測可能になってきている。ニーチェによるとそれは、人が自分で自分を予測可能にしているからだという。私たちが予測可能になってきたのは、操られ、洗脳され、調教され、戒められてきた結果で、「冷酷」「暴虐」「遅鈍」「痴愚」の結果だが、少なくともこれは人間のしたことで、自分にも他人にもしてきたことの結果だ。だが、もしこの「人間が自己自身に加えてきた本来の作業」が、もはや人だけに監督されているのでなかったらどうだろう。ポスト現象学が示しているように、アルゴリズムは私たちがデータドリブンなニヒリズムに到達するための単なる手段ではなく、私たちのデータドリブンなニヒリズムを積極的に形づくっているものだとしたら？　ビッグ・ブラザーがビッグデータに置き換わったことで、私たちはおそらく、かすかな希望の光を失ってしまった。本当ならまだしがみついていられた希望を失ってしまった。ビッグ・ブラザーのいた一九八四年には、たとえ多くの人が単なる操り人形になり下がっても、いくぶんは操り人形になっていない人がいたし、自分で自分の糸を引ける人もいた。

今日私たちを引っ張るのはもちろん禁欲主義的僧侶でもなくデータで、機械的に服従しているのではなくアルゴリズムに服従しているのだが、現在の状況がニーチェの心配していたことから、すっかり変わったわけではない。裏で使われているツールや、操縦や洗脳を可能にする信仰の対象は変わっても、私たちはやはり知識が力になると信じている。だが、誰かが必ず知識のデータを集め、誰かが必ずアルゴリズムを設定し、それが生み出す服従から利益を得る誰かが必ずいる。

先に指摘したとおり、アルゴリズムがどんな情報を集めていて、どのように働いているかを見つけ出すのは不可能に近い。しかし、こちらにこれほど情報がないのは、それが機密にされているからだということは想像できる。アルゴリズムのインフラを収めた「ブラックボックス」があるとしたら、それは設計者やエンジニア、法律家、CEOたちが、数学と法律、官僚主義などを複雑に組み合わせて、つくり上げたに違いないだろう。フランク・パスカルは著書『The Black Box Society（ブラックボックス社会）』で次のように書いている。

ジョージ・ダイソンは自身の著書『チューリングの大聖堂―コンピュータの創造とデジタ

ル世界の到来』の中で、面白いことを書いている。「フェイスブックがわれわれが誰なのかを定義し、アマゾンがわれわれが欲しいものを定義し、そしてグーグルがわれわれが何を考えるかを定義する」。この風刺を拡大すれば、金融と評判まで含めることができ、金融が私の所有するもの（少なくとも物質的には）を定義し、評判が私に与えられる機会を定義することがますます増えている。各領域のリーダーたちも、規制や告訴、釈明にわずらわされることなく、こうした意思決定をしたいと切に望んでいる。これがうまくいけば、われわれの基本的自由と機会をシステムにアウトソーシングすることができるが、上級管理職と株主の懐が豊かになる以外の価値はほとんど見当たらない。[25]

つまりは、ブラックボックスの中身を知ることは可能だが、問題は、そのブラックボックスの中身に誘導される暮らしを送っている人たちにはその情報が届かない、もしくは、少なくともまだ届いていないということだ。

だがおそらく、この主張は少し間違っている。必ず人が介在するという言説はもう時代遅れだ。グーグルの元バイスプレジデントで、現在はカーネギーメロン大学でコンピュータ・サイエンスの学部長を務めるアンドリュー・ムーアは最近、インタビューで次のように述べている。

コンテンツプロバイダーが、自社のシステムの動作をすっかり把握しているというのは過大評価です。［中略］あなたは、「どうしてこの映画を私に勧めるの？」と聞きたくなりませんか？　しかし機械学習モデルを使用しているとき、モデルはそれまでの利用履歴から集めた大量の情報を用いて（プロバイダーの知らないところで）自己学習します。［中略］映画のポスターのピクセルの色から、おそらくはこの映画を楽しんだほかの人との地理的距離といったものまでをすべて。［中略］カーネギーメロン大学の研究者の1人が、ちょうど新しい機械学習システムをリリースしました。何百億というエビデンスの、小さな小さな断片をつなぎ合わせて処理できるシステムです。[26]

さらにインタビュアーがムーアに、「融資の申し込みを承認するか否かを判断するために、フェイスブックの友人の信用評価を参考にできるツール」に関する特許のことを尋ねたところ、ムーアは次のように答えた。

それは非常に難しい問題でしょう。［中略］そもそも、それほど賢くないコンピュータに、友人があなたについて知っていることをベースとして、あなたのリスクが高いかどうかを予測してもらおうとするわけです。それに加えて、「違法だとされそうな、これこれの特徴は判断材料から除外してください」（と指示するわけです）。コンピュータが、使ってはいけないエビデンスを本当に使っていないかどうかについてエンジニアが確証を得るのは、不可能か、非常に困難です。

プログラマーがアルゴリズムをつくる。アルゴリズムが結果を生成する。しかしそこで生まれた結果は、プログラムを記述したプログラマーにも理由がわからない。これが機械学習のパラドックスだ。

「ビッグデータ」の時代、何十億、何千億というデータサンプルと、何千、何万というデータのプロパティ（機械学習が「特徴」として利用するもの）が解析されることがあります。アルゴリズム内部の決定ロジックは、トレーニング・データで「学習」し、変更されていきます。とりわけ膨大な数のデータの異なるプロパティ（たとえば、スパムメールの語句に加え、メールのヘッダー情報など）を扱わなければならないことが、プログラムをより複雑にします。機械学習は、プログラムに記述された手法（「主成分解析」など）を使って、不透明さを増しながらどんどん拡張し、問題を処理していくと思われるので、この技術はまもなく、コンピュータ・リソースの限界に達します。データセットはきわめて規模が大きいかもしれませんが、理解することは可能ですし、プログラムも明瞭に書けるでしょう。でも、アルゴリズムのメカニズムにおける両者の相互作用が、複雑さ（そして不透明さ）を生む原因になっています。[27]

機械が私たちのことをどんどん学習していく一方で、人はどんどん機械のことがわからなくなっていく。これは機械が私たちを上回った結果ではない。こうした機械はムーアが言うように、「それほど賢くない」ので、自ら学習したルールにただ従っているだけなのだ。問題は、これらの機械がどのようなルールに従っているのか、人にはどんどんわからなくなってきていることである。どの情報が取り込まれて、どの情報が除外されているのか、誰にもわからない。どんなルールに従って、包含や除外の決定がされているのかも、誰にもわからない。

しかし、それよりもっと深刻なのは、アルゴリズムがどのように働いているのかを誰も知らないのに、それでもアルゴリズムに信頼を寄せていることだ。ニーチェ哲学の観点から見たこの問題の答えは、私たちがアルゴリズムを信頼しているのは、まさに誰もアルゴリズムがどのように働いているのか知らないから、である。アルゴリズムが不透明になればなるほど、謎になればなるほど、信頼は深まる。人間は過ちを犯すものだ。だから、人がアルゴリズムに果たす役割が小さければ小さいほど、アルゴリズムがまとう「絶対確実性のオーラ」が増していく。

もちろん、アルゴリズムは常にミスを犯している。だがこれは、マシンのせいではなく、人のせいだ。[28] アルゴリズムが誰かに誤った製品を勧めたら、誰かのローンを誤って却下したら、あるいは誤ってボットの標的にされたら、これはアルゴリズムの設計の段階で人間のバイアスがかかっていたか、アルゴリズムに与えられる情報量が足りないため、と人は考える。前者は人を機械に置き換える口実に使えるし、後者は人の価値（たとえばプライバシー）を機械の価値（効率など）に置き換える口実に使える。

人の価値が機械の価値へ置き換えられることはまさしく、フランスの社会学者で神学者のジャック・エリュールが心配していたことだ。エリュールは次のように書いている。

ここに私たちが目撃している逆転がある。これまでの歴史では、例外なく、テクニックは文明の一部であり、たくさんの非テクニック的な活動の中の一要素にすぎなかった。今日、テクニックは文明のすべてを乗っ取ってしまった。［中略］製造の必要性が暮らしの根幹にまで浸透している。テクニックが生殖をコントロールし、成長に影響を及ぼして、個人も人類も変えてしまう。死、生殖、誕生、生活環境。すべてテクニック面の効率やシステム化、工場の組立ラインの終点の制約を受ける。人の暮らしの中で最もパーソナルに思えることが今はテクニック的になっている。休息を取り、リラックスする方法は、気晴らしのテクニックにおける目標となった。意思決定の方法はもはや、個人の自由意思の領域ではない。これも「オペレーションリサーチ」術の目標になってしまった。(スイスの建築史家の)ギーディオンがいったように、こうしたものすべてが、存在の根幹に関する実験になっている。[29]

1963年時点ですでにエリュールは、「テクニック」が社会の中核を担うルールになり、「効率」が社会の支配的価値になるのを見て取っていた。エリュールにとって「テクニック」は「テクノロジー」の同義語ではなく、「人の活動のあらゆる面で、(開発のために)合理的にたどり着き、絶対的な効率を誇る方法の全体」と定義できるものだ。[30] 要するに、「テクニック」は、ニーチェが言うところの、人間の生活をすべて均一化して計算可能にし、結果的に予測可能にするために採用された戦略なのである。最終的にほかのものすべてを効率が飲み込んでしまうまで、人の暮らしがどんどんテクニックのルールの支配下に入っていくのだ。効率が私たちの求めるものだとしたら、テクニックこそ、それを得るための方法である。

エリュールが本当に心配していたのは、効率が本当に私たちの求めるものなのか、それともそう思わされているだけなのか、ということだ。テクニックのルールに従って、そう思い込んできただけなのではないか。ムダを最小限に減らして利益を最大化するには、効率を追求することが最良の道だ、という結論ありきで出発してしまったのかもしれない。それですべての利益追求の活動を「テクニック化」してしまったのではないか？　これは、マルクスが気づいていたとおり、消費者層を破滅に追いやる自己破滅的な戦略だ。「プログラムを使わず人を雇用するなんてムダだ」とみなされることが増え、低い評価をされてしまう人たちを破滅させる戦略と言える。効率を追求すればするほど、失業者が増える問題に気づく人は昔からいた。それでもなお、私たちは効率の追求をやめない。この事実を受けてエリュールは、効率それ自体が最終目標になり、その最終目標に突き進ませているのは、テクニック化の裏にいる中産階級ではなく、中産階級の裏にあるテクニック化だ、と訴えている。

こんな心配をしていたことから、エリュールにはテクノロジーのディストピアを主張する「決定論者」とのレッテルが貼られ、彼の主張は過去のテクノフォビア（科学技術恐怖症）の遺物としてゴミ箱行きにされた。だが、アルゴリズムに関する規制もなければ、理解もロクにしておらず、それでもなおアルゴリズムに自分たちの意思決定の誘導を許している今日の問題は、テクニックと効率に関するエリュールの分析と完璧に合致している。エリュールの予測どおり、たとえ私たちが本気でデータドリブンなやり方から抜け出したくても、政府が本気でアルゴリズムを規制したくても、アルゴリズムを理解できる人の力を借りなければ、それは実現できない。だからエリュールの目には、効率が道徳に対立するのと同様に、テクニックは民主主義に対立するものと映っていた。アルゴリズムがどんどん複雑になり、不透明になって、世の中の隅々まで埋め込まれていくにしたがって、とにかく「よい」アルゴリズムと「悪い」アルゴリズムを闘わせるよう努力する以外、道はなくなってくる。

しかし、こんな世界滅亡のシナリオは、私たちが本気でアルゴリズムへの信奉をやめる決断をすれば起こらない。だが、もちろんそのような決断をするためには、アルゴリズムに指図させないよう決断するだけでは不十分で、そもそも私たちをデータドリブンなニヒリズムを好むように駆り立てた「意思決定の重荷」を、もう一度背負う覚悟を決めなければならない。ここでの課題は、アルゴリズムを理解するとか、規制するとかいう話ではなく、ニヒリズムを理解して、それをコントロールできるかどうかだ。

原注

1. Nietzsche, Genealogy, 134.〔邦訳　フリードリヒ・ニーチェ『善悪の彼岸　道徳の系譜』「道徳の系譜」第3論文18番、信太正三訳、筑摩書房、1993年〕
2. Federal Trade Commission, "Data Brokers: A Call for Transparency and Accountability," Federal Trade Commission, May 2014, https://www.ftc.gov/system/files/documents/reports/data-brokers-call-transparencyaccountability-report-federal-trade-commission-may-2014/140527databrokerreport.pdf.
3. Nolen Gertz, "Autonomy Online: Jacques Ellul and the Facebook Emotional Manipulation Study," Research Ethics 12, no. 1 (2016): 55-61.
4. Trend Watching, "5 Consumer Trends for 2017," Trend Watching, http://trendwatching.com/trends/5-trends-for-2017/.
5. Statista, "Fitbit.Statistics & Facts," Statista, https://www.statista.com/topics/2595/fitbit/.
6. Stephanie M. Lee, "How Many People Actually Use Their Fitbits?," BuzzFeed News, May 9, 2015, https://www.buzzfeed.com/stephaniemlee/howmany-people-actually-use-their-fitbits.
7. Fitbit, https://www.fitbit.com/us/whyfitbit.
8. Fitbit, "How Does My Fitbit Device Count Steps?," Fitbit Help, https://help.fitbit.com/articles/en_US/Help_article/1143.
9. Zygmunt Bauman, Liquid Modernity (Cambridge: Polity Press,2000), 77-80 も参照。
10. 高まる日常生活の画一性は、ハイデガーの『存在と時間』の主要テーマでもあり、彼の在存在と人との区別にはっきりと映し出されている。
11. J. W. Ayers, et al., "Pokemon GO.A New Distraction for Drivers and Pedestrians," JAMA Internal Medicine 176, no. 12 (December 1, 2016): 1865-1866.

12. Mary Bowerman, "Driver Slams into Baltimore Cop Car While Playing Pokemon Go," USA Today, July 20, 2016, http://www.usatoday.com/story/news/nation-now/2016/07/20/driver-slams-into-baltimore-cop-car-whileplaying-pokemon-go-accident/87333892/.
13. Alonzo Small, "Pokemon Go Player Assaulted, Robbed in Dover," USA Today, July 20, 2016, http://www.usatoday.com/story/news/crime/2016/07/19/pokemon-go-player-assaulted-robbed-dover/87304022/.
14. Ryan W. Miller, "Teens Used Pokemon Go App to Lure Robbery Victims, Police Say," USA Today, July 11, 2016, http://www.usatoday.com/story/tech/2016/07/10/four-suspects-arrested-string-pokemon-go-related-armedrobberies/86922474/.
15. Vic Ryckaert, "Sex Offender Caught Playing Pokemon Go with Teen" USA Today, July 14, 2016, http://www.usatoday.com/story/news/nation-now/2016/07/14/indiana-sex-offender-caught-playing-pokemon-go-teen/87083504/.
16. Netflix, "How Does Netflix Work?," Netflix Help Center, https://help.netflix.com/en/node/412.
17. Victor Luckerson, "Here's How Facebook's News Feed Actually Works," TIME, July 9, 2015, http://time.com/collection-post/3950525/facebook-news-feed-algorithm/.
18. Federal Trade Commission, "Data Brokers," iv.
19. Adrienne LaFrance, "Why Can't Americans Find Out What Big Data Knows About Them?," The Atlantic, May 28, 2014, https://www.theatlantic.com/technology/archive/2014/05/why-americans-cant-find-out-what-big-dataknows-about-them/371758/.
20. Cass Sunstein, Republic.com 2.0 (Princeton, NJ: Princeton University Press, 2007), 4.

21. Nolen Gertz, The Philosophy of War and Exile (Basingstoke: Palgrave Macmillan, 2014), 67.71.

22. Frank Pasquale, "Digital Star Chamber," Aeon, August 18, 2015, https://aeon.co/essays/judge-jury-and-executioner-the-unaccountable-algorithm.

23. Nietzsche, Genealogy, 36.〔邦訳　フリードリヒ・ニーチェ『善悪の彼岸　道徳の系譜』「道徳の系譜」第2論文2番、信太正三訳、筑摩書房、1993年〕

24. IMDb, "Schizopolis (1996) Quotes," IMDb, http://www.imdb.com/title/tt0117561/quotes?ref_=tt_ql_trv_4.

25. Frank Pasquale, The Black Box Society: The Secret Algorithms that Control Money and Information (Cambridge, MA: Harvard University Press, 2015), 15.

26. Adrienne LaFrance, "Not Even the People Who Write Algorithms Really Know How They Work," The Atlantic, September 18, 2015, https://www.theatlantic.com/technology/archive/2015/09/not-even-the-people-who-writealgorithms-really-know-how-they-work/406099/.

27. Jenna Burrell, "How the Machine 'Thinks': Understanding Opacity in Machine Learning Algorithms," Big Data & Society 3, iss. 1 (January.June 2016), 5.

28. Pasquale, "Digital Star Chamber."

29. Jacques Ellul, The Technological Society, trans. John Wilkinson (New York: Vintage Books, 1963), 128-29.

30. Ellul, The Technological Society, xxv.

第6章

ニヒリズムと「娯楽経済」テクノロジー

- シェアリング・エコノミー
- Airbnb
- Uber
- クラウドファンディング
- Kickstarter
- マッチングサービス
- Tinder

6.1　小さな喜び――人とニヒリズムの関係 ③

ニーチェが提示する第3の人とニヒリズムの関係は「小さな喜び」。ニーチェは『道徳の系譜』に次のように書いている。

沈鬱と闘うときの、もっとさらに貴重な方策といえば、服用しやすくて常用されうるような小さな喜びを処方するということだ。この医療法は、しばしば、いま述べたばかりの療法と併用される。このように喜びが医薬として処方されるもっとも通例の形式は、ひとを喜ばせる（たとえば慈善、施与、慰安、援助、励まし、力づけ、賞揚、顕彰などをする）という喜びである。禁欲主義的僧侶は、〈隣人愛〉を処方することによって、じつは、きわめて慎重な匙加減をもってではあるが、もっとも生肯定的な最強の衝動――すなわち権力への意志を処方するのである。すべての慈善、恵与、援助、顕彰などの行為に必然的にともなう〈極小の優越感〉の幸福こそは、生理的障害の所有者たちが常用する結構至極な慰藉手段なのである。もっともそれは、彼らがその用法について良き助言を受けている場合のことであって、さもないときには彼らは同じ根本本能に従いながらも互いに傷つけあう。[1]

ニーチェはここで、私たちが人助けをするのは自分のためだという大胆な主張を行っている。だが、カントも同様に、人を助けなくてはという思いから、人助けをして喜びを得たいという欲求を切り離すことは不可能だ、と述べていたことを思い出せば、ニーチェの主張もそれほど大胆には聞こえないだろう。ニーチェの考えでは、誰かを助けてあげられるということは、相手よりも助けを必要としていないということで、同時に自分に誰かを助ける能力があるということだ。人助けをすることで、自分の力を誇示できるわけだ。誰かを助ける能力が高ければ高いほど、自分には力があるということになる。

たとえば、男性が女性のためにドアを手で支えていてあげるとする。すると女性が「ありがとう」と言い、男性は「どういたしまして」と言う。そして2人ともドアを通り抜ける。けれども、女性が男性のためにドアを手で支えていた場合、「ありがとう」と言わない男性は少なくないだろう。その代わりに自分がそのドアを押さえ、「いえ、お先にどうぞ」と言う。男性は女性に、自分のためにドアを手で支えていてもらったり、自分のために椅子を引いてもらったり、あるいは食事をおごってもらったり、家まで車で送ってもらったりしたくない。それは、そうしたごく日常的な行為においても、力関係が働いていることを認識しているからだ。

もう1つ例を示そう。「親切で人を殺す〔親切にすることで人を支配する、の意〕」という表現がある。これが意味するのは、暴力に訴える文字どおりの殺人ではなく、つくり笑いを浮かべて目を回してみせ、誰かをやんわり攻撃するようなことだ。嫌いな者のためにクッキーを焼くといった、ちょっと変わった嫌がらせの場合でも、この表現が示すような隠喩的な意味では相手を殺したいと思っており、相手を格下げして自分が上だと示したい、という気持ちがその裏にある。暴力に訴える値打ちもないのかもしれない。こうした行動の最終目的は「相手を打ち負かす」ことだ。言い換えると、相手を操ってこちらの意思の前に屈服させ、敵を友人に変えよう、ということになる。これは戦争の最終目的と同じである。ここにはニーチェが指摘する真の意味が隠されており、このような行為は「受動的な攻撃性」と呼ばれる。受動的態度を取りながら相手を破壊する能力は、ニヒリズムの中心を占めている。

前述した2種類の人とニヒリズムの関係と同じく、ここにも「脱自」の感覚がある。第4章と5章で示したニヒリズムの2つの形態で追求されていた脱自は、その根底に「頭を働かせない活動」への現実逃避があったが、本章で取り上げる「小さな喜び」の場合、脱自が利他的な行いの形を取る。しかし、こうした一見すると利他的な行動でも、その性質からして現実逃避の一種だとニーチェは主張する。ただしこの場合、逃げるのは現実からでも、説明責任からでもなく、己の無力さからである。

死の前に私たちは無力だ。自然の前に私たちは無力だ。時間の前に私たちは無力だ。実際、個人では、たいていのことの前に無力だ。しかし、自分が助けられる相手の前だと、力を持てる。

あるいは束の間だけでも、力を持った気分が味わえる。誰かを助けたところで、死や自然、時間に関して状況は変えられないし、そのほかにも人生には変えられないことが無数にあって、そのたびに私たちは、運命に弄ばれているような気分になる。それでも、私たちがこの束の間の体験にしがみつくのは、力を感じたいからであり、そのためにより革新的な人助けの方法を見つけ出そうとする。

もちろん、より革新的な人助けの方法を探そうとするのは、それがニヒリスティックだとしても、悪いことではない。裏に別の動機があったってよいではないか。「利他的な脱自行為の裏には、利己的な力への意志がある」などときわめてシニカルな見方をしていたとしても、助けを必要としている人が助けてもらえるという事実は変わらないのだから。だが問題は、人助けをすることで自分が力を得たように錯覚することだけではない。人助けをするということは、相手を無力だと見ている、ということだ。巧みに策をめぐらせて、自分の無力さを優越感で覆うニヒリズムは、巧みに策をめぐらせて、他人の人格を劣等感で覆うニヒリズムでもある。「助けを求めている人を助ける」は、「貧しい人間を助けて**あげる**」にすり替わる。

6.2——小さな喜びから娯楽経済へ

テクノロジーを使って自分の能力を拡張・強化し、人助けや他人のサポートをする現象のことを、本書では「娯楽経済」と名づけようと思う。前述のように、画期的な方法を次々と編み出してそうした支援を行い、その裏で相手を見下して自分が優位に立つ人が増えている。

ニーチェの時代には、近くにいる人しか助けられなかった。だが今日は、オンラインを利用すれば世界中の人が世界中の人を助けられる。キックスターターやゴーファンドミー（GoFundMe）、インディーゴーゴー（Indiegogo）などのクラウドファンディングサイトでは、何十億という金が世界中のアーティストやミュージシャン、映画製作者、デザイナーに出資されて、お返しにささやかな感謝の品が送られる。同様にエアビーアンドビーやウーバー、リフト（Lyft）などのギグエコノミー〔インターネットを通じて単発の仕事を受注する働き方およびその経済圏〕のサイトでは、個人の家や車を賃貸することができ、タスクラビット（TaskRabbit）などでは労働力を提供できる。

これらについてニーチェに意見を求めたなら、「それは力への意志を思いもよらない高さまで引き上げようとする試みだ」とでも言うだろう。上記のようなサイトでは、金銭的な寄付だけでなく、見知らぬ人を自分の家で過ごさせてあげたり、自分の車を運転させてあげたり、誰かの雑用をこなしてあげたりすることを通じて、困っている人を助ける優越感を味わえる。

6.3 ——身体情報の切り売り

前述したニーチェの小さな喜びの定義によると、機械的活動と小さな喜びのあいだにはつながりがあり、後者の「療法」は「(機械的活動の)療法と併用される」とニーチェは考えている。同様に、データドリブンな活動と娯楽経済のあいだにも類似したつながりがあることは、フィットビットの話に戻ってみればわかるはずだ。

前章で述べたとおり、消費カロリー、歩数、1分間の心拍数に関するフィットビットの情報は、私たちがフィットネスと呼ぶ抽象概念を、ビデオゲームのスコアのようにわかりやすくしてくれる。すでに自分の身体をアバターに、自分の生活をゲームに変えているので、さらに進んでこれらのスコアを金銭的価値にしたり、自分の身体を商品にしたり、自分の暮らしをビジネスに変えたりするなど、たやすいだろう。ひとたび健康を競争に変えてしまえば、その競争から利益を得ることにしか意味を見出せなくなる。

この利益としての健康という考え方こそ、アチーブメント(Achievement)〔フィットビットやアップルウォッチなどと連携できるサイトおよびアプリ。詳しくは後述〕に見られるものだ。アチーブメントはウェブサイトに書かれているとおり、フィットネスの経過を金儲けに変えられる。

健康的になってポイントを手に入れよう

私たちは1億を超えるアクティビティを表彰してきました。ポイントを手に入れる一般的な方法は以下のとおりです：

- ウォーキング／歩数
- あらゆるエクササイズ
- 睡眠
- 食事／カロリーの記録
- 毎日体重測定する
- 健康的なツイート
- アンケートに答える
- リサーチへの参加[2]

パッと見たところ、なんだかおいしすぎて本当とは思えない。歩いたり眠ったりするだけでお金がもらえるなんて、本当なのか？　アチーブメントの話では、人は必ずどこかでこういう活動をしているわけだが、それに対して金銭が支払われてもいいはずだという。

もちろん、アチーブメント側にもメリットはある。ヒントは、リストに挙げられている最後の行、「リサーチへの参加」だ。アチーブメントを運営しているのは、医学研究をしている企業、エビデーション・ヘルスである。歩いたり眠ったりして報酬をもらうには、まずアチーブメントに登録しなければならない。登録すると、エビデーション・ヘルスがあなたのウェアラブル・フィットネス・トラッカーにアクセスできるようになるので、その時点で自動的にリサーチへ参加することになる。つまりエビデーションにとっても大いにメリットがあるわけだ。エビデーションにとってあなたはデータであり、あなたが歩いたり眠ったりすることに対して彼らが差し出す比較的少額の金銭より、それははるかに価値があるものなのだ。

だが、ここで問題とすべきは、エビデーションが言葉巧みにそそのかして、個人データを提供させていることではない。気になるのは、エビデーションは人をたぶらかして**いない**ことだ。エビデーションはアチーブメントのウェブサイトで、ユーザーとの協定がどういうものかを明確にしている。それでも同ウェブサイトによると、１００万を超える人がこのサービスを使い続けているという。サイトには、次のように書かれている。

> これまでに50万ドル超を支払ってきました。どうすれば報酬が得られるかをお教えしましょう。

- 1万ポイントごとに10ドルがもらえます。獲得金額に上限はありません。

さらに、健康に関するリサーチに協力すると、最高で数百ドルがもらえます。私たちは大手健康関連企業のパートナーになっているので、こうした報酬が支払えるのです。[3]

このような協定は、もちろん目新しいものではない。こうしたデータからは、そのデータを得るために支払う金額の何倍もの利益が得られるので、医学研究企業はこれまでも常にデータ提供者に報酬を支払ってきた。ただし1つの見方として、たとえばマルクス主義者は「このような契約はブルジョワジーと労働者階級間の資本主義協定と何ら変わらない」と言うかもしれない。製造の手段を支配している人と、製造の手段となっている人とのあいだの協定とまったく変わらない、と。

しかし、この話で新しいのは、アチーブメントがターゲットにしているのが、いわゆる労働者階級でも、医学研究の協力者でもないことだ。アチーブメントを使うには、フィットビットのようなウェアラブル・フィットネス・トラッカーを持っていなければならない。労働者階級は手仕事をする労働者で構成され、医学研究の協力者は大学の学生で構成されてきた。両者に共通するのは、どちらも金がないことだ。この人たちが、食料品より先にフィットビットに金を払うことは、あまりないと思われる。

したがってアチーブメントは、フィットビットを買うだけの余裕があり、しかしアチーブメントのような企業を見下せるほど大金持ちではない人々をターゲットにしている。ここで問題なのは、まさに「見下す」という感情の欠如だ。自分の身体を商品にして金を受け取っているのに、これを売春のように捉える人はほとんどいない。あわれで、自暴自棄的で、倫理的に堕落した行為には見られない。それどころか、ビジネスセンスがあるように見てもらえる。売春の場合は「なぜプライドで利益をみすみすムダにしないといけないのです。身体を売ったからって、別に性的に堕落しているとは言えないでしょう。むしろ性の解放で、弱いからではなく強いからできること。力がある証拠です」といった主張がある。これと同様に、こうした自分の身体で稼ぐ新たな金儲けは、力への意志の証と見ることができると私は考えている。

医学研究企業にデータを提供して報酬を得たからといって、その企業に操られているわけではない。ただで金がもらえると思い込まされているわけでもない。参加するか否かの決定権はユーザーに与えられているのだ。医学研究者は私たちのデータが欲しい。相手が必要としているものを提供できる力がこちらにあるから、彼らに提供してやる。受け取る報酬が少ないからといって、利用されているわけではない。自分のデータの価値について、無頓着なわけでもない。あえて自分の身体をデータにして、プレゼントしてやっているのだ。こう考えると、些細な金銭報酬は取引の対価というより、プレゼントに対する「ありがとう」の気持ち程度のものかもしれない。「ノー」と言えることにプライドを感じるなんて時代遅れだ。今は、「イエス」と言えることの方が自慢できる（ただしこれは、今の時代はプライドによって力を示すことができない、という意味ではない）。

6.4――判定の快感と差別

「イエス」と言えることにプライドを持つのは、まさに「シェアリング・エコノミー（共有型経済）」の表れだ。インターネットは、大量消費主義や購入者の所有権にこだわらず、自らが所有していないものでも人々が利用できるようにした。これの重要な点は、「ある物がある人の所有物であるかないか」ではなく、「ある物がある人に現在利用されているかいないか」だ。すなわち、使われないものはムダにされているという考え方である。

そしてこのムダこそが、金儲けの機会になるばかりでなく、人との出会いの機会にもなる。イギリスの『エコノミスト』紙はこの現象を、2013年という早い段階で取り上げ、次のように書いている。

> こうした「共同消費」は複数の理由でよいことである。所有者はあまり使っていない資産から利益を得られる。エアビーアンドビーによると、自宅を貸し出しているサンフランシスコのホストは、平均で1年間に他人を58泊させ、9300ドルを得ているという。リレーライドを利用して自分の車を他人に貸し出しているオーナーは、平均で1カ月に25

0ドルの収入を得る。中には1000ドル以上を稼ぐ人も存在する。［中略］社交的な人にとっては、家にいながらにして新しい出会いがあるのも魅力の1つだ。貸主なんて皆ノーマン・ベイツ（サイコスリラー小説『サイコ』に登場する、主役の主な敵として描かれた架空の人物）みたいなやつだと考えるひねくれ者は、従来のホテルに宿泊していればよい。そうでない人にとっては、ウェブが信頼を育んでくれる媒介者となった。バックグラウンドのチェックはプラットフォームの所有者が行ってくれ、取引のたびにレビューや評価が、通常は貸借の両サイドからオンラインに掲載される。これによって質の低いドライバーやバスローブをくすねる人、サーフボードを壊す人が容易に見極められる。フェイスブックなどのソーシャルネットワークを利用すればお互いのことがチェックできるうえ、共通の友人（あるいは友人の友人）も探せる。[4]

シェアリング・エコノミーは日用品やサービスを共有するだけではない。体験まで共有する。シェアリング・エコノミーの観点から言えば、共有しなければ、使われていない物ばかりでなく、時間までムダになるということだ。

アマゾンやイーベイ（eBay）は、店に行かなくても直接商品の売買ができるようにしてくれたが、エアビーアンドビーやタスクラビットなどのような、人との出会いの機会は提供してくれない。アマゾンやイーベイのような仲介業者は、買い手と売り手に相手の情報を伝えるが、それは互いの取引履歴に関しての情報に限られる（要するに、買い手がきちんと支払ってくれるかと、売り手がきちんと商品を届けてくれるか）。しかし、エアビーアンドビーやタスクラビットなどの仲介業者は、対面取引を運営しているので、単なる取引履歴以上の情報を前もって共有できる。

シェアリング・エコノミーでは、製品や時間以外にも共有しなければならないものがある。それは信頼だ。シェアリング・エコノミーとは、人を集わせ、信頼で結ばれた新しい感覚のコミュニティを育むもののはずだった。ザ・ピープル・フー・シェア（The People Who Share）の創設者、ベニータ・マトフスカによると「信頼こそシェアリング・エコノミーのカギ」[5]だという。だが、シェアリング・エコノミーに必要なレベルの信頼を実際には直接築くのが難しいため、これらのサービスにインターネットを通じてバックグラウンドのチェックを手伝ってもらう必要がある。端的に言えば、ソーシャルメディアのアカウントなどを確認してもらって、匿名の怪しいやつを未然に防いできたのだ。こうしたセキュリティ対策からわかるのは、シェアリング・エコノミーが礎とする信頼は、人と人との信頼ではなく、テクノロジーへの信頼だということになる。この場合の信頼は、見知らぬ人同士が出会って築いていくのではなく、個人情報をウェブサイトにアップロードするところから始まる。すなわち、信頼のもとになっているのは**データ**だ。さらに、私たちがこうしたテクノロジーをどのように使っているかを考えれば、私たちにはシェアリング・エコノミーに必要な信頼ばかりでなく、同様にシェアリング・エコノミーに不可欠な「シェアへの欲求」も欠けていることがわかる。この先ではその点を掘り下げていくとしよう。

前章では、データドリブンな活動の観点から信頼とデータの関係を取り上げ、私たちがいかに人よりもデータを信頼しているか、そして人がデータ化されることによって、より信頼されるようになるかを示してきた。本章では、娯楽経済の観点から、データが私たちにどんなことをするかではなく、データがあることによって人がお互いにどんなことをできるようになるか、を問題として取り上げていきたい。

シェアリング・エコノミーに参加するには、まずプロフィールを作成しなければならない。しかしそのプロフィールは、同じくシェアリング・エコノミーに参加する他者が詳細に調べたり、利用したり、乱用したりすることがある。何かシェアしてほしいものを見つけたら、そのリクエストを出して待つ。自分が持っているもので、何かシェアしたいものがあれば、それをオンラインに掲載して待つ。いずれの場合も、私たちが待つのは「判定」だ。シェアするに足る人物かどうかの判定である。

近年、アフリカ系アメリカ人の潜在顧客に対して、エアビーアンドビーのユーザーが人種差別をしていることが判明し、共有するというのは思いやりの精神というより、人物判定の色が濃いことが明らかになってきた。ハーバード・ビジネス・スクールの研究者は、研究論文「Racial Discrimination in the Sharing Economy: Evidence from a Field Experiment（シェアリング・エコノミーにおける人種差別：フィールド調査の結果より）」で次のように書いている。

明らかにアフリカ系アメリカ人の名前を持つ客に対して、差別が広がっていることが判明した。［中略］この傾向は驚くほど根深い。アフリカ系アメリカ人のホストと白人のホストの両方がアフリカ系アメリカ人の顧客を差別し、男性のホストも女性のホストも差別している。アフリカ系アメリカ人の客は、男女を問わず差別されている。物件全体を貸し出すホストでも、物件を客とシェアするホストでもこの傾向は同じで、複数の物件を貸し出していたり、多くのレビューを集めている経験豊富なホストでも、この差別は変わらない。また、価格帯の高低や、近隣地区の人種的多様性・均一性も問わず、同様の差別が見られる。[6]

エアビーアンドビーのユーザーは自分の写真を掲載し、本名を使わなければならないので、判定や差別、力の行使が生まれるのは当然だ。個人的に自己紹介する前にオンラインでプロフィールを公開しても、見知らぬ者同士のあいだでは関係構築の助けにはならない。むしろ互いのあいだに力の不均衡が生まれ、単純に会って挨拶するより、ステレオタイプによる取捨選択が起こりやすくなるだけだ。

こういった差別が、アメリカ全体でこれほど広く起こっているのが明らかになったことから、この差別に一役買っているテクノロジーの特徴が問題点として見えてくる。クリスティン・クラーク〔弁護士。バイデン政権では公民権担当次官補に任命された〕も、『ニューヨーク・タイムズ』紙の論説欄に同様のことを書いている。

私は４回目のリクエストで受けつけてもらえたが、振り返るとその体験はつらいものだった。私はアフリカ系アメリカ人だ。エアビーアンドビーは、顔写真を掲載するよう強く推奨している（だから私は顔写真を掲載した）し、ユーザーは本名を載せなければならないので、人種が障害になっていないとは信じがたい。

４回目のリクエストで受けつけてもらえた滞在が、エアビーアンドビーにおける私の最後の予約となった。

私がした体験は私だけのものではない。今年、エアビーアンドビーの差別問題がかなりの注目を集めている。同サービスのアフリカ系アメリカ人ユーザーが、ソーシャルメディア上で「#AirbnbWhileBlack」のハッシュタグを使って私と似た体験談をシェアし始めてからは、特に注目度が上がった。[7]

「法の下の公民権を求める弁護士委員会」で代表兼事務局長を務めるクラークは、エアビーアンドビーがこの差別を終わらせるためにできることについて、いくつかの提案をしてこの論説を締めくくった。具体的には、クラークはエアビーアンドビーに対して、差別を行っているホストを調査し、サイト利用を拒否するよう求めるとともに、「エアビーアンドビーはユーザーに、予約前に本名および顔写真を掲載させるのをやめるべきで、予約確認が完了するまでそれらの情報提供は差し控え」ることで、積極的に差別に対抗するべき、との主張を展開している。つまり、差別をなくすためには、プロフィール掲載の強要と、プロフィールに力関係を持たせるような要素も取り払わねばならないということだ。

恐ろしいことに、ユーザー間に差別があることがわかったシェアリング・エコノミー・サービスは、エアビーアンドビーに限らない。ウーバーやリフトといった、乗客共有型のインターネット企業は、タクシー業界――特に、有色人種の乗車を拒否するタクシードライバーの伝統――にくさびを入れるものになるはずだったが、結局いずれも差別を可能にしていることが最近になってわかった。ワシントン大学、スタンフォード大学、マサチューセッツ工科大学（ＭＩＴ）の研究チームが、ウーバーのドライバーはリフトのドライバーより差別的であることを発見したが、これはドライバーの違いによるものではなく、ドライバーに提供される情報量の差の問題であるらしい。引用しよう。

データで見れば、ウーバーの方に多くの差別問題が見られるが、だからといってリフトの方が黒人客に対して友好的という意味ではない。これはリフトのドライバーが、乗客を探すずっと早い段階で差別ができるシステムになっているためと思われる。リフトでは、乗車を引き受ける前に見込み客の氏名と写真が見られるので、ドライバーはそもそも黒人客の依頼を選ばないようにできる。したがって、乗車前あるいは乗車中の潜在的差別を見極めるのは困難だ、と研究チームは述べている。だが、リフトの黒人ユーザーの待ち時間が長くなっていることは、ドライバーが黒人客の依頼を見て、無視している証左とも考えられる、という。[中略] この調査では、フライホイールのドライバーに差別を示す証拠はほとんどなく、これは、フライホイールではユーザーの顔写真をプロフィールに掲載していないからかもしれない、と同調査報告書には記載されている。[8]

ウーバー、リフト、およびフライホイール（Flywheel）のユーザー間に見られる差別の違いから、データと力との相関関係がさらに浮き彫りになってくる。ウーバーは、ドライバーが乗客のリクエストを受けるまで、乗客の情報をドライバーに明かさない。したがって、ドライバーが差別をすれば、それが明らかになる。リフトは、ドライバーが乗客のリクエストを受ける前に、乗客の情報をドライバーに提供する。したがって、ドライバーが差別しているかどうかわかりにくい。フライホイールは、ドライバーに乗客の情報をいっさい提供しない。したがって、ドライバーによる差別は起こらない。提供されるデータが少なければ少ないほど、力の乱用は起こりにくいということだ。

さらにこの調査では、乗客を共有するドライバーは、差別という形で自分の力を行使できるだけでなく、セクシュアルハラスメントの形でも力を行使できることがわかった。女性客は必要以上に乗車時間が長くなることが多く、同じ交差点を何度も通る経験をしたこともあるという。この点については、「標的になった女性客からぼったくりをする場合と、誘いをかける場合の両方がありそうだ[9]」と結論づけている。いずれにせよ、現在のシェアリング・エコノミーでは、自分の顔写真が気に入られなければ拒否され、気に入られればリクエストを受けてもらえることを表す。

人が何をどのようにシェアするかに顔写真が影響している証拠は、「クラウドファンディング」と呼ばれるシェアリング・エコノミーの派生物でも確認されている。シェアリング・エコノミーが大量消費主義より思いやりを大切にすることで、従来型の経済にくさびを入れるはずだったのとまったく同様に、クラウドファンディングもマーケットより大衆を上位に置くことで、従来の資金調達方法にくさびを入れるはずだった。自分の構想を実現させられるよう、ヘッジファンドのマネージャーにかけ合って巨額の投資をしてもらおうとするのではなく、キックスターターやゴーファンドミー、インディーゴーゴーなど、一般大衆を説得して構想を実現させられるよう、少額の寄付を多人数にお願いできるサイトがいくつもある。では、どうすればクラウドファンディングを成功させられるだろうか。ヒントはインターネット上にたくさん転がっているが、「このようにオンラインで資金調達を目指す人へのいちばんのアドバイスは、細身で、肌の色が白く、魅力的であること」[10]と、上述の調査は述べている。

どうやら、クラウドファンディングもシェアリング・エコノミー同様、見かけほど単純ではないらしい。シェアリング・エコノミーは、自分の所有物を他人と共有したり、自分の家に他人を招き入れたりしたいと思わなければならないし、他人に所有物を共有してほしいとお願いし、他人に家を使わせてほしいとお願いしなければならない。クラウドファンディングは、自分の金を他人に提供してあげたいと思わなければいけないし、他人に資金を提供してくださいと頼まなければいけない。これらは、昔なら他人への無理なお願いと見られ、文明社会にふさわしくない、品位に欠ける行動と考えられただろう。だが、シェアリング・エコノミーやクラウドファンディングのサイトのユーザーが行う差別やセクハラが示すとおり、これらは自分たちの品位を落とす行動ではなく、格を上げる行動で、弱さの兆しではなく、強さの兆しと現在は捉えられている。ニーチェ流に言えば力の兆しといったところだろうか。

さて、今度は逆の立場、選ばれる対象としてのホストについて考えてみよう。ある人が自宅をエアビーアンドビーに掲載したとする。するとその人は、他人や友人、家族などから、生活に困っているのかと思われるかもしれない。もしそう思われても、「私が欲しがっているわけではない」「私はシェアしているだけ」「これは利他的な行為だ」「コミュニティの一員として「ムーブメントに合わせている」というシェアリング・エコノミー流の反論ができるだろう。しかし、借り手もホストとホストの家をよく調べて「判定」する。でもホストは、何人が自分の家を見ているか、何人が自分や自分の家に対してノーと言っているかわからない。彼らにわかるのは、自分の家を使わせてほしいという「判定」を求めるリクエストが何件あるかだけだ。

しかし、これも弱さの兆しにはならない。潜在顧客からは、少なくとも氏名と写真、過去のレビューが入ったプロフィールが送られてくる。エアビーアンドビーではさらに、ホスト宛てにメッセージも送るよう潜在顧客に促していて、借り手としてふさわしいと判断してもらうための理由を伝えるよう推奨している。必要性を伝える（たとえば「あなたの家は地理的に私のニーズにぴったりです！」）か、願望を伝える（たとえば「あなたの家は本当に素晴らしくて、是非あなたにお会いしてみたいです！」）のがよいという。ホストには、潜在顧客の人物像ばかりでなく、客のニーズや願望も判定材料にするよう推奨されている。このような理由を伝えるメッセージが届いたら、ホストはさらに質問をして、貸す相手としてふさわしいか、後ろ暗いところはないか、信頼できる人物か、当てにしてよいか、面白い人物か、魅力的な人物かなどを確かめることができる。ここで重要なのは、人がメッセージでそうした価値を証明できることではなく、潜在顧客が懸命にそうした判断材料を提供しようと努めると、最終的に潜在顧客がとても困っているように見えてしまうことだ。ホストは自分の家を差し出し、潜在顧客は自分の威厳を差し出す構図になる。

かなり必要度が高いと思われる客が来て、ホストのソファまたはエクストラベッドで眠る。ホストの厚意と交換に差し出すのは、金と力だ。この力の交換は、ホストの自宅に立ち入る権利の獲得に必要なステップで行われる。ホストの家は客が使えるようにすることで、すでにホストの力を示すものとなっており、ホストとしてサービスを提供する者の力の象徴といえる。また、ホストのルールに従わなければならないことでも、この力の交換が行われる。多くの場合、このルールはホストが最初に客と共有するものだ。客はホストとホストの家に敬意を払わなくてはならない。失礼があった場合は、その見返りが料金としてだけでなく、よくないレビューとなって表れる。エアビーアンドビーでは、客とホストの両方に相手のレビューを認めているが、先にレビューを求められるのは必ず客で、ホストは客をレビューできるだけでなく、客のレビューもレビューできる。何としてでもそのサービスを受けたいという願望の強さと、どれほど苦労してそのサービスを手に入れたかを示すレビューによってなされる威厳の放棄が、シェアリング・エコノミーの真の通貨となる。

そして、この所有資産と威厳との交換は、クラウドファンディングではさらに顕著になる。クラウドファンディングは1対1の関係にはならないが、その代わり1対多の関係がある（クラウドファンディングは「クラウド＝群衆」と「ファンディング＝資金調達」を組み合わせた言葉）。そのため、たとえば作品制作に必要な資金を求めるクリエイターは、群衆の求めるものを仮定して、それに応える努力をするところから始めなければならない。

この群衆の求めるものを満たす試みはたいていの場合、ピッチ（短時間のプレゼンテーション）を通じて行われる。クリエイターは、自分がいかに人々にとって価値があるか、時間と資金投入に見合った存在かをピッチで訴える。群衆はクリエイターに何も依頼しないし、何も要求しない。したがって、群衆の一員でいるかぎり自分を明かす必要はなく、匿名のまま、クリエイターが自分たちに合わせてダンスを踊るのを傍観していればいい。

このダンスは、自分の写真や自己紹介を含むことが多く、動画もよく使われる。クリエイターは単に制作物を売り込むのではないのだ。クリエイターが売り込むのは、自分自身である。シェアリング・エコノミーでは、イデオロギーや、シェアしたいという姿勢、何か新しいことをしたい、人と違ったことをしたいという気持ちの裏に、必死さを隠すことができる。ところがクラウドファンディングの場合、隠れ蓑になるものは何もない。クリエイターは資金を必要としている。だからお金をくださいとお願いする。出資者になる群衆はクリエイターが必要とするものを持っている。群衆の側に必死さはない。なぜなら力を持っているからだ。必死な人に欲しいものを与えてやれる力を持っているのだ。

しかし、クリエイターに限らず、資金を求めている人は無数にいる。よって出資者は、与える力に加え、判定する力も持っている。誰が本当に困っていて、恵んでやる価値があるかを判定する力を。群衆に神のような力や、ニーチェの言う「支配者」ほどの力はないが、クラウドファンディングの出資者はそれに似た力の味を楽しんでいる。誰の作品を生かし、誰の作品を殺すかを決められるのだから。しかも、前述の調査が示すように、結局のところ出資者が判定するのは制作物の魅力ではなく、クリエイターの魅力なのだ。

それはまるで、寄付で作品の一部を購入するのではなく、クリエイターの一部を購入するかのようだ。そうでなければ、クリエイターの魅力が問題になるはずがないだろう。シェアリング・エコノミーと違って、出資者がクリエイターに会うことはほぼないが、だからといって、出資者がクリエイターに自己顕示できないわけではない。

やはり、出資者には与える力があるのだ。とすると、どうやらこれも利他的なものではなく、交換取引のように見える。なぜなら、クリエイターは群衆に資金を要求し、その代わりに特典を差し出すのだから。だがこの特典は、クリエイターが受け取ろうとしているものに比べれば取るに足りないものだ。出資者の1人1人が得るのは、試作品だったり、協力者の名簿に名前を載せてもらうことだったり、それぞれに宛てた「ありがとう」くらいのものだ。しかし、群衆が価値を見出すのは、まさにこのほとんど無価値の特典である。受け取る特典がほとんど無価値だからこそ、群衆はそれが投資ではなく寄付だと主張できる。つまりより純粋な自己顕示ができるということだ。投じた資金の見返りを求めているのではなく、与える余裕があるから与えているのであって、見返りに求めるのは「ありがとう」だけ。その「ありがとう」を公にしてもらいたいだけ。もっと言えば、インターネット上のクラウドファンディングサイトやソーシャルメディアを通じて、全世界が見られるように「ありがとう」を示してもらいたいだけだ。

6.5 ―― マッチング・ゲーム

シェアリング・エコノミーやクラウドファンディングのウェブサイトでは、ユーザーの顔写真の乱用を利他的な行いというヴェールで包み、差別的な判定や、権力誇示的な行動を隠すことができるのを見てきた。これから検討するマッチングサイトの世界ではもっと直接的に、ユーザーが互いに相手の顔写真を受け入れたり拒絶したりして楽しむことができる。もちろん、マッチ・ドットコム（Match.com）やイーハーモニー（eHarmony）、オーケーキューピッド（OkCupid）など、今でも立派な志を掲げて、ユーザーが力ではなく愛を得られるよう頑張っているマッチングサイトはある。だがティンダー（Tinder）は違う。ティンダーが焦点を合わせているのはロマンスではなく取引といえるだろう。これはデータドリブンな活動のニヒリズムではなく、まさに娯楽経済のニヒリズムだ。ティンダーは最も人気の高いマッチングアプリというだけでなく、「ほぼ2年、アメリカで最多ダウンロード数を保っているライフスタイル・アプリケーション」[11]だ。

たいていのマッチングサイトがデータ分析力やアルゴリズムによるマッチングを売りにしているが、ティンダーは「右にスワイプ」したり、「左にスワイプ」したりできるのが売りだ（ティンダーでは、ユーザーが写真を見て「あり」と判断した場合は右にスワイプし、「なし」の場合は左にスワイプする」。ティンダーの人気は、ほかのマッチングサイトに比べて高い成長率にも表れている。マッチ・ドットコムやイーハーモニー、オーケーキューピッドなどのサイトは2013年から2015年にかけてユーザー数がほぼ横ばいなのに対して、ティンダーは同期間、月間のアクティブユーザー数を3倍に伸ばしている。この成功の秘密の1つに、ティンダーは「どんどんハマる」という点がある。

大学のキャンパスでスタートしたティンダーが、いまや1日2600万件のマッチング数を誇り、若者向けの安全な出会いの場としての評判を維持するために相当な投資を行っている。［中略］セブンパーク・データの調べによると、ヒンジやズースク、ワイルドファイアなどの競合がひしめく中、ティンダーは2014年に入ってからユーザー数を3倍に伸ばしており、今ではアメリカの携帯電話のアクティブユーザー全体の3％を超えるまでになったという。また、利用者はティンダーのアプリにどんどんハマる傾向があり、ティンダーによる2013年時点の話では、ユーザーの平均利用頻度は1日に11回、1回に7分チェックしているとのことだった。[12]

データドリブンなマッチングサイトは、ユーザーに調査票を記入してもらい、マッチングを待つという形で運営しているが、ティンダーは、ユーザーがアップロードした写真以外にはほとんど情報のないプロフィールを見せ、スワイプという名の物色をさせる。しかも、ユーザーは何百万人といるので、顔だけで判定されることも多い。

ティンダーは最も人気の高いマッチングアプリというだけではない。あらゆる種類のアプリの中でもトップクラスの人気を誇っている。ティンダーのウェブサイトによると、ティンダーのアプリは196カ国で展開されていて、1日のスワイプ数は14億回を超えるという。[13] 1日あたりのマッチング件数は2600万件だというティンダーの報告は、かなりの数に思えるが、1日のスワイプ数と比較するとかなり少ない。スワイプ数の約2％しかマッチングに成功していない計算だ。だとすれば、人々がティンダーにそれほど「ハマる」のは、恋愛相手を見つけることだけでなく、スワイプで判定することにも楽しみを見出しているからと考えられる。ティンダーの位置情報により、近くに住んでいることがわかった何千人ものプロフィールを見て、ありだなしだと判定する。もしかしたら、今まさに道ですれ違うかもしれない相手を、互いに判定しているのだ。これは一種の快感になるだろう。

ティンダー・ユーザーが、出会いよりも判定に惹かれているという事実は、社会心理学者のジャネット・パーヴィスの研究でも裏づけられている。

社会心理学者として私がインタビューしたうちの1人が語るように、なぜティンダーが「意地悪なほど満足度が高い」のかに注目して研究を行ってきた。［中略］ティンダーのロマンスへのアプローチは単純明快だが、これが見事に奏功している。マッチングはごくわずかな基準で行われる。ルックス、時間的都合、位置関係。ティンダーではユーザーがほぼ一瞬で相手の魅力を測れるので、驚異的なスピードでプロフィールが次々に閲覧されていく。心理学的な条件づけという点で見ると、ティンダーのインターフェイスは完璧にこの高速スワイプを促すよう設計されている。ユーザーにはどのスワイプがマッチングという「当たり」につながるのかわからないから、ティンダーはさまざまな確率とスケジュールの設定を用いて、マッチングの可能性をランダムに分散させている。スロットマシーンやビデオゲームで使われている「当たり」のシステムと同じであり、ちなみに壁の照明を連続的につつくようハトを訓練する動物実験でも、こうしたランダムな「当たり」システムが採用されている。[14]

ティンダーは「ハマる」だけではない。「意地悪なほど満足度が高」く、「見事に奏功している」。しかしマッチするのはスワイプのわずか2%。ということは、ユーザーを満足させているのはマッチング以上に、スワイプということになる。だが、スワイプが「意地悪」で「見事」

なのはなぜだろうか？

パーヴィスによると、その答えは「どのスワイプがマッチングという『当たり』につながるのか」ユーザーにわからないためで、したがって、ユーザーがティンダーで求めているのはやはりマッチングで、スワイプはあくまでも手段にすぎない、ということらしい。だが、そうでなかったら？　最終目標は実際に得られるマッチングの利益ではなく、もっとおまけに近いものだとしたら？　ユーザーは高速でプロフィールを見て、あり、なしとスワイプしていく。それにかかる時間はものの数秒である。この判定の基準は「ルックス、時間的都合、位置関係」のみ。要するに、ユーザーが1人の人から単なるプロフィールへ、プロフィールから写真へ、さらに顔の良し悪しのみに格下げされているのだ。

マッチングは高速スワイプのプロセスを中断させるが、単に中断させるわけではない。そこで決断を促し、スワイプ以上の反応をするよう仕向ける。マッチングには、あなたは判定するだけの立場ではなく、あなたも判定される側なのだ、ということをユーザーに思い出させ、自分も顔を評価されるだけの存在で、スワイプされることがあることを思い出させる効果がある。さらにマッチングには、ユーザーは単に写真や見た目だけの存在ではないことを思い出させる効果もある。つまり、相手は単にルックスのよい存在ではなく、人であるから、チャットでコミュニケーションするかどうかを決めなければならないことを思い出させるのだ。

もし、希望に沿う相手とマッチングされたら、その瞬間はきっと喜びの瞬間になるだろう。ただし、ロンドン大学クィーン・メアリー校、ローマ・ラ・サピエンツァ大学、ロイヤル・オタワ・ヘルスケア・グループの研究者らは、次のように述べている。

全体として、女性はマッチした相手の21％にメッセージを返しているのに対して、男性は7％しかマッチした相手にメッセージを返していない。［中略］メッセージの長さの中央値は男性が12文字。これに対して女性は122文字だ。男性の場合、返信の25％は6文字未満（おそらく「ハロー」か「ハイ」）である。結論として、最初の会話では明らかに、情報はほとんど提供されないことがわかる。[15]

スワイプしたうちの2％しかマッチングにつながらないうえに、そのマッチングした相手にメッセージを送るのは女性の場合で21％、男性になるともっと少なくてわずか7％なのだ。そして相手にメッセージを送る場合でも、自分が写真以上のものになるチャンスを活かすことはなく、女性ならツイート程度のことを、男性ならバスルームの鏡に落書きする程度のことを返せばいいと思っているようだ。

ティンダーのユーザーは愛を探しているのではないというのがもはや一般的な理解だが、こうした行動を見ると、軽い気持ちで戯れに耽っているわけでもなさそうだ。それよりも、ティンダーのユーザーは「求めることを求めている」ように思える。これはやはり、ニーチェが力への意志と呼ぶものだ。もちろん、私たちはバーで情事の相手を物色したり、人を上から下へと眺めるような行為をオフラインでもやっている。嫌だと思えば、ひと言も発することなく相手を拒絶することもある。だが問題なのは、ティンダーのテクノロジーは、力を追求する人間の行動を中立の立場で媒介しているだけではないと思われる、ということだ。ティンダーは、ポスト現象学的な意味で、人間の力への意志を仲介し、その影響力によりユーザーの行動を形成しているのではないか。力を追求する行動を刺激、奨励し、場合によっては誘発までしているのではないか。

スワイプを促す仕組みは、これまで見てきたとおり、「意地悪なほど満足度が高」く、「見事に奏功している」が、それはユーザーが交際を希望しているからではなく、他人を選別して除外することに喜びを感じているからだ。誰かのプロフィール写真をスクリーン外に追い出し、その人を「なし」の山にポイ捨てする。それによってユーザーは、従来は人材採用やキャスティング・ディレクターにしか許されていなかった権力を体験できる。束の間でも、スマートフォン・アプリの人間工学的な性質のおかげで、他人の運命を文字どおりその手に握ることが可能になるのだ。

ここでの問題は、右にスワイプして受け入れたり、左にスワイプして拒否したりする行為に、そうした権力が潜んでいるかどうかではない。他人をどう思うかが問題なのではなく、どんな気持ちで自分が他人をスワイプしているかが問題なのである。ティンダーは複雑な人間関係を単純な手の動きに簡素化してしまった。そのおかげでユーザーは、親指の動きだけで他人の運命を決められるようになった。闘技場で剣闘士の闘いを観戦する皇帝のように、意味ありげにうなずく必要すらない。相手がありかなしか、生かすも殺すもスワイプしだいだ。ソーシャルメディアのタイムラインを飛ばし見しながら、どの友達の投稿に読む価値があって、どの友達の投稿にはそれがないか、どれには「いいね」をつけて、どれにはつけないかを選択していくときの動作と変わらない。

当然、「いいね」にもスワイプにも、それ自体に価値などない。ここをクリックするか、あそこをクリックするか。左にスワイプするか、右にスワイプするか。ほとんど同じアクションだ。ただし誤解してほしくないのは、これらのアクション自体に意味がないといっているのではないということだ。その逆で、ここで考えてみなければならないのは、そうしたアクションに私たちがどんな意味を見出しているかである。日常の生活では自分を表現するのが怖くて、人と真正面で向き合うことができない。相手をどう思っているか、好きか嫌いかを伝えるのはそう簡単ではない。対面では「親切」という形を取って、お互いに自分を押し殺し続けている。そしてサイバー世界では自身の攻撃的な面を楽しみ、スマートフォン片手に権力者になった気分に浸り、欲しいものは手に入れて、嫌なものは排除する。

ティンダーの中毒性にニヒリスティックな危険性を感じるのもそのためだ。というのは、この妄想が現実に置き換えられつつあるからだ。ティンダーから得られる「意地悪なほど満足度が高」く、「見事に奏功している」喜びは、面と向かってのやり取りで得られる喜びをはるかに超える。日常生活で自分の力を示せる人や、対面でも相手に真正面から向き合える人でも、力を示す際にスマートフォンを利用するやり方に慣れてしまったので、対面は避けてスマートフォンでのアクションに頼ることが多くなってしまった。対面で人を払い退けるのは、やはりなんだか意地悪な感じがするし、面倒である。しかしティンダーなら同じことをしても面白いし、簡単だ。

もちろん、これが本当に楽しいことなのか、自分も他人もスワイプ可能な対象にすることが、本当に楽しいのかは疑問だし、そうした喜びの源は何なのかと疑問に思うかもしれないが、「ティンダーのインターフェイスは完璧にこの高速スワイプを促すよう設計されている」のである。だからユーザーには、そうした疑問も浮かんでこない。ティンダーはユーザーに、現実世界とサイバー世界のいいとこ取りをするよう仕向けている。ユーザーは、フェイス・トゥ・フェイスで会うことのできる現実の人間だ。その一方でユーザーは、フェイスブックの猫の写真やアマゾンの製品写真と同じような、スワイプできるアバターでもある。前者のおかげでユーザーは、時間をムダにしていると感じることなく、人間とやり取りしていると感じていられる。後者のおかげでユーザーは、誰かを傷つけていると感じることなく、楽しい時間を過ごすことが可能だ。そして、両方の視点での体験が同時にできるため、残酷だとか意地悪だとか思うことなく、残酷かつ意地悪になれる。

「自分が誰であるか」と、「自分が何をするか」を分けるのがニヒリズムだ。人は「自分が何をするか」によって決まる[16]（ニーチェによると、「行為者」という人は存在しない。何かの「行為をする人」「活動をする人」という主体は存在せず、それによる作用もない。あるのは行いや活動だけである。すなわち、人は自分の行いに定義されると言える）。「サイバー世界」と異なる「現実世界」などないことは、よく考えれば私たちにもわかるはずだ。あるのは体験の世界のみ。ところが、こうした二元論の幻想を維持することがティンダーの成功のカギになっている。もし私たちが、自分や他人に実際にしていることに向き合わなければならなくなったら、ティンダーをそれほど楽しいと感じている理由を認めなければならなくなる。つまり、ニーチェの言う残忍さの喜びを認めなければならなくなるのだ。

6.6 ―― 娯楽経済の危険性

『道徳の系譜』の序言でニーチェは、現代社会の主流を占めている道徳は、人に最高の価値と志を与えるものだが、道徳的諸価値は批判される必要があると述べた。そして「同情道徳」は「人類の大いなる危険」であり、ニヒリズムの「不気味きわまる症候」だと警告している。[17] ニーチェがここで何を言おうとしているか説明するために、おそらく誰もが知っている類の同情を例に取ってみたい。それは同情によるセックスだ。

あなたは友人たちと飲みに出かける。するとバーに1人で飲んでいる悲しそうな人がいた。あなたはいい人なので、その人と一緒に飲むことにする。何杯か飲んだあと、あなたはその人と一緒に店を出る。翌朝、あなたは後悔と満足の入り混じった複雑な気分に襲われる。あなたは、一夜だけの関係なんて間違っていると思う。でも、もう1人の自分は、誰かに助けの手を差し伸べるのは、よい行いだと考える。そう思う根拠は正しいかもしれないし、間違っているかもしれない。とにかくあなたは、人を幸せな気分にしてあげたと思って家に帰れる。あなた自身もいい気分になっているだろう。

さて、また友人たちと飲みに行ったとしよう。そしてまた、このあいだと同じ人が1人で座っているのを目にする。あなたによい行いをしてもらったこの人物は、今度はこのあいだほど独りぼっちで悲しそうには見えなくなっているだろうか？　いや、もちろんそんなことはない。なぜなら、人は同情セックスの恩恵にあずかると、より魅力的になろうとするよりも、もっと悲しくて、もっと魅力に乏しく、もっと哀れで、あなたのような人の同情をもっとかき立てられるようにしようとするからだ。

同情でセックスすると、あなたは他人に同情した自分の力を体験できる。これまで述べてきたような、自分より下の人間を助けてあげたという思いだ。だがそういう助けは、相手にとっては、よくても束の間のことで、悪ければ逆効果となる。それと同時に、同情による力は、自分の時間、肉体、性を「無」にする代償を支払わなければ得られない。要するに、相手にはそれらを受け取る資格が本当はないが、あまりにもかわいそうだから譲ってあげるのだ。これは同情による評価査定と同種である。これもよくある話だが、悪い成績をつけられた学生があまりにも泣くものだから、先生が成績を上げてやる。結果として、その学生は泣けばすむなら勉強を頑張らなくていいのだと思うようになり、成績も、教育も、知識も価値のないものになる。同じようなことは、あらゆる種類の同情で起こる。というのも、すべてに共通するのは、同情される人も、同情する人も、さらには両者のあいだで交換されるものも、「無」になってしまうからだ。

別の言い方をしてみよう。私たちが誰かを同情心から助けるとする。同情をかき立てられた相手に、私利私欲なしに何かを与えるとしよう。その場合私たちは相手を、哀れという以外に形容しようのない自分より格下の存在、無価値の人と見る危険がある。それと同時に、無価値の相手に自分の時間やエネルギー、所有物を譲ることで、結果的に自分が持っていたものの価値が無になり、自身の格も下がる。自分の格を上げようとして相手を助けたにもかかわらずだ。

では、なぜわざわざそんなことをするのか？　ニーチェはこれに答えている。曰く、人が残忍になるのは、それが快感を伴うからである。[18] ニーチェによると、残忍さは「支配者」の権利で、もう支配者の存在しない今の世の中でも、私たちは支配者の力を体験したいがために、他人にばかりでなく自分にも残忍になってしまうのだという。これこそニーチェが、未返済の債権は、刑罰や暴行による痛みの代償を伴うことで等価になるという理由だ。ニーチェは、他人に痛みを与える快感を受け取る権利が付随しなければ、債務者に与えることによる損害（金銭や土地など）は埋め合わせできない、という方程式を『道徳の系譜』の中で説明している。ニーチェが罪悪感を重視しているのはそのためだ。私たちは他人に対して残忍であることの快感を経験し、次に他人に残忍な行為をした自分に負い目を感じ、苦悩するという快感を得られる。つまり、二重の残忍さと二重の快感を経験できるのだ〔ニーチェは道徳的な観念世界の発祥として、負い目や苦悩を挙げている。『道徳の系譜』第2論文6番を参照〕。

ニーチェにとって、他人を助けるというわべだけの無私的行為は、残忍さの快感を求めるための行動だと説明できる。誰かに何かを与え、見返りは求めない。少なくともうわべでは。たとえば、皆に1杯おごってやる場合を考えてほしい。酒をおごる人は即座に手を振って、相手が金を払おうとするのを退ける。これは優しさのしるしだ、という表現だ。ここで、おごった人は、これで自分の度量の大きさと相手の借りをジョークにできる資格を手に入れた。貸しはいつでも、金銭的返済ではなく感謝という形で要求できる。そして借りを返そうとする相手の試みは、多くの場合は回避される。おごった人はおごり続け、貸しがどんどん膨らんでいき、度量の大きさがいつもジョークのタネにされ、感謝が求められる。今日では罰や暴行は与えないにしても、貸しがあるかぎり何度でもジョークを飛ばし、再三再四の感謝を求め、笑みは浮かべながらもどちらが債権者でどちらが債務者かを思い出させることで、相手のエゴをへし折る残忍さが正当化されるのである。

ニーチェが言及していたのは19世紀末のヨーロッパにおける道徳のことだが、ここでの議論から、同情の道徳は今も存在するばかりでなく、オンラインでより広がってきたことがよくわかるはずだ。クラウドソーシングからクラウドファンディング、シェアリング・エコノミーからギグエコノミーに至るまで、私たちは、オンラインで閲覧できるプロフィール以外についてはまったく知らない他人に、自分の時間、自分のエネルギー、自分の知識、自分の財産をどんどん与えている。ここで注目したいのは、そのような施しも残忍さの快感が原動力になっているのか、というニーチェ哲学の視点からの問いばかりではない。ポスト現象学の観点からも、人をそのような行動に駆り立てるのに、テクノロジーがどこまで仲介しているのか、という疑問が起こることである。簡単に言うと問いは2つあり、1つは「なぜ与えてあげるのか」という問いだ。もう1つは、「本当に与えているのは誰か」という問いである。

ティンダーの例に戻ろう。ティンダーのユーザーは物やサービスを交換するために人とつながろうとするのではなく、ただ会うために人とつながるだけなので、エアビーアンドビーやウーバー、キックスターターと同じ部類には入らない。しかし先に示したとおり、ティンダー・ユーザーの行動を見ると、その目的は必ずしもマッチした相手に会うことではなく、まして恋愛することでもなさそうだ。それよりも、他人をスワイプして、あり／なしの判定をすることが目的のように思える。だとすれば、ティンダー、エアビーアンドビー、ウーバー、キックスターターは、いずれもユーザーに判定する力を与えて、残忍さを味わう機会を提供しているという共通項があるだろう。

ティンダーは娯楽経済の力と残忍さを完璧に抽出して提供しており、ユーザーは何の言い訳もせずスワイプを楽しめる。一方でティンダーは、なぜ人はスワイプし続けるのか、説明しなければならない問題も突きつける。スワイプすると、確かにいっときは力のほとばしりを体験できるが、それはまったく退屈な行為にもなり得ることを認識しなければならない。何百万人ものユーザー、何百万件もの写真、何百万回ものスワイプ、何百万回もの親指の動き。エアビーアンドビーやウーバー、キックスターターといったサイトには、少なくともこの親指の動きで何かが受け取れる（知らない人に会う、お金を得る、お返しをもらう）という約束がある。しかしティンダーには、そうした親指の動きには見返りがないばかりでなく、前述のとおり成功率は2％未満だ。ティンダーに何時間も何時間も費やしていて、得られるのは残忍さの快感だけで十分なのだろうか？　その時間、何回も何回もただ親指を右へ左へ動かしているだけで、ほかには何もしていないのだ。

罪悪感のおかげで二重の残忍さと快感を味わえることがわかると、ティンダーで過ごす時間に対して説明がつきやすくなるかもしれない。ティンダーがほかの娯楽経済の例と共通しているもう1つの点が、ユーザーに開示されるプロフィールは、リクエストすることで表示されることだ。すなわち、スワイプしてリクエストする。シェアリング・エコノミーやクラウドファンディングでも、つくり笑いをした写真をプロフィールに貼りつけるよう強要されるが、それとまったく同じような写真を次から次へとスワイプして判定していく。ポケモンGOで片っ端から「ゲット」していくのと同じように、ティンダーでは片っ端からスワイプしていくことに快感を覚える。人をありだなしだと判定して格下げするのは残忍だが、何もしない、つまりその判定をする値打ちもないところまで格下げするのは、もっと残忍だ。したがって、ティンダー・ユーザーは他人をスワイプ可能な対象にしても罪悪感を得られるし、スワイプ不可能な対象にしても罪悪感を得られるのである。

そうした罪が、ティンダーのような「意地悪」な「悪」いアプリケーションに存在するとしたら、エアビーアンドビーやウーバー、キックスターターのような利他主義を掲げるアプリケーションには、どれほどの罪悪感が存在するか想像できるだろう。ユーザーは、住まいなり、車なり、寄付なりが欲しいことを表明する。するとほかのユーザーが、客なり、乗車料金なり、大義なりを要求する。ニーズが満たされるユーザーもいれば、ニーズが満たされないユーザーも無数にいる。従来の市場経済では、どのホテル、タクシー、投資先を選んでも、まず罪悪感は生じない。なぜならそれは、人対人のパーソナルなものではなく、単なるビジネスだからだ。だが娯楽経済では、それがパーソナルなものになる。娯楽経済の目的はもともと、従来型のビジネスにくさびを入れることで、人は互いに競争するばかりでなく、助け合いたいと思っているのだ、と証明することだったはずである。

それなのに娯楽経済は、従来の市場経済よりもっと競争的で、もっと意地悪なことがわかってしまった。その理由は皮肉にも、パーソナルなものだからである。個人の利益追求より、信頼にもとづくコミュニティを求める娯楽経済のイデオロギーは、実現不可能な夢物語だ。ニーチェ哲学の観点から見ると、他人を助ける際も、人は自分の力を追求することができる。また、ポスト現象学の立場では、コミュニティのつなぎ役を果たすのは信頼ではなく、身分保証を行うセキュリティシステムだ。言い換えると、娯楽経済は、ユーザーが個人の利得を追求する一方で、それに関して罪悪感を得られることを保証しているのである。

娯楽経済では、ユーザーが他人を格下げして力を感じることができるが、その一方で、利他主義とか信頼とかいうイデオロギーの要求に応えられないことで、やはり二重の罪悪感が生じることがある。そのカラクリが見えれば、娯楽経済のウェブサイトやアプリがこれほどまでにイデオロギーを大切にして、喧伝する理由も容易にわかるだろう。罪悪感がユーザーを引き寄せ、何度でも帰ってこさせるのである。人間の罪を贖う方法があるとすれば、それは他人に与え、他人を助けることであるから、娯楽経済に参加すればいいというわけだ。ユーザーはやはり利他的にはなれず、信頼することもできないので、贖いは失敗に終わり、罪がまた増えていく。

娯楽経済の危険はまさに、他人に対しても自分に対しても残忍になれる、この意地の悪いサイクルにある。娯楽経済には確かに私心がない。だがそれは利他主義的な意味ではなく、同情道徳における自己破壊の意味で私心がないということである。他人も自分も無に格下げして、それによって同時に罪の意識を感じているからだ。ニーチェとポスト現象学を総合して、ここで明らかにしなければならないのは、娯楽経済のテクノロジーはこの悪循環が回り続けるよう設計されていることだ。

娯楽経済では、テクノロジーの開発やプロモーションにおいても、上述の思想で設計が行われている。表面的には他人を評価するようユーザーを促し、写真をシェアするよう促し、スワイプするよう促すテクノロジーに見える。しかしその裏で娯楽経済のウェブサイトやアプリが奨励しているのは、シェアでも施しでもなく、判定と差別。その目的はコミュニティ構築よりも、優越感の享受になっている。シェアすることやクラウドファンディングで寄付することで、利益より人を上に置いて道徳的な道を選択したという優越感がまず得られる。それに加えて次のような優越感も得ることができる。受け入れたり拒否したりできる優越感、拒否されずに受け入れられた優越感、受け入れられた人の中でもより高い評価をもらえた優越感……。しかも、優越感に対する罪悪感が同時に生まれるので、力を得た支配者のような快感がついてくる。

ここで、ある問題が起きていることに気づいただろうか。ユーザーがアプリのおかげで優越感と罪悪感を得られるなら、真に力を持っているのはユーザーではなく、アプリということになる。ポスト現象学の立場からすると、娯楽経済のアプリは具現化関係を通じて動作している。というのも娯楽経済では、私たちはどれだけアプリに依存しているかはあまり意識しないが、アプリの力はしっかり認識している。与える側にいるのはユーザーではなく、アプリなのだ。

私たちが自問自答しなければならない問いは、真にコミュニティ形成を奨励する、娯楽経済より優れたアプリを開発できるかどうかではない。それよりも、優越感を求め、罪悪感を伴う力を感じたいがためアプリにどっぷり依存するようになってしまった今、娯楽経済のアプリに従属しなければ、もう他人とコミュニティ意識を味わうことはできないのだろうか、ということだ。

原注

1. Nietzsche, Genealogy, 135.〔邦訳 フリードリヒ・ニーチェ『善悪の彼岸 道徳の系譜』「道徳の系譜」第3論文18番、信太正三訳、筑摩書房、1993年〕
2. Achievement, https://www.myachievement.com/（2017年2月20日アクセス）
3. Achievement, https://www.myachievement.com/（2017年2月22日アクセス）
4. The Economist, "The Rise of the Sharing Economy," The Economist,March 9, 2013, http://www.economist.com/news/leaders/21573104-interneteverything-hire-rise-sharing-economy.
5. Benita Matofska, "The Secret of the Sharing Economy," TEDxFrankfurt, November 29, 2016。https://www.youtube.com/watch?v=-uv3JwpHjrw で 閲覧可能。
6. Benjamin Edelman, Michael Luca, and Dan Svirsky, "Racial Discrimination in the Sharing Economy: Evidence from a Field Experiment," American Economic Journal: Applied Economics (forthcoming), 2.3. Available online: http://www.benedelman.org/publications/airbnb-guest-discrimination-2016-09-16.pdf.
7. Kristen Clarke, "Does Airbnb Enable Racism?," New York Times, August 23, 2016, https://www.nytimes.com/2016/08/23/opinion/how-airbnb-canfight-racial-discrimination.html.
8. Gillian B. White, "Uber and Lyft Are Failing Black Riders," The Atlantic, October 31, 2016, https://www.theatlantic.com/business/archive/2016/10/uber-lyft-and-the-false-promise-of-fair-rides/506000/.
9. White, "Uber and Lyft."

10. Joe Pinsker, "How to Succeed in Crowdfunding: Be Thin, White, and Attractive," The Atlantic, August 3, 2015, https://www.theatlantic.com/business/archive/2015/08/crowdfunding-success-kickstarter-kiva-succeed/400232/.
11. Jeanette Purvis, "Finding Love in a Hopeless Place: Why Tinder Is So 'Evilly Satisfying'," Salon, February 12, 2017, http://www.salon.com/2017/02/12/finding-love-in-a-hopeless-place-why-tinder-is-so-evilly-satisfying/.
12. Drew Harwell, "Online Dating's Age Wars: Inside Tinder and eHarmony's Fight for Our Love Lives," Washington Post, April 6, 2015, https://www.washingtonpost.com/news/business/wp/2015/04/06/online-datings-age-warsinside-tinder-and-eharmonys-fight-for-our-love-lives/.
13. Tinder, https://www.gotinder.com/press（2017年3月5日アクセス）
14. Purvis, "Finding Love."
15. Gareth Tyson, et al., "A First Look at User Activity on Tinder," arXiv, July 7, 2016, https://arxiv.org/pdf/1607.01952v1.pdf.
16. Nietzsche, Genealogy, 45.〔邦訳　フリードリヒ・ニーチェ『善悪の彼岸　道徳の系譜』「道徳の系譜」第1論文13番、信太正三訳、筑摩書房、1993年　第1論文16番で、活動や作用の背後にはいかなる存在もなく、活動者は想像によって活動に付加するものであるとの言及がある。そのため活動（行い）がすべてであるということから、この箇所を引用したと推測した〕
17. Nietzsche, Genealogy, 19.〔邦訳　フリードリヒ・ニーチェ『善悪の彼岸　道徳の系譜』「道徳の系譜」序言5番、信太正三訳、筑摩書房、1993年〕
18. Nietzsche, Genealogy, 65.〔邦訳　フリードリヒ・ニーチェ『善悪の彼岸　道徳の系譜』「道徳の系譜」第2論文6番、信太正三訳、筑摩書房、1993年〕

第7章

ニヒリズムと「畜群ネットワーク」テクノロジー

CB無線

チャット

絵文字

ソーシャルネットワーク

Facebook

Twitter

7.1 畜群を求める本能――人とニヒリズムの関係④

ニーチェによると、人とニヒリズムの関係を表すものの4つ目は「畜群を求める本能」だという。『道徳の系譜』には次のように書かれている。

> このようにして喚び起こされた〈共助への意志〉、畜群生活への・〈共同体〉への・〈修道院食堂〉への意志のなかから、いまやさらに、きわめてかすかながらもそれによって誘発されていた権力への意志が、新しい層一層に完全なすがたをとって発現してくる。**畜群生活**は、沈鬱との闘いにおける一つの決定的な前進であり勝利である。共同体が成長するにつれて、個人にとってもまた、彼をしてしばしば彼自身の不快不満のもっとも個人的なもの、その**自己自身**にたいする嫌悪（ゲーリングス〔17世紀のオランダの哲学者〕の言う〈自己侮辱〉）を超脱せしめるような新しい関心が強まってくる。すべての病者、病弱者は、重苦しい不快や虚弱感を振るい落としたいという願いから、本能的に畜群組織を求める。禁欲主義的僧侶はこの本質を見抜き、さらにこれを助長する。畜群の存在するところ、その畜群たることを欲したのは虚弱本能であり、それを組織化したのは僧侶の才慮である。[1]

ニーチェが唱える人とニヒリズムの関係で最も有名なこの関係は、病人が、弱さではなく力を感じるよう仕向けるところが、これまでに述べてきた関係と共通している。しかしここでは、他人を助けるのではなく、集団（畜群）に加わるという形を取る。集団に加わり、関心や行動を周囲の人たちとともにすることで、個の弱さを克服し、集合体の強さとして置き換えられるからだ。集団でなら、自分の無力さを感じずにいられる。説明責任の重荷も回避できるし、そのうえ、孤独であることを忘れていられる。群れに加わって流れに身をまかせると、束縛から解放されて、考えたり気遣ったりしなくても、流れに乗って運ばれるままに行動することができ、多くの場合は自分が行動していることにも気づかない。

ここでも働いているのは、力への意志のロジックだ。周囲から強さを得れば得るほど、力を感じ続けるには他人がより必要になり、しだいにその力を失うのが怖くなって他人から離れられなくなる。結果的に、私たちは集団とのつながりによってしか自分を認識できなくなり、周囲との違いを認識できなくなる。この現象が、ニーチェ以来、オーウェルのファンのあいだで「集団思考」〔ジョージ・オーウェルの小説『一九八四年』に出てきた「二重思考」をもじって、心理学者のアービング・ジャニスが編み出した概念〕として知られるようになったものや、反抗期の高校生の「羊」のような行動の基礎になっている。

7.2 ── 畜群の本能から畜群ネットワーキングへ

人同士が直接群れるのではなく、テクノロジー的に群れて集団を形成する現象がある。これを本書では「畜群ネットワーキング」と呼ぶことにしよう。これまでは、物理的に近くにいる人としか集団を形成できなかった。だが今日は、インターネット接続さえあれば、どこの誰とでもつながってグループを形成できる。

フェイスブック、ツイッター、インスタグラム（Instagram）などのソーシャルネットワーキング・サービスにいる何億人というユーザーたちは皆、「フォロワー」と定義できる。ソーシャルネットワークは、集団心理を利用することで成り立っている。ユーザーに最も人気のあるアカウントを「フォロー」させ、人だけでなく、オンラインで多くの人が話題にしているようなことや、その日（あるいはその瞬間）の「トレンド」をフォローさせることで、さらにサービスの人気を高めようとしている。

一方でソーシャルネットワークは、協調の場というよりは、目立ちたがりが集まる場のように思える。目を引く投稿をすることで、人の関心を集めることができるからだ。しかし、ひとたび目立って、オンラインでフォローされるに足るアイデンティティを獲得しても、そこに独自性はあるのだろうか。そもそも、ソーシャルネットワークに独自性など存在しているのか。あるいは、フォロワーを失うリスクを冒してでも、個性を維持できるだろうか。それとも、フォロワーをつなぎとめるために、本当の個性を犠牲にしてフォロワーの要求に従うだろうか。つまり人としての独自性を犠牲にして、ブランドとしての独自性を演出していくのではないか？

7.3 ――ソーシャルネットワークの源流

1970年代に流行した無線通信の一種であるCB無線〔Citizens Band Radio。Band は通信帯域の意〕には、今日私たちがソーシャルネットワークによる発明だと思っている要素がたくさん詰め込まれていた。あるいは、CB無線がソーシャルネットワークの発端だと言ってもよいかもしれない。CB無線では、ユーザーが気の合う人や同じように退屈している人と、仲間同士の言葉を使って偽物と本物を区別しながら匿名でやり取りし、何でもありの無法地帯となった。記者のジェームズ・フェロンは1974年の『ニューヨーク・タイムズ』紙に次のように書いている。

15〜25マイルの距離で通信される5ワットのコミュニティ・ラジオ・ネットワークが1958年に開発され、タクシー同士の双方向のやり取りやトラックの配車手配、オフィス利用、緊急サービスなど、商用・私用を問わずさまざまなニーズを満たすものとなった。

しかし、このCB無線はやがて発展して大陸を越えた趣味になり、何百万という無線局が誕生した。その多くは無免許で、FCC（アメリカ連邦通信委員会）の規則で厳しく禁止されている「ムダ話」に興じるようになった。さらにひどい違法通信もある。[2]

CB無線は当初、商用または緊急用に開発・販売されていたもので、主に民間の輸送トラック、タクシー、警察車両、救急車、消防車に搭載されていた。使用希望者には、無線帯域が正しく使用されるようFCCが無線局の免許を販売しており、免許を取得したユーザーは、CB無線使用に関するルールを順守しなければならなかった。そのルールには、趣味や気晴らしのために無線帯域を個人使用することや、中傷や冷やかしを禁止する項目も含まれていた。

CB無線は私用でも商用でも利用できることで人気が出た。実際、どれほど人気だったか数字を見てみよう。1972年には、免許保持者は12万7000人だった。3年後の1975年には170万件の免許申請が受理され、1976年には480万件、1977年には460万件の免許申請が受理された。[3]1977年にCB無線の人気が最高に達し、その時点で免許保持者は1400万人、無免許のユーザーも推定600万人にまで膨らんでいた。[4]

しかし、CB無線の人気が最高レベルに達したわずか数年後、免許申請数は1958年のスタート当初のレベルにまで落ち込んだ。記者のアーネスト・ホルセンドルフは1983年に『ニューヨーク・タイムズ』紙で次のように書いている。

> 1970年代にハイウェイを巨大なおしゃべりサークルの場にして社会現象となったCB無線が急激に人気を落とし、アメリカ連邦通信委員会さえも関心を失いつつある。同委員会は本日、免許の発行を停止し、CB無線をすべての年齢のすべての希望者に開放した。[中略]かつて夢中になっていたユーザーがCB無線に関心を失い、幻滅したのが人気の衰えの主な原因と同委員会は述べている。しかし、「私用での通信」を希望する人はおそらく減っていない、と強調する。[5]

CB無線は、その目新しさから一気に広がったが、一般的になりすぎて目新しさや面白みがなくなったために一時的な流行に留まった。しかし、CB無線が道を拓いてくれたソーシャルネットワークの「熱」は今も冷めておらず、あるメディアに飽きると次、また次と人々がより新しいものへと渡り歩き、人気のメディアが順番に変わっていく。それにしても、CB無線はなぜ、ただ飽きられただけでなく、「幻滅」されたのだろうか?

今日のソーシャルネットワークとの決定的な違いは、CB無線はテキストを打つのではなく、人と話をしなければならないことと、電波の届く距離にいる人と話をしなければならないことだ。そこで本名を避け「ハンドルネーム」〔ハンドルネームは和製英語。本来は「ハンドル」でニックネームの意。ただし本書ではわかりやすさのためハンドルネームと記載する〕を使って匿名性を保つ。電波を通じて聞こえてくる声は電話越しの声に似ていて、肉体を持たないがためにイメージが膨らんで空間を満たす。そして今聞いている声の人物が、あたかも隣に座っているような絵を思い描く。伝送範囲が限られているから、実際にその声の主が本当にそばに座っている可能性も絶えず存在する。

このように、CB無線という媒体は必要十分には開かれていて、ユーザーが別の人と関係を築き、楽しめるスペースがある。その一方でユーザー同士の距離が近く、直に会う可能性がある。CB無線が持つこのリスクと報酬の力学がもたらす魅力は、1970年代のポップカルチャーでも共通のテーマで、映画（『トランザム7000』など）にも音楽（C・W・マッコールの『コンボイ』〔CB無線によるスラング交じりの会話を用いながら、トラックドライバーが反乱を起こす様子を描いた曲。この曲から同名の映画も誕生した〕など）にも見られた。

CB無線が幻滅されたのは、この魅力があったからこそといえる。ユーザーは新たな機会と新たな冒険の道を拓いてくれると夢見ていた。新たな仲間をつくるときに人々が望んでいたのは、自分や現実を超越することである。人々はほかの誰かになりたくて、ここではないどこかへ行きたい。ただし、それはまったく違う誰かというわけではない。現状の制約が取り払われたときに現れる、自分の真の姿を求めているのだ。人々がCB無線に求めたのは、地理的距離に縛られず、社会経済的地位や年齢、人種、性別、信仰の区別もなく、自分のことを本当に好きだと思ってくれる人を見つけることだった。たとえ、CB無線用の人格をつくり上げることになっても、それはその人の創造力の産物で、自分の本来の性質であることに変わりないと考えていた。

しかし、CB無線のスラング、特にスラング集（「リンゴ」[6]）などというものがつくられたように、人々が望んでいたような自己表現のツールにはならなかった。ユーザーたちは、FCCのみならず、ほかのユーザーのルールにも縛られていたのである。FCCは法の順守を要求し、ほかのユーザーからは言葉のルールを要求された。CB無線では、専門用語を使って、CBスタイルで話さなければならない。そうしないと、電波ジャックかおとり捜査官と思われて締め出されてしまう危険性がある。CB無線には冒険と自己表現が約束されていたはずなのに、ふたを開けると、ルールの順守と同じことの繰り返しが待っていた。初めは警察の目をかいくぐるために人気が出たが、皮肉にもユーザーが警察官と同じ役割になり、互いの行動を探り合う羽目になってしまったのだ。しかもそれは、お互いを知るためではなく、グループを守るため、つまりニーチェ流に言えば、群れを守るためだった。

7.4――コミュニケーション・ツールに潜む力😂

CB無線は死を迎えたかもしれないが、その後コンピュサーブによって世界初のコンピュータベースのチャットルームの1つとして生まれ変わった。ついた名前は「CBシミュレーター」。CB無線の文化――今の文化から逃れて、新たな制約のある新たな文化をつくること――がCBシミュレーターの文化、より広範にはチャットルームの文化になった。当時の記事にこんなものがある。

> コンピュサーブがコンピュータ・ネットワーク上の体験を再現しようと考え、CBシミュレーターが誕生した。どれか1つのチャンネル――のちにチャットルームと呼ばれるもの――に加わると、CBスラングで「10－4（テン・フォー：了解）」などの仲間用語をタイプして会話できる。要するに、ソーシャルネットワークもどきをつくり上げ、よそ者を皆で攻撃したり、さまざまなポリシーに従わない人を、グループ内のリーダーがやっつけるといったことを始めたのだろう。[7]

チャットルームも最初はCB無線特有のスラングやルールを引き継いでいたようだが、そのうち新しいスラング、新しいルールが登場した。コンピュータ・テクノロジーに詳しいコラムニスト、ジョン・C・ドボラックは次のように書いている。

CBシミュレーターの環境が生み出した構造やルール、コンセプトの多くは、のちにチャットルームのコンセプトに引き継がれた。これには、ときにパーソナルメッセージ（PM）と呼ばれることもあるインスタントメッセージ（IM）も含まれていて、こちらは1対1の会話になる。この初期の時代に誰かが、いくぶん規模の大きなチャットルームでは、最初にIMを送っていいか尋ねてからでないと、個人宛てにメッセージを送るのは失礼、という暗黙の了解を編み出してしまった。[8]

チャットルームに参加するには、チャットルームの文化を学ばなければならない。CB無線と同じで、いつでも必ず、ルールや文化に従わない者は除名するというコミュニケーション内の取り締まりがある。そのため、無線もそうだったが、いくらコンピュータが自由な雰囲気をつくり上げても、ルールや文化の順守を促す力を媒体が与えてしまうかぎり、本来目指しているような解放感は決して味わえない。

チャットルームでは特に、無視されないためにその文化に適合することが求められた。CB無線のチャンネルは聞く媒体なので、会話が重なってわからなくならないよう、交代で話すことが求められる。一方のチャットルームは読む媒体だから、ユーザーが相手を無視するのははるかに容易だ。チャットルームでは次から次へと互いに文字を打ち込み、連続的にやり取りができ、スクリーンにノンストップで文字が表示されスクロールされていく。どんどん会話が流れていくので、誰かが誰かの発言に応答して甦らせないかぎり、文字はどんどんスクリーンから消えていく。ユーザーはチャットルームから締め出されないために、チャットルームの暗黙のルールを学ばなければならない。またやはり無視されないように、意図的かどうかはともかく、人気ユーザーの手法を学び、真似ていくことになる。

日常生活で無視されるのはつらいことだが、チャットルームで無視されるのも、間違いなくつらい。チャットルームは、家や学校や職場で振り返ってもらえず、評価してもらえない人が集い、人の注意を引いて同類の仲間から尊重してもらえる側面もあったはずだ。半ば強制的に一緒にいなければならない人から無視されるよりも、自らともに時間を過ごそうと思って求めた人から無視されると、どん底に落ちた気分になる。ユーザーはもちろんその人個人として認められることを望んでいるのだが、まずは、たとえそれがチャットルームですでに有名な誰かを真似することであっても、とにかく認めてもらわなければならない。[9]

したがって、チャットルームがより個性を発揮できる方向ではなく、よりルールを順守しなければならない方向に発展していったのは驚くに値しない。チャットルームはテキストベースなので、コミュニケーションを取るには言葉を使わなければならない。絵や写真でコミュニケーションしたいと思っても、文字と記号を組み合わせたアスキーアートを駆使して、凝ったデザインのグラフィックパターンにするしかなかった。これを見たチャットルームの開発者たちは、ユーザーに創造性を発揮するよう促すのではなく、逆方向に設計を変えた。テキストベースのチャットをピクチャーベースのチャットにして、クリエイティブなアスキーアートのキャンバスを、他人が制作した画像をアップロードできる場所にしたのだ。その結果として最も顕著なのが、ユーザーがつくり出した顔文字（emoticon）が、開発者が提供する絵文字（emoji）に変わったことだ。

顔文字の考案者は、カーネギーメロン大学のコンピュータサイエンス学部教授、スコット・ファールマンだとされている。彼は1982年の9月19日、同僚に宛てて、電子掲示板に冗談を書き込む際は、「:-)」「:-(」を使って冗談だということをわかりやすくしようとメールを書いた[10]。ファールマンは、電子掲示板という媒体では、人はできるだけメッセージを短くしようとする傾向があり、その結果メッセージの意図がわかりにくくなることがあることを認識していた。

一方、絵文字を開発したのは日本の通信会社〔NTTドコモ（当時の所属）〕の社員、栗田穣崇（しげたか）で、栗田は1999年、オンラインでのコミュニケーションをわかりやすくするため、12ピクセル×12ピクセルのキャンバスに176種類のマンガのようなイラストを描いた。次の記事には、これについての栗田の説明がある。

（当時は）ウィンドウズ95がリリースされたばかりで、日本ではポケベルのブームと並んでメールのサービスが始まった。しかし、新たなコミュニケーション手段に慣れるのは難しい、と栗田は言う。日本人が書く個人的な手紙は冗長で、送り手が友好の気持ちを受け手に伝える時候の挨拶や、敬語表現がたっぷり詰め込まれていることが多い。メールはより短く、よりカジュアルな性質があるため、コミュニケーションの破綻につながりかねない。栗田はこうも述べた。「誰かが『わかりました』と書いて送ったとします。それは優しくソフトな『了解しました』の気持ちで書いたのか、冷たくネガティブな『ああ、わかったよ！』なのか、『書き手の頭の中はわからない』のです」[11]

手紙を書く日本の文化が単にメールを書く似たような文化に転換するだけと思っていたかもしれないが、実際は手紙が築いた文化ごと取り払ってしまった。以前の文字ベースのコミュニケーションに戻ることはなく、むしろ「絵文字」を使った新たなハイブリッド型のコミュニケーションが誕生したのである。

絵文字は顔文字から自然に生まれた流れのように見えるかもしれないが、ファールマン曰く、絵文字は顔文字のスピリットを殺してしまったという。「あれ（絵文字）は醜悪だと私は思う。標準のキーボードの文字を使って感情をうまく表現しようとするチャレンジ精神を潰してしまう」[12]とファールマンは述べている。絵文字は顔文字同様、対面のコミュニケーションがコンピュータを通じたコミュニケーションに代わったことで起こる「コミュニケーションの破綻」を修復しようとするものだが、顔文字はユーザーが創作したアスキーアートの亜種であるのに対して、絵文字は通信会社が制作したマンガの亜種である。

ユーザーが集まって互いにシェアする顔文字と違い、絵文字は企業がユニコードコンソーシアムという国際的な複合団体を形成して制作している。ユニコードコンソーシアムは、ユーザーがプロバイダーならびにプラットフォームを横断しても使えるよう、722の標準絵文字のセットを作成した[13]。つまり、ユニコードコンソーシアムはユーザーが自分らしさを伝えられるよう絵文字語を開発したわけではなく、企業によってつくられた出来合いの言語を使うよう仕向けることで、アップルやグーグルがユーザーから容易に利益を上げられるようにしたわけだ〔ここでは絵文字の主な入力端末であるスマートフォンを牛耳っている点からこの2社を挙げている〕。

文の意味をより明確にするために、絵文字が顔文字に取って代わったのではない。絵文字は文そのものに取って代わったのだ。ルミノソ〔AIによる自然言語分析を行っているアメリカの企業〕によると、2013年に絵文字の人気が爆発し、ツイッターでは20ツイートごとに1つの絵文字が使用された。文字数でいえば、600文字に1回以上の割合になる。使用数は、－（ハイフン）、数字の5、文字のVよりも多く、ツイッターの象徴的な記号である#（シャープ）の半分にまで達していた。[14] ウェブサイトの絵文字トラッカー（emojitracker.com）には、ツイッターで使われている絵文字の回数がリアルタイムで表示されるが、あまりのスピードで表示されるので、同サイトは、リアルタイムで絵文字の使用を見ていると具合が悪くなる可能性があると警告している。

絵文字トラッカーの統計によると、これまでに絵文字がツイッターで使われた回数は185億8574万8389回だという。[15] 現在、最もよく使用されている絵文字は「LOL〔Lots Of Laughs または Lough Out Loud の略〕」とも呼ばれる「泣き笑いの顔」で、使用回数は16億5396万266回。しかも回数はまだまだ増加し続けている。第2位は「赤色のハート」〔以前のユニコードの名称は「Heavy Black Heart」〕で、これまでに7億5310万6999回使用されている〔2017年4月時点。2021年2月時点では、「泣き笑いの顔」は31億回超、「赤色のハート」は15億回を超えている〕。このように、ツイッターでは「泣き笑いの顔」が他を圧倒し、次点につけているラブのシンボルの約2倍になっている。

そして、絵文字は単にユーザーの意図を伝える以上の力を持つようになった。それ自体に志向性が備わったかのように、『白鯨』や『不思議の国のアリス』、果ては聖書まで絵文字に変換しようとする試みがなされた。[16] 2015年には、警官の絵文字の横に、警官に銃口が向かうように拳銃の絵文字を並べてフェイスブックに投稿したニューヨークのティーンエイジャーが、「テロリスト的脅威」として逮捕された。[17] 2016年、こうした事件と銃所持に反対するニューヨーカーの団体による「iPhone武装解除運動」を受けて、アップルは拳銃の絵文字を水鉄砲の絵文字に変えた。[18] これは、絵文字が文芸、法律、政治といった面で重要性を持つようになったことを表している。

絵文字を取り巻く出来事で最も議論を呼んだのが、2015年にオックスフォード大学出版局が「今年の単語」に「泣き笑いの顔」の絵文字を選んだことだ。[19] オックスフォード大学出版局のこの決定は、長期にわたって喧喧囂囂(けんけんごうごう)の議論を呼んだが、絵文字がその年を代表する単語だという考えは多くの人の反感を買ってしまい、同出版局は絵文字を擬音語や擬態語、ピクトグラム、身振りや手話と同等のものとして、非常に長い言語学的な理論を用いて弁解することになった。[20] サム・クリス〔イギリスのライター、ブロガー〕はこの議論をさらに進めて、ソシュール〔スイスの言語学者、構造主義言語学の父〕とデリダ〔フランスの哲学者、ポスト構造主義の代表〕を持ち出し、絵文字は単なる言語ではなく、言語の「この上なく純粋で完璧な形」[21]と主張した。これらのことから、絵文字は単に人気を獲得しただけでなく、言語構造についての根本的な仮説を覆してしまったと言えるだろう。

ここで考えなければいけないのは、絵文字がコミュニケーションの構成要素として意味があるかどうか、ということではない。問題は、絵文字が伝えるのは誰の意図か、ということだ。単語で構成されていようと、絵文字で構成されていようと、私たちは自分でつくった言語を使用してはいない。しかし、人は自分で語の意味を定義し直したり、新語をつくったりして、言語をリメイクする力を持っている。ただし、絵文字のユーザーにそうした力はない。絵文字をつくることができるのは企業だけだ。絵文字は確かに言語ではあるが、それは企業のロゴのようなものだ〔近年は特定の商品を絵文字にすることで、企業から広告費を得るソーシャルメディアもある〕。「ネットフリックス・アンド・チル」が婉曲表現になったのと同様に、ナスの絵文字も婉曲表現になっているが〔フェイスブックとインスタグラムでは、ナスと桃の絵文字は「性的な絵文字」として規制されている〕、いずれの表現も、ユーザーが自分で言語をつくろうとしたところで、結局それは企業に持っていかれるか、企業の宣伝に協力してやるだけになるという事実を見せつける。それに、ナスの絵文字の方が「ネットフリックス・アンド・チル」よりユーザー側の持てる力は小さい。なぜなら「ネットフリックス・アンド・チル」は通常の会話の中で使えるが、ナスの絵文字は送る側も受け取る側も絵文字対応のデバイスがなければならないからだ。つまり絵文字は、かつてのCB無線およびCB無線のスラングがそうであったように、規定に従うことを要求してくる。

スタティスタ〔ドイツの調査会社〕は、2015年に絵文字を使用する理由についてアンケートを実施し、回答者の49・7%が「人とより個人的なつながりができるから」と答え、「より現代的なコミュニケーション手段だから」が23・6%、「皆が使っているから」が19・3%だった。[22]この回答を分析すると、「より個人的なつながりができる」というのは、絵文字で個性を伝えるというよりも、「現代的な」「皆が使っている」方法だから、共通言語として、そのルールを守らなければ、人とコミュニケーションが取れないという意味に読み取れる。あるいは、企業が絵文字関連のアプリを、「パーソナライゼーション」アプリと位置づけているから、「個人的なつながりができる」ように思うのかもしれない。2015年時点では、こうしたいわゆるパーソナライゼーション・アプリ〔日本での使用頻度は相対的に低く明確な定義はないが、絵文字や壁紙などを自分流にカスタマイズできるアプリを指すことが多い〕は、あらゆるアプリの中でも「最速成長カテゴリー」に分類され、前年と比べて利用が332%増加した〔ちなみに、次に成長率の高かった「ニュース&マガジン」のカテゴリーは135%の伸びに留まっている〕。[23]結局、絵文字は書き言葉を超えたかもしれないが、最も人気のあるものについていき、同時にそれを最も個人的なものとして見ることで服従を正当化するという、畜群の本能は超えられていないのである。

7.5 ―― フェイスブックという名の宗教

私たちが最も個人的、かつ最も人気のあるものを求めているいちばんの例がフェイスブックだ。2015年8月27日、フェイスブックの創設者マーク・ザッカーバーグは、自身のフェイスブックページに以下のような投稿を掲載した。

私たちは今、重要な節目を迎えました。はじめて、1日のフェイスブック利用者数が10億人に到達したのです。

この月曜日、地球上の7人に1人がフェイスブックを利用して友人や家族とつながっていました。

財務面のお話をするとき、私たちは平均値を使いますが、これは違います。これははじめて私たちがこのすごい数字に到達したのです。そしてこれは、世界中がつながる第1歩にすぎません。

これだけの成長を遂げたフェイスブックのコミュニティを誇りに思います。私たちのコミュニティは、皆に声を与え、現代社会に対する理解を促して、皆が現代社会に入れるようにする点で、ほかと異なります。

皆がつながった、よりオープンな世の中は、よりよい世の中です。愛する人との関係がより強固になり、より多く機会のある、より力強い経済活動を実現し、皆の価値観をすべて反映したより強い社会を築き上げます。我々のコミュニティに参加してくれて、ありがとう。この偉大な数字に到達するのを助けてくれた、皆さんの行いすべてに感謝します。皆で実現するものを見るのが楽しみです。[24]

〔ザッカーバーグの投稿をフェイスブックが機械翻訳した原文ママ。非英語圏のユーザーは彼の投稿をこのように体験しているだろう〕

2015年、フェイスブックは1日の利用者数が10億人に到達した初のソーシャルネットワークとなった。それでも、ザッカーバーグが言うように、これは「世界中がつながる第1歩」にすぎなかった。月間のアクティブユーザー数で見ると、フェイスブックは2012年に10億人を突破し、2013年には12億5000万人、2015年には15億人、2016年には17億5000万人、2017年には20億人を記録している（執筆時点では21億9000万人）[25]。つまり、フェイスブックは単に世界一の人気を誇るソーシャルネットワークというだけでなく（参考までに、インスタグラムの月間アクティブユーザー数は6億人、ツイッターは3億1700万人）[26]、その人気は着実に高まり続けている。

実際、フェイスブックはあまりに普及しているため、規模、広がりともに、インスタグラムやツイッターなど現代のソーシャルネットワークとの比較で考えるのは間違いで、むしろ昔のソーシャルネットワーク、つまりキリスト教（信者数22億人）やイスラム教（信者数16億人）、ヒンドゥー教（信者数10億人）との比較で考えるべきだろう。[27] 前述のザッカーバーグの投稿をあらためて読むと、フェイスブックはその影響力のみならず、目的の点でも世界的宗教みたいなものだ。彼が強調するように、フェイスブックは単なるソーシャルネットワークではなく「コミュニティ」である。それも「皆に声を与え、現代社会に対する理解を促して、皆が現代社会に入れるようにする点で、ほかと異なる」コミュニティである。ザッカーバーグはフェイスブック教を伝道していると言えよう。人が声を持ち（近況を更新）、理解を深めて（ニュースフィード）、社会の仲間入りができる（友達になる）のは、フェイスブック――唯一フェイスブックのみ――を通じてだという。

フェイスブックのユーザーになるということは、すなわち、フェイスブックのエバンジェリストになるということだ（エバンジェリストはもともと福音書の著者の意）。福音に導かれて、福音の宣教師（ミッショナリー）になる。というのも、ザッカーバーグが明らかにしているとおり、フェイスブックのミッションは「世界中がつながる」ようにすることだ。その理由は「皆がつながった、よりオープンな世の中は、よりよい世の中」であるから、ということらしい。そしてこれこそが、フェイスブック・ユーザーが広めているミッションなのだ〔missionには布教の意味もある〕。直接言葉で参加を促さなくても、フェイスブックをやっていない人に会うと「信じられない」といった顔をすることで、一種の布教活動になっている。

布教というこの点をもう少しわかりやすくしよう。フェイスブックの光を通して見出せるよりよい世界は、ユーザーが「より強固な関係」を持ち、「より力強い経済活動を実現」させるだけでなく、「すべての人の価値観を反映した、より力強い社会」を築くことだとザッカーバーグは述べている。しかしながら、世界中に20億人もいるユーザー全員の価値観を反映した社会など、実現できるわけがない。おそらくザッカーバーグが意図しているのは、「フェイスブックを使いたいなら、皆に価値観を合わせなければならない」ということか、もしくは、「フェイスブックを使っていると、そのうち同じ価値観を持つようになる」ということだろう。それは、フェイスブックの、フェイスブックによる、フェイスブックのための価値ということだ。

フェイスブックが私たちの価値観の源泉だとザッカーバーグが考えていることは、彼がただ「つながった」世界でなく「よりオープンな」世界をつくりたがっていることを見れば明らかだ。このフェイスブックが要求するオープンさは、ユーザーと非ユーザー、そしてフェイスブック内でもよく齟齬が生じている。確かに、ソーシャルネットワークというもの――掲示板（BB

S）からAOL、ヤフーのグループ、フレンドスター〔Friendster〕、リンクトイン〔LinkedIn〕、マイスペース〔Myspace〕まで――も、最初からオープンさが中心にあった。しかし、フェイスブックほどオープンさを強要し、プライバシーを認めないソーシャルネットワークはほかにない。ひょっとすると、これまでのプライバシーの概念によって、いかに私たちが制約を受けていて、世界とつながれず、よりよい世界を体験する機会を削がれているかを示すことで、プライバシーを再定義するソーシャルネットワークがほかにないだけだ、とザッカーバーグは思っているかもしれない。

最初からフェイスブックは、ユーザーがお互いにオープンさを求めていて、世の中をオープンにしたがっているとの前提で運営されてきた。その前提によって、プライバシー設定に関してオプトイン〔事前に設定の許可をユーザーに求める方式〕ではなく、オプトアウト〔自動設定後にユーザーが設定を解除する方式〕のアプローチを取ってきた。たとえば2007年には、ユーザーのオンラインショッピングの習慣がその人のニュースフィードに掲載されるようになった。2009年には、ユーザーの氏名、顔写真、性別の公開をデフォルトにしている。2010年には、「いいね」ボタンをサードパーティーのサイトにも設置できるようにし、それらのサイトからユーザー情報にすぐにアクセスできるようにするとともに、ターゲティング広告のためにユーザーの行動を追跡できるようにしている。[28]

より最近では、プライバシーのみならず、自治までも再定義しようとしている。[29] 2014年、フェイスブックのデータサイエンティストたちは、密かに68万9003人のユーザーのニュースフィードのアルゴリズムを変え、ユーザーを「感情的に操作できるか」という実験を行った。具体的に何をしたかというと、ポジティブな投稿か、ネガティブな投稿のどちらかしか見られないようにしたのである。[30] ザッカーバーグは、フェイスブックにはユーザーをよりオープンにさせるだけでなく、ユーザーを幸せにさせたり、悲しくさせたりする力があるかということが知りたかったらしい。要するに彼が知りたかったのは、フェイスブックがユーザーに対して神のような力を持っているかどうかだ。しかし、この神のごとき力を真に問うたのは、その実験部分ではなく、実験結果を世の中に伝えることにあった。この実験の結果は、何とも大胆な表題で公表されたのである。その表題は「ソーシャルネットワークが人の感情に大きく影響を及ぼせることを示す実験結果」[31]。本当の実験は、フェイスブックがユーザーを感情的に操作できるかどうかではなく、フェイスブックのユーザーは感情的に操作されるとわかっていても、さらにユーザー数が増え続けるかどうかを見ることだったのではないか、と疑わずにはいられない。

実際のところ、これほど大胆なプライバシー侵害を行ったあとも、ユーザー数は依然として増え続けている（ただし、このことでフェイスブックは攻めの方針を転換し、謝罪しなければならなくなったが）。たとえば、ある友達と仲たがいしたとしても、フェイスブック上の友達から削除するのは難しいものだ。このことを考えれば、フェイスブックまるごと縁を切るのはそれ以上に難しいと想像するのはたやすい。フェイスブックは、それを通して友人関係だけでなく、世界まで体験できる媒体になってしまった。検索やダイレクトメッセージ、グループチャット、ビデオストリーミング、イベント開催、ゲーム、写真や動画のアップロード。有名人や企業ならウェブサイト代わりとしても使える。フェイスブックがユーザーに提供しようとしてきたのは、単なるインターネットサービスを超えた、インターネット内のインターネットだ。インターネットにあるとよいものがすべて揃った、「ワンストップ・ショップ」。つまりフェイスブックが目指すのは、ユーザーがフェイスブック上で何でもできることである。逆に言えば、フェイスブックがなければ何もできないことを目指しているのだ。

フェイスブックは成功から自信を得て、「常に顧客が正しい」の精神ではなく、「嫌なら、やめればいい」の精神で運営している。フェイスブックは大胆にも、個人に対して、嫌なら使わなくていいと言っている。私が「個人に」という言い方をしたのは、この大胆な姿勢の裏には、皆がフェイスブックをやめるか、誰もやめないかの選択があるからだ。友達や家族、同僚、知り合い、元恋人、昔のクラスメイト、政治のリーダーなどがフェイスブックにいるかぎり、フェイスブックのアカウントを持っていないことは、いろいろなものとの「つながり」がないことだ。フェイスブックを舞台に展開する「関係」「経済」「社会」に関われないことになる（ユーザーは自分以外の誰の写真でも近況でも投稿できることを考えると、フェイスブック・ユーザーでなくても、コンテンツとしてはフェイスブックに登場できるが）。そして、フェイスブックは拡大を続けているので、ほかのサービス（たとえばティンダーなど）はますます、実体証明の一形態としてフェイスブックのアカウントを使わなければいけなくなる。言い換えると、誰であろうと、まずフェイスブックでアイデンティティを手に入れなければ、アイデンティティを持つことがどんどん不可能になってきている、ということだ。

もう1つ、フェイスブックを離れにくい理由として、フェイスブックはユーザーにプライバシーを守るのか、それともつながりを優先させるのかを選択させているだけでなく、他人のプライバシーを侵害する楽しみに参加するようそそのかしている点がある。フェイスブックが提供するサービスの中で、のぞき見ほど楽しく、そそられる「罪悪感のある快感」はない。私たちはフェイスブックをプライバシーに対する脅威と非難しつつも、使うのをやめずに他人の暮らしをのぞき見て、他人の体験に絶え間なくアクセスしている。コメントも「いいね」もしなければ、こちらが見ている証拠は残らないから、ユーザーは他人のタイムラインを好きなように取捨選択して読むことができる。これを可能にすることで、フェイスブックはユーザー同士の監視を促進しているだけでなく、フェイスブックのアンチ・プライバシー的ミッションへの参加をそそのかす。フェイスブックがユーザーのプライバシーを侵害すればするほど、ユーザー同士もプライバシーを侵害できる仕組みだ。

フェイスブックは世界最大の群れを形成し、両刃の剣でもあるシンプルなスローガン「皆やっている」を掲げて、その群れを保ってきた。皆フェイスブックにいる。だから、フェイスブックに入らないと仲間外れになり、誰とも友達になれなくなる。フェイスブックは日常だ。つまり、フェイスブックは普通のものとなった。自分の意見を投稿するのが普通。親密な写真を掲載するのも普通。今どこにいるかを知らせるのも普通。「そういうことは自分の中だけにしまっておいた方がいいのでは？」などと思うのは、時代遅れか、価値観が普通でないことになる。

フェイスブックが支配する世界、オープンさがデフォルトとなる世界では、プライバシーを守りたいなどと言えば、閉鎖的な人間であることを表す。皆とシェアすることより、自分のものを守りたいタイプだと見られてしまう。こうした友人関係を強いるプレッシャーにより、誰とでもシェアすることが習慣になり、シェアは第2の本能に近い状態になっていく。すると、フェイスブックに投稿するのは、自分の体験を共有したいからなのか、フェイスブックに投稿するための体験がしたいからなのか、わからなくなってくる。そこで、こうした畜群ネットワーキングをニヒリスティックな観点から見ると、フェイスブックは新しい生き場所になったのか、それとも生きることの新たな理由になったのか、という問いが生じる。

7.6——畜群ネットワーキングの危険性

群れに加わりたいと思うこと自体は、何も悪いことではない。確かに、群れに加わって得られるものはたくさんある。それはコミュニティだったり、力だったり、安全だったりするだろう。だがこうしたメリットには代償が伴う。個人のアイデンティティがコミュニティのアイデンティティに置き換わるとか、全体の力の中で個人の力が必要とされなくなるとか、群れの安全性が群れを離れようとする者への脅迫になるとか、そういうことだ。

群れにいると、自分を失う。ただし、自分を失うことは必ず自己破壊になるのか、それとも自己発見になることもあるのか、という点は議論の余地がある。群れの中で自分をなくしたいと人が願うのは、人は自分にうんざりしているからだ、とニーチェは主張するが、人が群れに入ることを願うのは、他人を通して自分を発見できるからだ、という向きもあるだろう。グループや大義、ウェブサイトに自分のすべてを委ねるのは、自分自身から身を隠す逃避と見ることもできるが、目的を見つける上昇志向の表れと見ることもできる。

しかし、ここで心配しているのはまさにこの両面性なのだ。群れに自分を委ねるのは、自分のモチベーションがどこにあるのかわからないことを示している。これまでの畜群ネットワーキングの分析で見てきたとおり、個人と群れとを区別するのは難しい。人の行動と、そうした行動に駆り立てた理由とを切り離すのは難しいのだ。ニーチェはこの両面性について次のように指摘している。自然と他者を求め、自分が加わる群れを探すのは人の本能だが、その群れを形成し保っているのは「(禁欲主義的)僧侶」で、「この本能を見抜き、さらにこれを助長する」のも僧侶たちだという。[32]

僧侶は役割としてポジティブに働くのか、あるいはネガティブに働くのか。メリットがあるのか、それとも危険があるのか。この答えを探すには、プラトンの『国家』第1巻のソクラテスとトラシュマコスとの議論にまでさかのぼらないといけないかもしれない。[33]『国家』第1巻でソクラテスは、リーダーを自分の向上のためではなく他人の改善のために働く医師になぞらえているのに対し、トラシュマコスはリーダーを羊飼いになぞらえている。羊の立場から見ると羊飼いは、まさにソクラテスが指摘するとおりのリーダーで、世話をしてくれて守ってくれる者だ。だが羊飼いの立場から見ると、世話をして守ることは、単に目的達成の手段でしかない。羊飼いの目的はもちろん、羊を肥育して肉として売ることだ。したがって、トラシュマコスの意見ではソクラテスは間違ってはいない。ただソクラテスは世間知らずで、大局が見えていないだけだ。

では、畜群ネットワーキングの僧侶——今あちこちにいるマーク・ザッカーバーグやジャック・ドーシー〔ツイッター共同創設者兼CEO〕のような人たち――は私たちを助けているのだろうか、それとも傷つけているのだろうか。いや、ここで問いたいのはそういうことではない。そうではなく、「私たちはきちんと大局を見られているのだろうか？」ということだ。フェイスブックやツイッターは、それ以前のCB無線やチャットルームとほとんど同じように、確かに人々に出会いと自己発見の場を提供している。しかし、それですべてではない。トラシュマコスを参考にすると、ここで私たちが慎重に見なければいけないのは、畜群ネットワーキングが提供してくれるものが「何か」よりも、畜群ネットワーキングがそうしたものを「どうやって」「なぜ」提供するのかである。

ユーザーの立場からすると、フェイスブックやツイッターは自己表現の場であり、人と関係を築いて維持し、ニュースやエンターテインメントも楽しめる。しかし一方ザッカーバーグやドーシーの立場からすると、フェイスブックやツイッターはコンテンツの場であり、広告の場だ。自己表現はコンテンツ。人間関係もコンテンツ。もちろんニュースやエンターテインメントもコンテンツ。そしてユーザーがコンテンツの作成と閲覧に時間を費やしてくれればくれるほど、ユーザーはサイトで広告を見てくれるわけだ。こうした「無料」のネットワークで利益を生むのは広告であってユーザーではないので、これらのネットワークは最終的にユーザーのためではなく、結局は広告主のために存在していることになる。金を払うという意味での顧客は広告主であって、ユーザーではない。別の言い方をすると、各々のユーザーに適切なターゲティング広告を打ちたい広告主が増えているため、広告主に奉仕することが、ユーザーに奉仕することにもなる、とザッカーバーグとドーシーなら考えるだろう。

もし、ソーシャルネットワークが宗教のように運営されているのなら、それは「テキストが空白の宗教」だ。フェイスブック、ツイッター、インスタグラム、レディット（reddit）。これらはCB無線同様、空っぽの空間だ。運営者や個人がつくったのでもなければ僧侶がつくったのでもなく、ユーザーたちがつくったコンテンツ、群れに埋められるのを待っている空っぽの空間である。つまり、群れが群れを消費し、群れが群れを楽しませている。僧侶であるネットワークの仕事は、与えることではなく、保存することだ。したがって、畜群ネットワークの僧侶の課題は、群れを刺激してネットワーク用のコンテンツを生成させ続けることになる。言い換えると、広告主が作成するコンテンツが目立ちすぎてユーザーに嫌がられないよう、ユーザーにコンテンツを生成させ続けることだ。羊飼いの客が近くで飢えた目をして待っているのが見えたら、羊は羊飼いに対する信頼を失ってしまうだろう。それと同じように、広告主が近くで飢えた目をして待っているのが見えたら、ユーザーはネットワークに対する信頼を失ってしまう。

この問題の解決策は、ユーザー生成コンテンツ（UGC）と広告主生成コンテンツの区別をなくすことだと現代の僧侶たちは気づいた。これは、1つの方法としてはターゲティング広告を使えば解決できる。というのも、自分向けの広告が増えれば増えるほど、その広告は自分が表示されることを選んだもののように感じ、そう見えるように広告主によって設計されたものに見えなくなるからだ。こうしたネットワークでは、この戦略がまたもやプライバシー侵害を正当化する理由になっている。ユーザーのための広告をデザインするには、広告主はユーザーについてできるかぎりの情報を集めなくてはいけないというわけだ。ザッカーバーグが頂点に掲げるオープン精神は、たまたまターゲティング広告の精神と一致していたわけではない。

このやり方でつくられるよりよい世界は、ユーザー同士がお互いを見つけやすくなるだけでなく、ユーザーと広告主もお互いを見つけやすくなる世界である。最近では、あるサイトで飛行機の便を探したら、ソーシャルネットワークにすぐ、旅行の広告が表示されたりする。最初はユーザーもこれに違和感を覚え、スパイされているような、ストーキングされているような落ち着かなさを感じたかもしれないが、時間が経つにつれターゲティング広告に慣れてしまった。それはソーシャルネットワークのユーザーが増え続けていることを見ればわかる。もちろん、だからといってユーザーがターゲティング広告を求めているという意味ではない。しかし、「嫌なら、やめればいい」と挑発するようなソーシャルネットワークに対し、ユーザーはそうしたターゲティング広告が自分の望むものなのかどうかを気にしなくなり、考えることさえできなくなっているように思える。

ソーシャルネットワークは、広告主がターゲットを絞るのにユーザーのデータを役立て、広告主をユーザーに近いように見せかけることで、ユーザー生成コンテンツと広告主生成コンテンツの境界を曖昧にしている。そして、広告主はユーザーのように振る舞うので、あなたはそのコンテンツをシェアしたいと思うようになる（向こうから見れば、あなたのデータがベースになっているので、シェアするはずなのである）。イソップならこれを、「羊の皮をかぶったオオカミ」作戦と呼ぶかもしれない。さらに一方でネットワークは、ユーザーが探しているものを見つけやすいようにして、いわばユーザーに広告主のようなターゲティングをさせることでも、この境界線を曖昧にしている。プラウトゥスならこれを「人間は人間にとってオオカミである」作戦と呼ぶだろうか。

ＣＢ無線やチャットルーム、絵文字のところで見てきたように、畜群ネットワーキングにはオープンな精神ばかりでなく、順守の精神もある。しかし、ＣＢ無線やチャットルームの場合の順守は主に、皆が仲間でいられるようにユーザーが互いに規制し合った結果であり、また人気の高いものを真似ることで人に合わせようとする結果であった。ところが、絵文字と現代のソーシャルネットワークは、仲間だけでなく、ネットワークそのものからの推奨や誘導によって、その順守がさらに厳しく求められている。ソーシャルネットワークが提供する空間では、私たちはほかのユーザーや広告主、自分自身が生成するコンテンツだけでなく、アルゴリズムの影響も受ける。どのコンテンツを表示させて、どれを表示させないか決めているのは、アルゴリズムだからだ。

アルゴリズムはソーシャルネットワークの門番の役割を果たしているともいえる。最も有名な事例は、おそらく2014年にミズーリ州ファーガソンで起こった抗議だろう。当時、ツイッターで話題のトップに上っていたのは、警官による黒人青年マイケル・ブラウン射殺事件と、そのあとに続いたコミュニティの抗議行動、警察によるこの抗議の鎮圧だった。だがフェイスブックでは、ファーガソンの事件よりも、ALSアイス・バケツ・チャレンジ（筋萎縮性側索硬化症（ALS）の研究を支援するため、バケツの氷水を頭からかぶるか、米ALS協会に寄付するかを選ぶというキャンペーン）の陽気な投稿の方が多く目立った。あるバズフィードのライターは、フェイスブックのニュースフィードからファーガソンの事件に関する議論を消えさせないために、マイケル・ブラウンのストーリーにコメントを添える形で、偽のライフイベント（結婚発表）を作成して、フェイスブックに投稿することまでしていた[34]。

この差の原因は、両ネットワークのアルゴリズムの働きの違いによるものだ。フェイスブックのニュースフィードのアルゴリズムは、（ツイッターよりも）表示する投稿やユーザーに差をつけるようにできている。この表示格差の論理的根拠は、大半のアルゴリズムと同じく不明で、ユーザーはただ推測するしかない（第5章で議論したとおりだ）。おそらく、アイス・バケツ・チャレンジをたくさん表示させて、ファーガソン事件の表示を減らしたのは、ユーザーにフェイスブックを去る理由を与えないためだったと考えられる。ユーザーができるだけ話題にしやすい、ユーザー・エンゲージメントの高い投稿を表示し、関与しにくいものは表示を減らすと宣言したも同然である〔フェイスブックなどのソーシャルネットワークでは、ユーザーの反応をエンゲージメントと呼び、広告の評価指標にもされている〕。要するに、フェイスブック・ユーザーはアイス・バケツ・チャレンジに「いいね」するけれども、ファーガソン事件には「いいね」しなかったということだ。

表示されるニュースフィードをアルゴリズムが決定することの波及効果として、ユーザーが「友達」に絡んでもらいやすい記事を投稿し、そうでないものは避けるようになる。その結果、フェイスブックは赤ちゃんや猫の写真であふれている。もちろん、赤ちゃんや猫の写真には、たいていのユーザーが「いいね」を押すからだ。同じことが、楽しい旅行の写真や、楽しいナイトライフの写真、楽しい「ライフイベント」の写真にも言える。つまりフェイスブックはエンゲージメントの高まる「楽しい」トピックを推奨しているから、ユーザーも楽しいことを投稿する、ということだ。

フェイスブックは毎日、ユーザーに今日は誰の誕生日かを知らせ、お互いにハッピー・バースデーを伝え合いやすい仕組みを提供している。なぜなら、「たぶん友達」という程度の人の誕生日を覚えていることは困難だが、お互いにハッピー・バースデーを言い合えたら楽しいからだ。デイヴィッド・プロッツ〔ウェブマガジン『スレート』の編集者・記者。優れた政治記事で知られる〕がフェイスブック上で実験して発見したように、ユーザーは同じ人物――同じ「友達」――に同じ月のうちに何度でもお祝いを言いたがるようだ〔フェイスブックで親しくない友達から誕生日祝いのメッセージが機械的に送られてくるのを疎ましく思った同氏が、ひと月に3度の誕生日を設定してもメッセージが送られてくるか試したもの。詳しくは原注を参照（英語）〕[35]。彼の実験からもわかるように、なぜ誕生日を祝うのが楽しいかといえば、1つにはフェイスブックのアルゴリズムがそうするように促すから。そしてもう1つは、ただなんとなく楽しいからだ。確かに、楽しい方がエンゲージメントは増えるだろうが、どうやら必ずしも本心から反応しているわけではないらしい。レストランで店員から「どうぞごゆっくり（Enjoy your meal.）」と言われたとき、反射的に「ありがとう、あなたもね（Thanks, you too.）」と不適切な返事をしてしまうことがあるが、フェイスブックのハッピー・バースデーはそれと大差ない。何を促されているのかにロクに注意も払わずに、フェイスブックの通知に反応してしまう。そこに働いている心理は、フェイスブックがそうしろと言うなら、きっと楽しいだろう、というものだ。

ツイッターのアルゴリズムは、フェイスブックのニュースフィードのアルゴリズムと違って、どんな話題をユーザーがツイートしていてモニターしていて、すべてのユーザーが見られるよう、「トレンド」のリストを定期的に更新して目立つように表示している。このようにトレンドの話題が目立つよう表示され、それについてツイートすれば、自分のフォロワー以外にも見てもらいやすい仕組みだ。ただしこの仕組みは、本当にその話題は現在ツイッターで最も多く議論されていることを反映しているのか、トレンドであることでツイート数が増えているのかがわかりにくいという問題がある。この両義性から、ツイッターが意図的に一方の政治的立場の話題を積極的に前に出し、もう一方の側の話題は検閲しているとの陰謀説が流れたこともある。[36]

こうした陰謀説の裏には、アルゴリズムをめぐる困惑（と、ポスト現象学的観点から見た「解釈学的信頼」）が少なからずあったようだ。ツイッターはユーザーに、ある人のタイムラインに表示されていることが、（その人のフォロワーだけでなく）皆が話している話題だという誤った印象を与えることがある。ツイッターはまた、ある人が旬だと思う話題は、（アルゴリズムによって、その地域の話題が取り上げられているだけなのに）皆が話している話題だという誤った印象を与えることもある。もう1つ、ツイッターはユーザーに、その人のタイムラインに表示されていることや、ツイッターでトレンドになっている話題は、（3億1300万人いるツイッターのアクティブユーザーのほんの何％かではなく）皆が話している話題だという誤った印象を与えることもある。そして、ツイッターの群れ――フェイスブックの群れに置き換えても同じことだ――を離れた途端、誰も自分がいた世界の話を知らないようだということに気づいて、大変困惑することがある。

ユーザーに、「自分も皆の話題についていっている」と感じさせるのがツイッターの特長で、その感覚からユーザーは自分も会話に加わりたくなるのだ。広告主がクリック数を増やそうとトレンドを追いかけるのと同様に、ユーザーもフォロワー数を増やそうとトレンドを追いかける。トレンドはほかのツイートとの関連とは別に、その特定の単語さえ含まれていれば表示されるため、なぜその話題がトレンドなのか、ツイートする意味があるのかがわからなくても、とにかくトレンドについてツイートすれば、ユーザーはインプレッション〈閲覧数〉を増やすことができる。フェイスブックがユーザーに楽しいことをさせようとするのとまったく同様に、ツイッターはユーザーに流行の先端にいることを促している。しかしどちらの場合も、ユーザーはとにかく自分を見てもらいたい。ただそれだけだ。

耳目を集めるために楽しい投稿をしたり、流行についていくために投稿するのは、クリックベイト〈ネットの誇大広告や虚偽広告のこと。リンク先と無関係のタイトルやサムネイル画像で誘導する手法〉と同じはずだ。クリックベイトを投稿した企業は、非難されて当たり前である。同様に個人ユーザーも、人々の気を引こうとうっかりクリックベイトを投稿すると、やはり非難される。「自分だったら『ハリー・ポッター』のどの寮に送られただろうか」とか、「『セックス・アンド・ザ・シティ』のどの登場人物に自分はいちばん似ているか」といったパーソナリティー・

クイズは、クリックベイトの入口と言える。こうしたクリックベイト・クイズは、最初は企業とユーザーのエンゲージメントを高める目的で始められたが、ユーザー同士のエンゲージメントも高めることに皆が気づいた。

すると、単に企業が作成したクリックベイトをシェアするだけでなく、私たちは自身でクリックベイトを作成するようになり、その過程で自分たちを小さな企業に変えてしまった。クイズは人気がある。だから、クイズのようなゲームを独自につくって、皆がおふざけに参加できるようにハッシュタグをつける。たとえば同じダジャレ（#CatTVShows）で遊ぶとか、日常の出来事を3語で表す（#MyPerfectDateIn3Words）とかだ。同じくミームも人気がある。アプリケーションやウェブサイトを使って独自にミームをつくり、投稿する。GIFも同じだ。ほかには、エッセイ的なフェイスブックの投稿や、ツイッターのスレッドで怒りの連続投稿をするのも人気がある。フェイスブックにはエッセイふうの文章があふれ、ツイッターは怒りのスレッドが次々流れていく。あるいは、それをするのに頭と労力を使いたくない場合は、シンプルに誰かの投稿をシェアやリツイートする（だがもちろん、自分のエンゲージメントにするためには、たとえば炎の絵文字や「ほんとこれ」など、その投稿に「有益なビット」を添えなければならない）。

人気者になるために、人気のあるやり方に合わせるというのは、もちろん新しいことではない。しかし、畜群ネットワーキングの場合、「そこに自分はあるのか？」と問いたいのだ。フェイスブックが記事を勧める。ツイッターがトレンドを勧める。ところがフェイスブックもツイッターも、私たちのためにコンテンツを集める手段としてだけでなく、私たちにコンテンツを作成させるのにもアルゴリズムを使っている。フェイスブックのメッセンジャーは、言葉の自動修正を推奨していたものから、言葉の代わりに絵文字やGIFを推奨するものへと移行した。ツイッターは、自動投稿するボットのアカウントを作成できる。

ソーシャルネットワークに、ソーシャルな部分はどんどんなくなってきている。ソーシャルネットワークでは、人とのあいだで社交的なやり取りが行われることが減り、その代わりにアルゴリズムとのあいだでやり取りが行われることが増えてきた、と言ってもいい。

畜群ネットワーキングはニヒリスティックだ。なぜなら、テクノロジーに人間の本能を利用され、皆に合わせるように仕向けられているからである。絵文字だらけの、個を失った人気の追求に、終わりはない。また、畜群ネットワーキングは、その中にテクノロジー催眠やデータドリブンな活動、娯楽経済の要素を含むという意味でも、ニヒリスティックである。私たちはソーシャルネットワーク上でぼんやりしている。私たちは、促されるままコンテンツを投稿する。私たちは人をソーシャルネットワーク上の「友達」や「フォロワー」に格下げし、自分自身を企業のような「コンテンツ工場」に格下げしている。すべては、ソーシャルネットワークで最高の得点を獲得するためだ。

ニーチェはニヒリズムを病気になぞらえた。まさにこの表現はぴったりで、この病気は急速に広まっている。

原注

1. Nietzsche, Genealogy, 135-36.〔邦訳　フリードリヒ・ニーチェ『善悪の彼岸　道徳の系譜』「道徳の系譜」第3論文18番、信太正三訳、筑摩書房、1993年〕
2. James Feron, "Problems Plague Citizens Band Radio," New York Times, April 2, 1974, http://www.nytimes.com/1974/04/02/archives/problems-plaguecitizens-band-radio-violations-abound.html
3. Edwin McDowell, "C.B. Radio Industry Is More in Tune After 2 Years of Static," New York Times, April 17, 1978, http://www.nytimes.com/1978/04/17/archives/cb-radio-industry-is-more-in-tune-after-2-years-of-static-added.html.
4. Ernest Holsendolph, "Fading CB Craze Signals End to Licensing," New York Times, April 28, 1983, http://www.nytimes.com/1983/04/28/us/fading-cbcraze-signals-end-to-licensing.html
5. Holsendolph, "Fading CB Craze."
6. たとえば、Bonnie Crystal and Jeffrey Keating, The World of CB Radio (Summertown, NY: Book Publishing Company, 1987) の付録 "Channel Jive (CBers Lingo),", 223-31 を参照。
7. John C. Dvorak, "Chat Rooms Are Dead! Long Live the Chat Room!," PCMag, December 11, 2007, http://www.pcmag.com/article2/0,2817,2231493,00.asp.
8. Dvorak, "Chat Rooms."
9. しかし、チャットルームのゲーム「リーダーの真似をしろ」は実際にリーダーがいるわけではなく、認証により認知が得られる人が1人以上チャットルームにいるだけだ。
10. Paul Bignell, "Happy 30th Birthday Emoticon! :-)," The Independent, September 8, 2012, http://www.independent.co.uk/life-style/gadgets-and-tech/news/happy-30th-birthday-emoticon-8120158.html.

11. Jeff Blagdon, "How Emoji Conquered the World," The Verge, March 4, 2013, http://www.theverge.com/2013/3/4/3966140/how-emoji-conquered-theworld.
12. Bignell, "Happy 30th Birthday!"
13. Adam Sternbergh, "Smile, You're Speaking Emoji," New York Magazine, November 16, 2014, http://nymag.com/daily/intelligencer/2014/11/emojis-rapid-evolution.html.
14. Luminoso, "Emoji Are More Common than Hyphens. Is Your Software Ready?," Luminoso Blog, September 4, 2013, https://blog.luminoso.com/2013/09/04/emoji-are-more-common-than-hyphens/
15. Emojitracker, http://emojitracker.com/api/stats（2017年4月8日アクセス）
16. Beckett Mufson, "Author Translates All of 'Alice in Wonderland' into Emojis," Vice, January 2, 2015, https://creators.vice.com/en_uk/article/authortranslates-all-of-alice-in-wonderland-into-emojis
17. Vyvyan Evans, "Beyond Words: How Language-like Is Emoji?," OUPblog, April 16, 2016, https://blog.oup.com/2016/04/how-language-like-is-emoji/
18. Heather Kelly, "Apple Replaces the Pistol Emoji with a Water Gun," CNN, August 2, 2016, http://money.cnn.com/2016/08/01/technology/applepistol-emoji/
19. Oxford Dictionaries, "Word of the Year 2015," Oxford Dictionaries Blog, http://blog.oxforddictionaries.com/2015/11/word-of-the-year-2015-emoji/
20. Evans, "Beyond Words."
21. Sam Kriss, "Emojis Are the Most Advanced Form of Literature Known to Man," Vice, November 18, 2015, https://www.vice.com/en_dk/article/samkriss-laughing-and-crying
22. Statista, "Leading Reasons for Using Emojis According to U.S. Internet Users as of August 2015," Statista, https://www.statista.com/statistics/476354/reasons-usage-emojis-internet-users-us/.

23. Felix Richter, "The Fastest-Growing App Categories in 2015," Statista, January 22, 2016, https://www.statista.com/chart/4267/fastest-growing-appcategories-in-2015/.

24. Mark Zuckerberg, "We Just Passed an Important Milestone," Facebook, August 27, 2015, https://www.facebook.com/zuck/posts/10102329188394581.

25. Statista, "Number of Monthly Active Facebook Users Worldwide as of 3rd Quarter 2017 (in Millions)," Statista, https://www.statista.com/statistics/264810/number-of-monthly-active-facebook-users-worldwide/.

26. Statista, "Most Famous Social Network Sites Worldwide as of September 2017, Ranked by Number of Active Users (in Millions)," Statista, https://www.statista.com/statistics/272014/global-social-networks-ranked-by-numberof-users/

27. Pew Research Center, "The Future of World Religions: Population Growth Projections, 2010.2050," Pew Research Center, April 2, 2015, http://www.pewforum.org/2015/04/02/religious-projections-2010-2050/.

28. Richard A. Spinello, "Privacy and Social Networking Technology," International Review of Information Ethics 16 (12/2011), 43-44.

29. Nolen Gertz, "Autonomy Online: Jacques Ellul and the Facebook Emotional Manipulation Study," Research Ethics 12 (2016), 55-61.

30. Kashmir Hill, "Facebook Manipulated 689,003 Users' Emotions for Science," Forbes, June 28, 2014, https://www.forbes.com/sites/kashmirhill/2014/06/28/facebook-manipulated-689003-users-emotions-for-science/.

31. Adam D. I. Kramer, et al., "Experimental Evidence of Massive-Scale Emotional Contagion through Social Networks," PNAS 111, no. 24 (2014), 8788-90.

32. Nietzsche, Genealogy, 135-36.〔邦訳　フリードリヒ・ニーチェ『善悪の彼岸　道徳の系譜』「道徳の系譜」第3論文18番、信太正三訳、筑摩書房、1993年〕

33. Plato, Republic, trans. G. M. A. Grube (Indianapolis: Hackett, 1992), 17-23 (341c-348a).
34. Charlie Warzel, "How Ferguson Exposed Facebook's Breaking News Problem," BuzzFeed, August 19, 2014, https://www.buzzfeed.com/charliewarzel/in-ferguson-facebook-cant-deliver-on-its-promise-to-deliver.
35. David Plotz, "My Fake Facebook Birthdays," Slate, August 2, 2011, http://www.slate.com/articles/technology/technology/2011/08/my_fake_facebook_birthdays.html.
36. Laura Sydell, "How Twitter's Trending Topics Algorithm Picks Its Topics," NPR, December 7, 2011, http://www.npr.org/2011/12/07/143013503/howtwitters-trending-algorithm-picks-its-topics.

第8章

ニヒリズムと「狂乱」テクノロジー

コメント欄の荒らし

フラッシュモブ

ネットリンチ

音声アシスタント（Siri）

晒し（ドキシング）

8.1 感情の狂乱――人とニヒリズムの関係 ⑤

ニーチェが分類した、5番目にして最後の人とニヒリズムの関係は、「感情の狂乱」（本書が引用するちくま学芸文庫『道徳の系譜』では「感情の『放埒』」と訳されているが、本書ではこの言葉を「感情」以外の対象にも用いるため、本原書の指すニュアンスに近い「狂乱（本原書ではorgy）」と表現する）。ニーチェはこれを、前の4つと異なり、ニヒリスティックな病気の「罪のある」療法と評し、『道徳の系譜』に次のように書いている。

人間の魂をすっかり支離滅裂ならしめて、これを驚愕、悪寒、情炎、狂気のなかに浸し込み、かくして魂をば電撃的に一切の取るに足らぬ些々たる不快、暗鬱、銷沈（しょうちん）から解放すること。この目的を達するにはいかなる方途によるべきであろうか？　してまた、どういう方途が一番確実であるだろうか？　・・・憤怒、恐怖、淫欲、復讐、希望、勝利、絶望、残忍といったすべての大きな情念は、それが突如として激発するものでさえあれば、もともとそうした目的達成の能力を持っているものなのだ。また実際において禁欲主義的僧侶は、人間の内なる野犬の全群を遠慮会釈なく自分のために使役し、ときにはこの犬、ときにはあの犬をけしかけながら、いつも同じ一つの目的を、つまり人間を慢性の悲愁から呼びさまし、せめて一時なりともその暗鬱な苦痛や愚図つく悲惨を追い払おうという目的を遂げようとしてきた。しかもそれがまたつねに宗教的な解釈と〈弁明〉のもとになされたのだ。こうした類いの感情の放埒はいずれも後ほど報いを受けるということ、これは言わずと知れたところだ――つまりそれは病者をますます病気にする――。それゆえ、かかる類いの苦痛の療法は、近代流の尺度で測れば、〈罪のある〉やり方というものだ。[1]

人は、自分では気づかずに他人を前にして本来の自分を見失うことがあるが、感情に溺れて自分をなくしてしまうこともある。遅くとも古代ギリシャの時代、つまり憤怒という感情を認識して以来、人は感情に屈することもあると理解した。「痴情による犯罪（crime of passion）」を犯して法的に罰せられることもあった。人は、愛に目がくらみ、怒りに我を失うことがある。ここで重要なのは、物事が見えなくなっていることだ。その瞬間、自分を解放する喜び以外、いっさいの現実が認識できなくなっている。

そうした狂乱の熱にうかされて、人は、平静なら絶対にしないような行動を取る。そのため、この人とニヒリズムの関係は、ほかの4つの人とニヒリズムの関係の要素と結びついたものと見ることができる。感情を爆発させると、意識の重荷、説明責任の重荷、無力さの重荷、個性の重荷を感じずにすむからだ。そうした状態では、あとになって後悔するようなことをする。問題なのは、まさにその、あとになって後悔することである。重要なのはその瞬間なのに、その瞬間には問題だとは思っていないのだ。

8.2 ── 感情の狂乱からクリックの狂乱へ

自分の感情の狂乱を、テクノロジーを通して表現することが増加している。本書ではこの現象を「クリックの狂乱」と呼ぶ。ニーチェは19世紀ヨーロッパの暴動、反乱、革命の機運を捉えてさまざまなことを語ってきたかもしれないが、現代ではほとんどボタンを1つクリックするだけで、フラッシュモブやバイラルミームを引き起こし、指導者や有名人を引きずり降ろすことができる（自分も一緒に引きずり降ろされることもあるが）。

テクノロジーには第3章で述べたように多重安定性があり、テクノロジーが一義的に喜びのツールであったり、怒りのツールであったりすることはない。メガホンは、『蠅の王』のホラ貝と同じく、人を呼び寄せることも、人を散らせることもできる。街頭の石鹸箱（即席のお立ち台）は、パフォーマーの周りに人を集める場所にも、改革を訴える者の周りに人を集める場所にもなる。そして人々はそこに集まるとき、その中心で何が行われているのか、よくわからず寄ってくることも多い。人が集まっているのを見ると、それがなぜかわからなくても、その中心に何かがあり、集う価値があると思うものだ。メガホンの声や、お立ち台に立つ姿は人の注意を引くことができ、人の畜群本能をかき立てる。すると人は、最初に行動を起こしたほかの誰かについていけばいいだけになるのだ。

さておき、これまでに見てきたテクノロジーの分析から考えると、メガホンやお立ち台は、単純に話者の声を拡声するだけの中立なデバイスではない。メガホンやお立ち台は、自分が声を大にして言いたいことがあるかどうかに関係なく、その手段や機会、動機を提供する。たとえばピアノが目の前にあったら、曲が弾けなくても音を出してみることがあるだろう。それと同様に、メガホンもお立ち台も（ほかのテクノロジーも）、もとからある意思を示すのに役立つだけでなく、意思を形づくったり、呼び起こしたりすることがある。そのため、そういった手段を与えられると、自分が何をしゃべっているのか、どうしてしゃべっているのか、よくわかりもせずに話していることがよくある。

しかし、聞く方の立場からすると、そこにあるメガホンやお立ち台といった手段が、どの程度まで話者に話すきっかけを与えたのか、知りようがない。わかるのは、誰かが自分の声を人々に聞かせていることと、誰かほかの人たちがその話を聞くべきだと判断したということだけだ。ところが、話者に群衆は背を向けることもある。せっかく集まったのに、話者の話に聞く価値がなかった場合がそうだ。メガホンやお立ち台は、聞く価値のあることを話すために使われるべきものである。

多くの場合、自分の畜群本能に屈して、メガホンを持つ人や、お立ち台に立つ人の周りに集まったことに自責の念を感じることはない。話が聞く価値のあるものなら、そこに加わって大騒ぎできるし、聞く価値のないものでも、やはり大騒ぎできる。話者が私たちの喜びか怒りのどちらを表出させるよう刺激しても、話者の意見に賛同するよう刺激しても反対するよう刺激しても、話者が感情爆発の機会をつくってくれたことに変わりはない。チャップマン大学の調査が示す（のと、ジェリー・サインフェルド〔アメリカの俳優、コメディアン〕がよくジョークにする）ように、人は死ぬことより人前で話すことを恐れているという理由も、もしかしたらこれで説明がつくかもしれない。[2]

多くの人は、人前で話すことに対して不安があるものだ。この不安の理由はおそらく、人は本能的に人前で話すことに伴う脅威を認識しているからだろう。群衆の注意を引き、その群衆がいつ暴徒（モブ）化するかわからない。メガホンやお立ち台があっても、人前で話す不安が克服できるわけではない。しかし、その不安を忘れさせ、必ずしも人前で話したいとは思っていないけれど、遊び半分には話してみたい、という欲求をテクノロジー催眠的に呼び起こすことがある。たとえばテレビや映画の世界で、ヒーローがメガホンやお立ち台を使って人々を集めてスピーチをしていたことが浮かび、現実を忘れさせてくれるからだ。

メガホンやお立ち台はまた、具現化関係の道具として作用することもある。つまり、自分の声を増幅させているのはテクノロジーだということに気づかなくなる。メガホンやお立ち台を使っていると、いとも簡単にその魅力に酔い、突然群衆が膨らんで、普段接しているよりはるかに多くの人が耳を傾けるような予期せぬ事態が起こる可能性に思いが至らない。

このように、何を話すかわからないまま、話している実感さえあまりない状態で話すことがあるなら、そうした現象はどこまで拡大するのだろうか。そして、人が使うのがメガホンやお立ち台ではなく、ユーチューブやツイッターのようなプッシュ通知のついた「デジタルメガホン」になると、集まった群衆はどこまで危険になるのだろうか？

8.3 ――トイレの落書きのようなコメント欄

子犬の動画を見ているときでも、料理レシピのブログを読んでいるときでも、うっかりスクロールしすぎて、つじつまの合わない最低の悪口雑言を目にしてしまうことがある。インターネットに1つ、皆が同意する普遍的な法則があるとすれば、それがこれだ。「コメントは絶対に読むな」。しかし、イギリスの『ガーディアン』紙が行った調査によると、1999年から2016年のあいだに同紙のサイトに書き込まれた7000万件を超えるコメントのうち、『ガーディアン』のコミュニティ標準から逸脱している」としてサイトから削除しなければならないほど「口汚い」あるいは「トピック違い」と考えられるのは、わずか140万件（コメント総数の2%）だった。[3] それなら、なぜこの2%がそんなに重く感じられて、残りの98%はほとんど目に入らないのだろうか。どうして私たちは互いに、コメント欄は無視するようアドバイスするのだろう。どうして私たちは、コメント欄を読んでもらうには口汚く罵るしかない、と当たり前に考えるのだろうか？

事実、『ガーディアン』紙は、サイトに「下品か、偏狭か、実に卑しい」コメントがあふれた印象を受けたため、自社のコメント欄の調査を行ったのである。しかし、『ガーディアン』が発見したのは、サイトに寄せられたコメントの大半が、コメント欄の精神――読者が「記事にすぐに反応したり、質問したり、誤りを指摘したり、新しいリードを提供したり」できる――に沿ったものだった。ただし、この精神は、白人男性ではない記者の書いた記事のコメント欄では、必ずしも貫かれていなかった。

レギュラー記事を書く記者の大半は白人男性だが、最悪レベルの罵り言葉を浴びせられ、否定的な「荒らし」の投稿をされる対象となったことがあるのは、白人男性ではないことがわかった。最悪の罵り言葉を浴びせられた10人の記者のうち8人は女性（4人が白人、4人が有色人種）で、残る2人が黒人男性だった。女性のうち2人と男性のうち1人は同性愛者である。そしてこの「トップ10」の8人の女性のうち、1人はイスラム教徒、1人はユダヤ教徒だ。

では、罵りの言葉が浴びせられることが最も少なかったレギュラー記者10人はどうだろう？　全員が男性だったのである。[4]

コメント欄は、民主的に議論を戦わせる場だ。コメント欄は、偏見と女性蔑視が充満する卑しい掃き溜めだ。この2つの認識は、相互に排他的なものではない。少なくとも『ガーディアン』紙が行った調査の結果を見るかぎり、どうやら前者は白人男性に対して当てはまる認識で、後者はそのほかの人たちに当てはまるようだ。しかし、なぜそうなるのだろう？　たとえすべてのコメント投稿者が偏った考えの人で、女性蔑視者だったとしても、そうした人物がコメント欄に集まる理由はわからないし、あからさまにコメント欄に投稿する理由の説明もつかない。そこで疑問。コメント欄に「下品か、偏狭か、実に卑しい」コメントを呼び寄せるものは何なのか？

どのインターネットのページでもいい。コメント欄を読むと、公衆トイレの落書きを見ているような気分になることがある。インターネットと公衆トイレの共通点をいくつか挙げることは可能だ。特に、匿名性や、囚われた閲覧者がいる点は共通している。また、インターネットと落書きの共通点もある。落書きには、トイレの個室に書かれるような下品なものもあるが、アートである場合もある。壁はキャンバスで、埋められるのを待っている空白のスペースだ。壁は、喜びでも、怒りでも、何かに突き動かされて自分の創造性を発揮できるパブリック・ディスプレイだと捉えている人も多い。インターネットそのものについては、この見方が当てはまらなくても、コメント欄についてはこの見方が当てはまる。だが、落書きは自分の存在を示す（たとえば「○○参上」など）感情表現になることが多いのに対して、コメント欄は他人の存在を消す（たとえば「死ね」など）感情表現になることが多いように思える。

なぜコメント欄には創造性が欠けていて、トイレの個室のようになることが多いかを最もよく説明できそうなのが、コメント欄もトイレの個室も、クリエイティブになるために行くところではなく、重荷から解放されるために行く場所だという点だ。この解放の欲求、「ガス抜き」したい欲求は、フロイトが「昇華」と表現したものである。ニーチェはこの点について、人間の本能を「発散」する必要があると述べた。そして今日ではこれを「荒らし（トローリング）」と言う。

政治的に正しい社会で暮らしていて息が詰まる？　コメント欄に行って、見知らぬ人に死ねと言ってやればいい。

愛されていなくて独りぼっち？　コメント欄に行って、誰かを尻軽と呼んでやればいい。

マイノリティーがのさばっているように思う？　コメント欄に行って、「アメリカを再び偉大に」すればいい。

フロイトおよびニーチェによると、昇華する必要、発散する必要、あるいは解放される必要性は、世の中で暮らす圧力、礼儀正しくしていなければならない圧力、他人のニーズや期待に合わせなければならない圧力から生じるという。しかし、前章で論じたとおり、こうした順守の圧力は畜群本能の結果であり、ある程度は自ら招いたものと見ることができる。人と一緒にいようとしなければ、ほかの人に見られようとしたり、聞いてもらおうとしたりしなければ、誰かに認められたいと思わなければ、従う必要もないし、荒らしをする必要もないはずだ。

このいわゆる荒らしによってコメント欄で怒りをぶちまける対象は、もしかしたら自分たちの畜群本能なのかもしれない。それなら、コメント欄の炎上に見られる前述の「つじつまの合わない性質」も説明がつきそうだ。不適切なコメント欄の投稿は、ほかのコメントやそのページのコンテンツ、そのページの著者とはほとんど関係のないことが多い。本来、コメント欄はフィードバックのためのスペースであり、建設的な意見を提示し、対話する場だ。ところがそこに書き込まれるコメントは、どこかで話題が逸れ、ページの下に行けば行くほど、ページの当初の目的を故意に無視したり、否定したりしたコメントが多く見つかる傾向にある。さらにはジョークやボットによる広告、果てには多種多様な表現で「死ね」を意味した書き込みまで現れてくる。

中には、ページの下の方にも、ページのコンテンツに関係したコメントが書き込まれる場合がある。ただし内容はページのコンテンツとまったく不釣り合いなほどネガティブなものが多く、意図的に不愉快にさせようとしているのではないかと思えるほどだ。したがって、コメント投稿者が真に否定しているのはコンテンツやそのページの内容ではなく、それらの存在自体だと思われる。あるいは、インターネットの存在、自分の意見を公表することが正当なことだと思っている人たちの存在、意見を発表するよう促している人たちの存在を否定しているのかもしれない。さらには、わざわざ時間を割いてそうした意見を読み、それに対してコメントしている人たちの存在も否定しているように見える。簡単に言うと、それに関係する存在すべてが気に入らないのだ。

ウェブサイトが単にコメント欄で議論を促すだけの形から、匿名性を認めない方向へ舵を切り、ついにはコメント欄そのものをすっかりなくしてしまう方向に移行してきたのは、まさにこうした怒りをぶちまける場としてコメント欄を私物化する、荒らし文化のためだ。[5] 一方で、コメント欄は私物化してガス抜きできる効果があるため、有益なだけでなく必要なものだ、という言い方もできるかもしれない。コメント欄が仮想的に怒りを爆発させられるバーチャル・スペースとして機能するなら、もしかしたら実生活で人が暴れるのを防げるかもしれない。

こうした議論は、たとえば、マニトバ大学、ウィニペグ大学、ブリティッシュコロンビア大学の心理学者らが行った荒らしの研究「Trolls Just Want to Have Fun（単なる楽しみとしての荒らし)」などにも見られる。同研究論文の執筆者エリン・E・バックルス、ポール・D・トラップネル、デルロイ・L・ポウルフスは次のように結論づけている。

「研究2」の最後の分析で、楽しいから荒らすというサディスティックな傾向を示す明らかな証拠が見つかった。楽しみをコントロールすると、荒らしに及ぼすサディズムの影響がほぼ半分に削がれた。また、楽しみを通じたサディズムの非間接的な影響はかなり大きく、ダークトライアド〔心理学において悪の気質を示すマキャベリアニズム、サイコパシー傾向、自己愛傾向の3つのパーソナリティー特性の総称〕のスコアと重ね合わせてコントロールしても、影響はやはり大きかった。これらの結果から、サディズムが荒らし行動を助長するメカニズムが垣間見える。荒らしをする人もサディストも、他人の苦しみにサディスティックな喜びを感じている。サディストはただ楽しみを求めているだけで［中略］インターネットがその遊び場というわけだ！[6]

上記3大学の学生とアマゾン・メカニカル・ターク〔アマゾンのウェブサービスの1つで、ビジネス目標を達成するために、仮想コミュニティへのアクセスを提供している〕のユーザーを対象にした彼らの研究から、荒らしは「ダークテトラッド〔ダークトライアドに第4の要素（サディズムの残酷さを楽しむ傾向を指すことが多い）を加えたもの」のうちの3つのパーソナリティー特性（マキャベリアニズム、サイコパシー傾向、そして特にサディズム）と関連があることがわかった。バックルス、トラップネル、ポウルフスは、インターネットは「遊び場」として機能し、サディストにとっては自分のサディズムを楽しめる場所だと分析している。叫んだり物を壊したりしていいような遊び場に親が子どもを連れていき、子どもの本能のままに行動させてやるのとまったく同じで、インターネットはサディストの本能にぴったりマッチした環境を与え、心ゆくまで遊べるようにしてやっている。

この研究論文を発表したのち、バックルスはコメント欄をサディスティックな遊び場とする見方を『スレート』誌のインタビューでさらに強く主張している。「罰則を設ければ荒らし行為を止められるか」、という質問に対してバックルスは、「社会的に認められるやり方でサディスティックな面を表現できる機会はおそらく制限されているため、サディストにとって荒らしの魅力は抗しがたいものでしょう」[7]と答えた。オフラインではガス抜きできないが、コメント欄でならその欲求を満たせるのだとすると、コメント欄をなくした場合、サディストは社会的に忌避される意見を溜め込んだままになってしまう。したがって、「コメントは絶対に読むな」というインターネットの法則は、警告でもあり、社会のための妥協でもあることになる。コメント欄は、サディストにとっては主に娯楽の場として、それ以外の人たちにとっては避けるべき場所として、依然存在し続けるのだろう。

　しかしサディストが荒らしをするのか、荒らしがサディストを生むのかは、上記の研究ではわかっていない。バックルス、トラップネル、ポウルフスは、「反社会的な人物は、道を外れた自分の目的や動機を補助してくれるがために、そうでない人よりテクノロジーを多く利用するのか？」という疑問を提起し、「この研究の結果を見るかぎりそう見えるが、より実証的な研究が必要だ」[8]と述べている。その一方で彼らは、すぐ次のパラグラフで、「荒らしのペルソナは、その人の悪の側面を映すバーチャル・アバターのようで［中略］それも本当の性格であり［中略］その人がこんなふうにありたいと夢想する自分」だと分析している。荒らしを行う人は、すでに「道を外れた自分の目的や動機」を持っているようだが、それと同時に、荒らしている人物は「バーチャル・アバター」であり「ペルソナ」、つまり仮面で、炎上ゲームを楽しむために着ける衣装なのだ。

「荒らし（トロール）」という言葉がこの点を混乱させている（ネットの荒らし行為、または荒らしをする人は英語でトロール（troll）と呼ばれるが、トロールは北欧伝説における（一般的には巨大で恐ろしい容姿の）妖精と同じ単語）。というのも、この婉曲表現は「道を外れた」「悪の」オンライン行動のモンスター性を捉えてはいるが、同時にそうした行動をする人を神話に登場する「架空の」けだものになぞらえていて、行為と行為者とを区別しているようなニュアンスがある。行為者は匿名で、この婉曲表現と創作したハンドルネームでしか認識されない。そして、キャラクターを自作して社会に認知され、匿名性が維持されることで、バーチャルとリアルの二元論につながり、行為者はオンラインにのみ存在し、「現実世界」の誰であるかは関係ない活動として、荒し行為を体験できてしまう。「現実世界」という言い方が一般的になったのはインターネット時代になってからで、「IRL」（In Real Life）と短縮して表現されるようになった（これが「LOL」を想起させるのは、おそらく偶然ではない）。これは、バーチャルとリアルの二元論によって、インターネットは人と切り離された、ただそこにある遊び場になり、そこで楽しむのは誰か、何がそんなに面白いのかを気にする人はほとんどいなくなったことを暗にほのめかしている。

IRLの二元論的イデオロギーに照らすと、人はオンラインでトロールになるが、それはオフラインのときにもその人がトロールだという意味にはならない。したがって、荒らしはニヒリスティックな逃避の一形態と見ることができ、テクノロジー催眠やデータドリブンな活動と同様に、現実からも説明責任からも逃避していることになる。荒らしがニヒリスティックなのは、娯楽経済のように他人を見下すことに喜びを感じているからとは少し違う。畜群ネットワーキングのように自らが誰かを明らかにせず、自分が荒らしの行為者だということを認めようとしないところがニヒリスティックなのだ。バーチャルとリアルの二元論などあるはずもないし、当然「IRL」も何もないのだが、それを認めようとしない。最もよく知られている荒らしの形態の1つに、他人にけんかを売る行為（煽り）がある。一方で煽りだと指摘されると、そんなことはしていないと否定して、かえって真っ向勝負に出る傾向が見られる。

少なくともアリストテレス、マルクス、ニーチェによると、人は自分の行いで定義される。コメント欄に「死ね」と書いて楽しみ、他人を臆病者と呼んで楽しみながら、匿名性の後ろに隠れているような人は、もちろん神話上のけだものではない。単に自分を否定し、現実から逃げているニヒリストだ。

8.4 ――フラッシュモブの副作用

SF作家のラリイ・ニーヴンが1973年に書いた『フラッシュ・クラウド』[9]という小説がある。小説の中で、人々はテレポーテーション・デバイス（「転送ブース」）とテレビニュースの生中継との組み合わせにより、どのニュースの現場にでも瞬時に行くことができる。ニーヴンは、このテクノロジーの組み合わせは、メディアや好奇心旺盛な野次馬、イベントごとに参加したい人たちばかりでなく、犯罪者も利用しようとすることをイメージした。そのため、最初にパッと現れた群衆たち、すなわち最初の「フラッシュ・クラウド」は簡単に、混沌、暴力、略奪に巻き込まれる筋書きになっている。

現実の2003年5月27日、匿名のメールアドレス「themobproject@yahoo.com」から「MOB#1」という件名のメールが63人に送られた。メールは次のように始まっている。

MOBにご招待します。ニューヨーク市で意味なくモブ（群衆・暴徒）を形成するプロジェクトで、参加時間は10分もかかりません。これをプロジェクトに参加してくれそうな人に転送してください。

FAQ

Q．どうして特に意味のないモブに私が参加すると思うのですか？

A．ほかにもやっている人が大勢いるから。

指示――MOB#1

場所：クレールズ・アクセサリー店（8丁目と9丁目のあいだのブロードウェイ沿い）

開始時間：6月3日火曜日、午後7時24分

所要時間：7分間[10]

メールの文はさらに続き、メールを受け取った人は店に入り、奥へ進んで7分間待ち、店を出るよう指示している。当日は警察が先回りしてその店を閉め、モブに参加しにきた人を逮捕しようと店の前で待ち構えていたため、いったい何人がMOB#1に参加しようとしていたか

はわからない。

作家兼編集者で「ザ・モブ・プロジェクト」の企画立案者であるビル・ワシクは、この最初の失敗から、先にモブの集合場所を伝えてはならないことを学習した。そしてMOB#2からMOB#8は成功し、「フラッシュモブ」現象を誕生させた。その後、自身の著書『And Then There's This: How Stories Live and Die in Viral Culture（そしてこれが起こる：バイラル（口コミ）・カルチャーにおけるストーリーの生死）』で、ワシクは次のように書いている。

もっとゆるい感じでやるべきだったと思う。メールでショーの見物人を集めることもできたが、そう、このショーのポイントは、絶対にショーであってはいけないことだった。メールだと、人々が目にするものが正確にわかってしまう。つまり、自分たちが何の理由もなくただ集まったこと以外、何をするわけでもないことが。しかし、このプロジェクト自体はうまくいくだろうと思った。なぜならメタであるから。つまり、無から有をつくり出せることを示す、自意識文化のために自意識から生まれたアイデアなんだ。[11]

フラッシュモブ現象は「無から有をつくり出そう」とする試みから誕生した。本節の冒頭で紹介したようにニーヴンはこの現象を予測していたが、媒体を間違えていた。フラッシュモブを形成するのに、テレポーテーション・デバイスとテレビのニュース報道を組み合わせる必要などない。必要なのは、退屈していることと、コミュニケーション手段だけだ。何百人もの人を「意味のないモブに参加」させるのは、ランダムな日時に、ランダムな場所で、ランダムな活動をすることに参加を呼びかける匿名のメールを、ランダムに送るだけでできる。なぜなら「ほかにもやっている人が大勢いて」、「自分たちだけ見えれば」いいからだ。

ワシクはパフォーマンス的なナルシシズムの実験として、フラッシュモブを起こした。それは、自意識はどういうことを引き起こせるかを示す「自意識文化」を見る機会でもあった。ワシクは新しい現象を引き起こすイベントに人々を誘ったのではなく、人々をただ「煽った」のだ。メールに反応してフラッシュモブに参加した人たちは、大規模な内輪のジョークに誘われたのではない。彼らは笑いものにされるために誘われたのだ。そしておそらく参加者たちも、自分が笑うのではなく、笑われることに気づいたため、フラッシュモブ現象はまさにフラッシュモブのように、突然ブームが去ったのではないかと思う。

フラッシュモブが広まると、口コミキャンペーンを考えるマーケターにも利用されるようになり、ほかのインターネットの現象と同様に、バズではなく反発を引き起こしながら、ただ楽しいことから一時的な大流行へと発展した。２０１１年頃には、フラッシュモブがユーチューブでセンセーションを起こし、さらに暴動へと移行したあと、フラッシュモブをもてはやす投稿が特に増え出した。ワシクが最初に成功したフラッシュモブは、カーペットを眺めるためにデパートへ人が送られたが、のちには盗みを働くために店に人が送られるケースが発生し、「フラッシュロブ」と呼ばれる現象が生まれた。これについて全米小売業協会は、「調査した企業の丸々10％」で起こっている、と報告している。[12]

ただし、ワシクはフラッシュモブ現象を引き起こしたけれども、その意味を理解していたわけではない。というのも、ワシクはフラッシュモブに参加する人たちを、「何の理由もなくただ集まる」と見下していたが、これが参加者の本当の動機とは限らない。フラッシュモブは確かに、参加する人たちにとっては、演出されたバカ騒ぎのように見える。あるいは手の込んだパフォーマンスを披露する機会であったり、大規模な枕投げ程度のことであったり、遊び心のあるミュージックビデオのように見えるかもしれない。しかしその一方で、声明を発表する機会になることもある。

２０１０年12月にチュニジアで独裁的な政権に対する民衆の反乱（ジャスミン革命）が成功したのを受けて、２０１１年1月にはエジプトで若者グループがインターネットを使い、ムバラク政権への抗議行動を始めた。抗議行動は主にソーシャルメディア（フェイスブック）を通じて組織され、ある日時（1月25日）のある場所（カイロのタハリール広場）に、ある目的（ムバラク反対のデモ）のために人々を集めたのである。[13] ここでもソーシャルメディアは情報源として重要な役割を果たし、抗議行動の参加者によるレポートはフェイスブックとツイッターで拡散され、参加者の数を増やすうえでも、メディアのニュース報道件数を増やすうえでも、支持を獲得する役に立った。集められた何万という大群衆が広場を埋め尽くし、それがエジプトのほかの都市にも拡大して、警察や軍隊をも圧倒、ムバラクはその18日後の2月11日に辞任した。２０１１年７月、雑誌『アドバスターズ』に「タハリールの体験をつくり出す用意はできているか？」というコピーの広告が出た。[14] バナーの下には「#OCCUPYWALLSTREET（ウォール街を占拠せよ）」と書かれている。「ロウアー・マンハッタンに集まり、テントを張ってキッチンを設え、穏やかにバリケードを築いてウォール街を占拠」するよう呼びかける広告だ。集合日時は「9月17日」。その日が近づいてくると、「ウォール街を占拠せよ」の公式ウェブサイト、レディットのスレッド、タンブラー（Tumbler）のページ、ツイッターのトレンド欄で、タハリール広場の抗議行動をウォール街でも行おうとするメッセージがどんどん拡大していった。そして9月17日の当日、数百人がウォール街のズコッティ公園に集まり、ニューヨーク市警がその2カ月後に一掃に乗り出すまで、「占拠」運動の拠点となったのである。この抗議行動では２４０人を超える人が逮捕された。[15] 公園の占拠中、ソーシャルメディアは「占拠」運動のメッセージ（「私たちが99％（We are the 99%）」〔アメリカ国内において所得上位1％の人たちに富が集中していることに由来〕）を拡散し続け、観光客から有名人、政治家、ジャーナリストまで、多くの人をズコッティ公園に呼び寄せるとともに、世界で幾多の「占拠団体」がつくられるきっかけとなった。

２０１１年が単にタハリール広場とウォール街占拠の年だっただけでなく、「フラッシュロブ」の年であり、フラッシュモブ現象の消滅が宣言された年でもあったのは、偶然ではないだろう。フラッシュモブは遊び半分のゲームでなくなり、ワシクが想像したような、退屈しのぎの頭を使わないナルシスト的なエンターテインメント性は消えた。フラッシュモブが何かの目的を果たすために行われるようになると、その危険性がメディアの注目を集め、エンターテインメント的な商業的価値も失われてしまった。「フラッシュロブ」現象には、カイロやニューヨークでの抗議行動に見られる政治的不平等、経済格差に対する抵抗の意味合いが含まれているのは確かで、その意義はニーヴンが予測したような混沌や暴力とみなす批判に耐えるための、完璧な言い訳となった。フィラデルフィア警察本部長は２０１１年、フラッシュモブは「大暴れする乱暴者」と呼ぶべきだと述べている。[16]

だが、おそらくここで最も認識しなければならないのは、フラッシュモブの多重安定性だろう。フラッシュモブは、ＭＯＢ＃１や「ウォール街を占拠せよ」のように、さまざまな形を取ることができる。ワシクは、フラッシュモブは「無から有をつくり出す」手段だと主張した。その無から生まれた何かは、パフォーマンスや抗議活動のように、多種多様なものになった。しかしそれが何であっても、無から有が起こるはずがない。どんなフラッシュモブであろうと、それは何かを表現する形態であり、１つには「何かに加わりたい」という人々の願望を表現し、もう１つには「どの仲間にも入れないのは嫌だ」という人々の欲求を表現する。（ワシクの言うところの）無には、退屈から孤独、抑鬱までさまざまなものがある。したがって、これが重要な点だが、フラッシュモブは「自分自身と世の中の両方を転換すること」と言えるだろう。

フラッシュモブは、個人にとってはパフォーマーになれる機会であり、行われる空間にとってはステージになれる機会である。マイケル・ジャクソンへのトリビュートとしてパフォーマンスをするにせよ、独裁者に対するデモとしてパフォーマンスをするにせよ、肝心なのは、フラッシュモブの場所が当初の目的とは別の目的のための場所になり、人がパフォーマンスを通じて自分以外の何者かになることだ。こう考えると、フラッシュモブが最終的に抗議運動に行き着いたのも、驚くことではないだろう。すべてのフラッシュモブには、多少なりとも抗議の意味が含まれていたのだ。「フラッシュロブ」は「資本主義が生み出した格差への抗議」と受け止められたが、そのほかのフラッシュモブも同じようなものである。それがたとえ単なるシンクロダンスのパフォーマンスであっても、ノーマルで予測可能な日常、自発的に何かをできない環境、決められた目的以外に使用できない公共施設などに対する抗議と捉えられる。つまり、フラッシュモブは現実に対する抗議なのだ。

フラッシュモブはそれ自体がニヒリスティックなものではない。そうではなく、ニーチェが言うように、フラッシュモブが持つ爆発性がニヒリスティックなのである。ほとんど警告もなく、突然現れて、さっと消える。タハリール広場やウォール街の抗議活動の場合でも、数日ないしは数週間後に人々は消えた。時計が深夜0時を打ったときのシンデレラのように、パフォーマーになっていた人が、ただの個人にかえっていく。退屈で、孤独で、気持ちの沈んでいる個人へと。ステージに変えられていた場所が、ノーマルで、予測可能で、自発性に欠け、当初の目的どおりに使用しなければならないスペースに戻るのも同じといえる。

そのような爆発性のおかげで、私たちはしばらくのあいだ現実から逃避できるかもしれないが、最終的にその代償を支払わなければならない、とニーチェが警告したのもそのためだ。退屈で、予測可能な場所で予測可能な出来事に囲まれているのはつらいだろう。そして、自発的に何かを行うことができる自由を体験したあとでは、そうした状況はもっとつらい。人生とはどんなものかを見せつけられて、心が粉々になる思いをする。フラッシュモブの世界に留まっていたい。そうした欲求を考えれば、ユーチューブがフラッシュモブのアイデアを口コミで広めるだけでなく、フラッシュモブを好きなだけ何度でも体験させるのに重要な役割を果たしていることがよくわかるだろう。実にテクノロジー催眠的で、まるで薬物依存のようだ。だがニーチェが警告するように、そうした薬は病気の治療の役には立たず、病をより重くするだけである。現実がどんなものか思い出せば思い出すほど、現実はつらいものになり、現実がつらくなればなるほど、現実がどんなものか思い出さなければならなくなるのだ。

8.5 ——ネットリンチと正義

ネットの荒らしとフラッシュモブのあいだには基本的な点で類似性がある。荒らしは他人を攻撃して楽しみながら、IRLの二元論的イデオロギーの陰に隠れて、攻撃者としての責任を回避している。もう一方のフラッシュモブは自分をパフォーマーに変え、世界をステージに変える手段だが、そのステージにいるのはシナリオに従って行動するだけの人たちで、誰もパフォーマンスの責任を取らない。そして、荒らし行為がフラッシュモブに転じたら、「ほかにもやっている人が大勢いる」という理由から、より責任を負う心配をせずに他人を攻撃する楽しみを味わえる。フラッシュモブのトローリングの方が、サディズムよりも、他者への攻撃がリンチのようになる傾向がありそうだ。

そうした荒らしのフラッシュモブが頻繁に起こるようになってきたため、単なるフラッシュモブはもう過去のものになっている。かつては、ソーシャルメディアがフラッシュモブを形成するツールだった。今、ソーシャルメディアはフラッシュモブそのものだ。もはや参加者をステージ上のパフォーマーに変えて、ダンスを躍らせたりマネキンの真似をさせたりする必要はない。そうではなく、インターネット上で参加者を「サイバー戦士」に変える。彼らが行うのは、ジョン・ロンソンの言う「公開羞恥刑」だ。[17]

ロンソンは自身の著書『ルポ　ネットリンチで人生を壊された人たち』でネットリンチ（同書ではいわゆる「ネットリンチ」のことも「公開羞恥刑」と呼んでいる箇所があるが、本書ではインターネット上の「ネットリンチ」と、リアルの場での「公開羞恥刑」を区別して記載する）の犠牲になった人たちにインタビューを行っている。具体的には、ソーシャルメディアで煽りや貶しの対象にされ、人生を壊された人たちだ。ロンソンは複数のネットリンチを調べているが、いちばん重点を置いたのは、2013年12月当時、大手メディア企業の広報だったジャスティン・サッコに対するネットリンチである。炎上したきっかけは、彼女が自身のツイッターフォロワー170人に対して、次の内容をつぶやいたことだった。「アフリカに向かいます。エイズにならないことを願う。冗談です。言ってみただけ。なるわけない。私、白人だから！」。サッコはこのあと飛行機に乗って11時間の空の旅に出かけた。そのあいだに、世界中の何万という人が彼女に対するネットリンチに参加し、彼女をツイッターで世界ナンバーワンのトレンドに押し上げた。彼女に対するネットリンチ用のハッシュタグ（#HasJustineLandedYet）までつくられて。その結果、彼女はいろいろな人物から脅され、仕事もクビになり、家族からも疎まれて、ひとまずエチオピアのアジス・アベバの片田舎に逃げる羽目になった。[18]

ソーシャルメディアの投稿（サッコのツイート）によって、見知らぬ者同士が突然1つの場所

（ツイッター）に集まる。目的は、特定の時間帯（11時間のフライト中）に皆で同じ行動（荒らし）をするため。おわかりだろう、サッコのツイートが、オンラインで誰かを攻撃して楽しむ人たち、つまり荒らしたちによるフラッシュモブを生み出したということだ。このフラッシュモブ現象は荒らしどもを自警団に変え、ツイッターを公開処刑のプラットフォームに変える。フラッシュモブは2011年の一時的流行だけで終わったものと思われていたが、いまだにこのような形態で残っており、世界最大規模のフラッシュモブの1つが2013年に起こっている。しかし参加者はこのネットリンチをフラッシュモブとは認識していない。そもそもサッコを侮辱することが荒らしだとは思っていない。それどころか、これはパフォーマンスではなく正義の鉄槌だと言い、楽しみのために誰かを攻撃しているわけではない、これは当然の報いだ、と主張するだろう。

ロンソンが私たちに考えさせたかったのは、まさしくこの正当化だ。ネットリンチを当然実行されるべき正義の鉄槌だとする正当化である。ロンソンがサッコを始めオンラインでつるし上げられた人たちを犠牲者と定義したのはそのためで、彼らは本当にそれほどの罰を受けなければならないほどの罪を犯したのか、そもそも彼らは本当に罪を犯したのか、考えてみるよう私たちに訴えかけている。ロンソンはこうした現代のソーシャルメディアのネットリンチを、昔の公開羞恥刑になぞらえている。たとえば家畜用の檻に入れたり、町の広場でムチ打ちする刑だ。こんなものはアメリカでもイギリスでも、19世紀半ばに廃止されている。

羞恥刑が廃れた理由については、産業化によって羞恥刑に必要な寄り合い集落が失われていったためだと推測されていた。人々が小さな町から大都市へと移動していったことで、誰もが群衆の中の見知らぬ1人でしかなくなり、恥をかかせることがその力を失った、とロンソンは考えていた。しかし調べてみると、羞恥刑がなくなったのは、それがあまりに強力すぎたためだったことがわかった。ロンソンは、「普段は善良な人たちが、群衆になると常軌を逸した行動に走りがちである」ため、「残酷さが度を超してしまう」と主張した、医師でアメリカ建国の父の1人であるベンジャミン・ラッシュの1787年の公開刑罰に反対する意見も掲載している。[19]

公開羞恥刑を人はどう思っているか、どれほどの人が参加するか、そしてどこまでの仕打ちを望んでいるか。これらの点について、ソーシャルメディアのネットリンチに、かつての公開羞恥刑の儀式と異なる特徴的な点はあるだろうか、という疑問が私には浮かんだ。この疑問は、第6章で述べたように、ニーチェ哲学の観点から特に重要である。というのもニーチェは、他者に対して残忍になるというのは、とりわけそこに喜びを見出している場合、それがオンラインであることとは関係なく、人間であることを意味する要素だと述べているからだ。

サッコに対するネットリンチは、ニーチェが、残忍な祭りへの参加を希望する「人間的あまりに人間的」な欲求と評したものの最新の例にすぎない。ニーチェは、祭りが残忍さを呼ぶのではなく、残忍さが祭りを呼ぶのだとまで述べている。[20] ネットリンチが起きるのは、ソーシャルメディアが必要な条件（匿名性や即時通知など）を与えているせいだとする見方があるが、ニーチェは反対のことを考えていたように思える。すなわち、ネットリンチを求める欲求、残忍さを求める人間の欲求が、ソーシャルメディアでの祭りの実行に必要な条件の1つだと言っているように考えられる。

すると、ソーシャルメディアの大きなパラドックスの1つを理解するのにニーチェが役立ちそうだ。自分がネットリンチの犠牲者になって人生を壊される可能性があるとわかっているのに、それでもソーシャルメディアを使い続けるというパラドックスのことである。ソーシャルメディアを使う主な目的が社交で、人とコミュニケーションして友人をつくることだとしたら、ソーシャルメディアの毒性や爆発性はとっくの昔に認識されているのだから、社交という目的を達成するためのより安全な方法を探しているはずだ。しかしそうしないのは、残忍さを発揮して他人に恥をかかせ、他人をバカにすることが主な目的だからだと考えると、ソーシャルメディアを使い続ける理由もより納得がいく。

さらにニーチェは、私たちをソーシャルメディアへと駆り立てるこれら2つの最終目標——社交と残忍さの発揮——は、必ずしもお互いに相容れないものではない可能性まで指摘しているようだ。ニーチェが言うように、残忍さこそが祭りで、残忍さを発揮する欲求が共有されるところから祭りが起こるのであれば、社交が残忍さを発揮する条件を整えるのに役立つのではなく、残忍さが社交の条件を整えるのに役立つのだと考えられる。つまり、荒らしは人を集められるということだ。荒らしは対立よりも団結を生むのだろう。さらに、荒らしは今日の怒れる武装暴徒集団につながると言えるが、こうしたモブの中にいる人たちにとっては、それらの行為は仲間意識や友情を生むものであり、場合によってはコミュニティの感覚を味わえるものだとも考えられる。

荒らしによる団結の側面を表す証拠が、ウィットニー・フィリップス〔シラキュース大学コミュニケーション・レトリック学部准教授〕による荒らしのサブカルチャーの民族誌研究で発見されている。荒らしは、その婉曲表現（トロール）が示すとおり、孤独で、親の庇護の下、陰から匿名で他人を攻撃するものと多くの人に思われているようだが、コミュニティもつくれることをフィリップスは発見した。フィリップスによると荒らしをする者たちは「組織する」ことがあり、お互いを見つけやすくするよう面白半分にハンドルネームで自分に「フラグ」を立て、「ほかの荒らしアカウントと友達になる」ことで、事実上「アンチソーシャルネットワークのようなものを形成する」ことがあるという。[21]

フィリップスが指摘するとおり、ソーシャルメディア上の荒らしは、コメント欄やレディットのフォーラムと違い、荒らし目的のためだけにつくられた別アカウントであってもプロフィールがなければならない。たとえ偽のプロフィールでも、それによって荒らし仲間が集うに足るオンラインのアイデンティティができあがる。フィリップスは次のように書いている。

フェイスブック上の荒らしは、最初から、フェイスブックのプログラマーによって確立されたしきたりが前提条件となっていた。根本的に、荒らしがソーシャルな活動になったのは、「釣り」を奨励するだけでなく、その手法まで生み出してしまうプロトコルが採用されていたためだ。これは大半のフォーラムの荒らしとは大きく異なり、/b/〔画像ベースの掲示板群「4chan」のランダム掲示板を表す〕上の荒らしとも明らかに異なる。その理由は、これらの場所での荒らしはほぼ間違いなく匿名で行われるからだ。荒らしをする人たちはほんのいっとき急襲的に協同するかもしれないが、ソーシャルなつながりを築くほど長続きすることは稀で、荒らしの成功談を書き加えられるような持続的なオンラインのアイデンティティを彼らは持ち合わせていない。［中略］実際に、プロフィールを削除したあともコミュニティのつながりを保ちたいという欲求はあり、この新しい笑いの経済（lulz economy〔lulzは日本語でいう（笑）の複数形にあたる〕）に貢献し、そこから利益を得るために、フェイスブック上で荒らしをする人たちは、アカウントを復活させたときに荒らし友達を見つけやすく、また見つけてもらいやすくするために、同一の荒らしファミリーネームを保持する傾向がある。[22]

荒らしは残忍さに対する共通の関心を見つけて人々を集わせ、フェイスブックのようなソーシャルメディアはその媒介者として重要な役割を果たしている。フェイスブックは固定のアイデンティティを作成することで、荒らし仲間を見つけるのに役立っているばかりでなく、固定のアイデンティティが標的を見つけるのにも役立ち、ユーザーがページやグループを作成できるため、それらを利用して純粋さをアピールしている人の裏を暴き、怒りを煽ることもしやすくなっている。

フィリップスが明らかにしているが、荒らしをする人たちは自分のことをサディストとは考えていない。むしろ社会風刺家だと思っていて、手段は残酷かもしれないが、その目的は正義で、標的となる人の純粋そうな見せかけの裏の汚い部分を明らかにしたいと考えている。フィリップスが注目した荒らしは「RIPトロール」。哀悼の意を示すために開設されたフェイスブックのメモリアル・ページを攻撃する荒らしだ。この荒らしのサブカルチャーでは、荒らしの手口（たとえば、メモリアル・ページにユーザーを引きつけて、メモリアル・ページを嘲りのページに変えるなど）や、戦術（たとえば、哀悼の対象になっている人の死因をあざ笑うミームをメモリアル・ページに投稿するなど）を共有するだけでなく、プログラム（たとえば、誰かが作成し公開したメモリアル・ページを攻撃するに留まらず、故人の家族が作成した非公開のメモリアル・ページまで攻撃するプログラムなど）まで共有する。

手口や戦術の共有は荒らし仲間を見つけやすくするのに役立ち、プログラムの共有は団結に役立つ。共通のミッションを持っていることで荒らし行為が正当化され、ネットリンチを行うフラッシュモブの当人たちは十字軍の戦士のような気分になる。ソーシャルメディアが異端者を粛正すべき聖地に変わる。もちろん、こういった手口や戦術、正義の感覚は、荒らしに限った話ではない。なぜなら、畜群ネットワーキングのおかげで、これがますますソーシャルメディア・ユーザーの特徴になってきているのだから。

ソーシャルメディアがフラッシュモブになったという、先ほどの私の主張に帰ると、荒らしと荒らしでないものの境界線、ソーシャルメディアの悪用者とソーシャルメディアの利用者の境界線が、なくなったとまでは言わずとも、どんどんぼやけてきている。フィリップスが調査したような荒らしは、ソーシャルメディア・ユーザーの端っこに位置するかもしれないが、荒らしをする人とそうでないユーザーの違いは存在位置の違い、つまり程度の差であって、種類の違いではない。

ソーシャルメディア上では誰もが、程度の差はあれ荒らしに加担していると言うと、荒らしを正常なものとして一般化するかのように聞こえたり、本物のアクティビズム（積極行動主義）を否定する一般化であるかのように聞こえたりするかもしれない。しかしまず前者に関して、「程度の差」という点は、荒らしがどれほど多種多様な形を取るかと、それが無害に見えるものから正義を振りかざした過剰な怒りへといかに簡単に地すべりを起こすかを示す指標として、深刻に捉えなければならない。また後者に関しては、荒らしはあいつらだけだと言わんばかりに、自分のしていることが見えていない。その危険性を映し出すのが、まさにこのオンライン改革行動の正義を振りかざした怒りだと言える。

さて、先に述べたように、婉曲表現の「トロール」は、陰から無垢の他人を攻撃する神話上の生きものを表しているだけではない。この婉曲表現は行為者と行為を区別する二元論にもつながり、荒らしをする人は、特異な行動をする人ではなく、特異な人だという誤った印象を与える原因になっている。荒らしをするのは、「ナルシスト的なサディスト」ではない。ナルシスト的な行動（「私の純粋さを見て！」）や、サディスト的な行動（「あいつらの不純さを見て！」）をする人だ。

ソーシャルメディアが「善対悪」の世界になってしまうと、ソクラテスが言ったように、誰もが自分は善だと思い込む。それが悪人の行動にどんなに似ていても、自分の行いは善だと考えるようになってしまうのだ。荒らしの最も一般的な形態の1つとして、反対の立場の人間を偽善者だとして煽り、自分の偽善については無視したり否定したりするのも、そのためだ。このときの武器に、スクリーンショットがよく使われる。別々にされたツイートや近況の投稿をスクリーンショットに撮ってつなぎ合わせ、一見した見た目と相手に対する非難をうまく並べることで、まるで「真実を暴く爆弾」かのように投下できる。自分のことは行動ではなく意図によって定義すること（「あなたは本当の私を知らない！」）と、他人のことは行動によって定義すること（「私はあなたの本当の姿を知っている！」）が増えているため、偽善が昔より一般的になっている。

自分たちは行為者であって行為とは切り離されている。だから自分の行為については気にする必要はない。やつらは行為そのものであって、その後ろに行為者はいない。だからやつらが誰かなんて気にする必要はない。

どちらも否定である。この場合、自分の善を主張するときには「人は自分の行いで定義される」ことを否定しており、したがって自分という存在の性質を否定していることになる。一方、相手を悪だと言って責める場合は、相手の人間性を否定していることになり、やはり相手の存在の性質そのものを否定していることになる。荒らしなどという行為を長続きさせているのが、まさにこの二重否定である(前述のIRLの二元論的イデオロギーの中心でもある)。「自分がオンラインでしていることと、自分は無関係だ。オンラインでやっていることの主体はバーチャルの私で、ここにいる私が本物なのだから。もちろん犠牲者も存在しない。なぜなら向こうもバーチャルな存在なのだから。そのバーチャルな存在がバーチャルな攻撃の標的になっただけだ」。

先ほどの例に当てはめると、ジャスティン・サッコに対するネットリンチでは、ジャスティン・サッコに公開羞恥刑を執行した人は誰もいないことになる。このように、荒らしの参加者たちは、バーチャルな遊び場でバーチャルな楽しみを享受しただけで、犠牲になるのはバーチャルな存在だと考えているように思えてならない。

荒らしと荒らしをされる側の「バーチャル」が虚構だとわかれば、繰り返しの問いになるが、「なぜ人はソーシャルメディアを使うのか?」という疑問の答えも出るのではないか。先ほど述べたとおり、ソーシャルメディアを使うということは、常に荒らしに銃弾を与えるも同然だ。したがって私たちは、コミュニティをつくるためというより、自分の残忍さを確認するために自分をさらけ出しているようだ。すると、ソーシャルメディアを使う理由として考えられる1つの答えは、残忍さとコミュニティはお互いに相容れないものではなく、同時に存在する(人が集まれば残忍になるし、残忍になることで人は結びつく)のではないか、ということである。もう1

つ考えられる答えは、ソーシャルメディアの脅威を深刻に考えていないということだ。IRLのイデオロギーのおかげで、インターネットの中で見せつけられる現実や自分への脅威が否定できるようになっている。私たちの目には、オンラインで行われていることが本当の現実だと映らないのだとしたら、私たちがオンラインで行うことに対する他者の反応もまた、本当の現実と映らなくて当然だ。

つまりここで言いたいのは、荒らしやフラッシュモブ、ネットリンチへの参加に人を導くのはソーシャルメディアであるとの仮説は、事実と逆だということである。残忍さの行動、抗議行動、自警団気取りの行動に参加するのは「そうしたいから」が先で、ソーシャルメディアをつくったのはそのためだとまでは言わないにしても、そうした欲求が人をソーシャルメディアの利用に向かわせるのだ、という可能性を真剣に考えてみないといけない。ソーシャルメディアは確かに、いろいろなことを可能にしてくれる。しかし、ソーシャルメディアが可能にするのは、そうした行動の畜群ネットワーキング的な側面だ。結託して荒らしなどの行為が実行できること、そうした行為に対する共通の関心で人とつながれること、そしてその行為を継続できるバーチャルなコミュニティを形成できることだ。ソーシャルメディアはまた、そうした行動からテクノロジー催眠を引き出す。自分と自分のオンライン行動を切り離し、現実の自分はバーチャルな自分の行動を高みから見物しながら、他人の現実も否定してバーチャルな存在として扱う。

荒らしなどのバカ騒ぎ向けのステージは、畜群ネットワーキングとテクノロジー催眠、そして同じ考えを持った仲間同士が肉体と行動を切り離して集まるコミュニティの組み合わせによってつくり上げられる。そのステージ上で彼らは怒りで爆発し、喜びで爆発し、興奮で爆発するのだ。荒らし、フラッシュモブ、ネットリンチはいずれもただのバカ騒ぎにすぎないが、すべてに共通するのが、何か重要なことやユニークなこと、クリエイティブなことをやっているという手応えを得られることである。そしてもう1つは、都合のいいことに、自分のやっていることは意識を呼び覚ましはするが、実際に痛みを引き起こすことはなく、何の損害も与えないし、敵を潰しはするけれど、現実の相手がトラウマになることはない、という勘違いからくる気安さだ。

クリックの狂乱で皆がやっていることは、重要だけれども、たいしたことではない。誰もがやっていることなら、やる価値のある重要なことに違いなく、それがたいしたことでないのもまた、誰もがやっているからである。皆がやっていることなら自分に説明責任はなく、心配することもない。サッコがつるし上げられた「#HasJustineLandedYet」のような、ソーシャルメディアの空を照らすバットシグナル〔アメリカンコミックのヒーロー、バットマンを呼び出すために夜空に照射されるライト〕がツイッターのトレンドに上がってきたのが合図となり、一斉に罵りの言葉がツイートされる。しかし1人1人はあくまで軽い気持ちで、皆がやっていることに右へ倣えしただけという感覚だ。それが責任や心配を伴うような、考える価値のあることだとは思っていない。しかも同時に、相手は非難されて当然で、自分たちは正義だと考えている。自分が誰に何をしたかなどは考えず、ただ突き進む。いつまた大暴れできるチャンスが訪れるか、ということだけを気にしながら。

8.6 ――クリックの狂乱の危険性

ニーチェによると、感情の狂乱（放埒）の危険性は、それが病人の具合をさらに悪くするところにあるという。自分の病気、自分のニヒリズムを治してくれると思っていた行動が、逆に害になり、さらに具合を悪くし、ニヒリスティックが進行して、治そうとすればするほどそれに汚染されやすくなる。つまり感情の狂乱には自己破壊的なところがあり、その自己破壊性は自己防衛しようとする試みから生じているということだ。この自己防衛の試みがなぜ、治療ではなく自己破壊を招くかといえば、それが症状の（治癒ではなく）緩和にしかつながらないからである。人とニヒリズムの関係はすべて、苦しみを治すのではなく症状を緩和するだけのものなのだが、感情の狂乱だけは、「『罪のある』人とニヒリズムの関係」をつくり出してしまう。自分が誰かということに目をつぶり、苦しみから身を隠そうとする「『無邪気な』人とニヒリズムの関係」と違い、感情の狂乱は自分が誰かということに向き合い、自分の苦しみを償おうとし、苦しんで当然と考える〔ニーチェは『道徳の系譜』第3論文19番において、感情の狂乱は禁欲主義的僧侶の用いる〈罪のある〉手段だと述べており、一方で自己催眠（生感情の全体的鈍麻）、機械的活動、小さな喜び、畜群は罪のない手段だと区別している〕。

人生に意味を見つけられずに私たちはどんどん気持ちが沈んでいき、不機嫌になり、疲れ果てる。私たちは苦しみから逃れるために、気晴らしをしたり（自己催眠）、忙しくしたり（機械的活動）、他人を助けたり（小さな喜び）、皆と一緒にいたがる（畜群本能）のかもしれない。あるいは苦しみに詳しいと思われる、ニーチェが言うところの禁欲主義的僧侶なら、自分が苦しんでいる理由も治し方も知っているだろうから、その人にすがろうとするかもしれない。ニーチェによると、禁欲主義的僧侶は私たちに言う。私たちが苦しんでいるのは、苦しんで当然だからだと。人は汚れた罪人で、まだその罪深き不浄を贖（あがな）っていないからだと。だから禁欲主義的僧侶は、私たちに苦しみの原因（「罪だ！」）を教え、自己治療の方法（「贖え！」）を教える。

したがって、感情の狂乱は贖罪をする試みであり、自分を浄化しようとする試みだ。浄化の儀式は、ニーチェが明らかにしたとおり、楽しいものにも、恐ろしいものにもなり得る。なぜならこの儀式で重要なのは、その中心に感情の爆発があり、一瞬でもまったく別の感情によって苦しみを逃れ、自分自身から解放されることでエクスタシーを感じる、恍惚の体験をすることだからだ。ところが、この儀式は爆発的で、その効果は束の間であるため、我に返ったときには苦しみも戻ってくる。しかも、「自分はどうやら苦しんで当然なだけでなく、罪を贖う値打ちもないようだ」と考えるようになるので、以前よりさらに罪深い気持ちになる。このように、感情の狂乱は病人の具合をより悪くして、不満と破壊の無限のループに私たちを捕らえるのだ。

ここで問題なのは、人生が無意味である理由や、人生を意味のあるものにする方法の模索ではない。禁欲主義的僧侶たちが、人生に意味があるかどうかがわからないことに罪の意識を感じさせ、穢(けが)れた生き方をしていることに罪の意識を感じさせようとしている点だ。意味のある人生を送るための正しい道を歩めるよう、贖罪の暮らしを行ってこなかったことに罪の意識を感じるよう、禁欲主義的僧侶が私たちに教え込んでいる点だ。したがって、浄化の儀式、感情の狂乱の儀式、自分の苦しみを自分で治そうとする儀式に失敗したとしても、それは禁欲主義的僧侶の失敗ではなく、苦しんでいる本人の失敗ということになる。だからこそ、これらの儀式は何度も試みられるのだ。ここで、苦しんでいる人は、贖罪は目的達成の手段ではなく、目的そのものであることに気づく。贖罪こそが人生の意味であり、苦しみの中にいるその人が人生で達成したいと望んでいたものは、贖罪の暮らしをしたあとの、次に暮らす世界にしか見つけられない。つまりその目標は、生の中には存在せず、死の中にしかないのだ。

この章で答えを探ってきた問題を確認しておこう。それは、禁欲主義的僧侶ではなくテクノロジーが、人の苦しい病気を治療する仲介をしたとしたら、どんなことが起こるだろうか、という問題だ。簡単に言えば、「テクノロジーが禁欲主義的僧侶の役割をしているとしたら、どうなるか」ということだ。これまでの章で見てきたとおり、テクノロジーは私たちの気を逸らす役割を果たす（テクノロジー催眠）。また私たちに命令する役割を果たす（データドリブンな活動）。

さらに人に力を与える役割を果たす（娯楽経済）。そして私たちをまとめる役割を果たす（畜群ネットワーキング）。私たちが自分から逃げられるように、自分自身に向き合わなければならなくなったときに体験する苦しみから逃げられるように。それでもやはり自分自身に向き合わなければならなくなり、逃げたことが余計に自分を追いつめ、苦しみを味わうことになったら、かつて禁欲主義的僧侶に助けを求めたように、自分の苦しみについての説明と治療をテクノロジーに求める。

たぶん、テクノロジーが人のニヒリスティックな苦しみの仲介をする最も顕著な例は、アップルの音声アシスタントSiriだろう。SiriはユーザーにiPhoneとではなく人と話しているような印象を与え、落ち着いた優しい女性の声で、ユーザーのあらゆる質問に答えようとしてくれる。多くの人が発見したように、Siriは究極の質問、「人生（Life）の意味とは何？」にも答えようとしてくれるのだ。これまでにユーザーが発見した事実に照らすと、Siriはこの質問に対して、少なくとも13の答えを用意している。[23] その答えは次のとおりだ。

1 「ニーチェがあなたに教えられないことはありません」

2 「映画です」

3「このような質問について考えることです」

4「わかりません。でも、そのためのアプリがあると思います」

5「これまでに得たすべての証拠が、それはチョコレートだと示しています」

6「命（Life）とは、生物の特徴的な性質の基礎となると考えられる力の原理です。たぶん私もそれに含まれます」

7「命とは、成長、繁殖、能力、機能的な活動、死ぬまで継続する変化の能力を含めて、動植物と無機物を区別するものです」

8「それを無生物に尋ねるとは奇妙ですね」

9「今はお答えできません。でも時間をもらえれば、とても長い劇を書くことができます。その劇では何も起こりませんが」

10「人に親切にして、暴食を避け、ときどきよい本を読んで、散歩をし、あらゆる信条を持ったあらゆる国の人たちと、穏やかに協調して暮らすように努めましょう」

11「簡単です……それは人生や存在一般における目的や重要性に関する、哲学的な質問です」

12「私、カントがそれに答えます。ハハ！」〔「できない」（can't）と、哲学者のカント（Kant）をかけたシャレ。原文はI Kant answer that. Ha ha!〕

13「お手上げです」

13個の回答は全体的に、そもそもSiriに人生の意味を尋ねるユーザーをあざ笑うものになっている点は注目に値するが、これらの答えを見ていちばんハッとするのは、その回答のクオリティではなく、回答の数だ。Siriを設計したアップルのチームが、ユーザーがSiriに人生の意味を尋ねてくることを予想しただけでなく、何度もその質問をしてくるだろうから、答えのパターンがいくつも必要だと考えていたのは明らかだ。実際のところ、Siriの回答集の中にある「イースターエッグ」〔コンピュータやゲームのソフトウェア開発者が仕込んだ、本来の機能や目的と関係のないユーモアのある隠し要素のこと」」が質問とうまく合致して、Siriが本当に伝えたそうなことが見え隠れする部分もある。たとえば、人生の意味とは「質問をし続けること」(回答3)。具体的には、アップル製品を購入し続けることだ。そうすればSiriに質問し続けられる(回答4)。

しかしこの中に1つだけ、ジョークとは思えず、資本主義者の衝動的なおふざけとも思えない回答がある。それは10番目の答えだ。Siriはまじめに、人生の意味を問う質問の答えとなりそうなものを提示している。10番目の回答を要約すると、「よりよい人間になりなさい」ということだ。この裏には、よりよい人間になるようiPhoneユーザーを教育したい意図も含まれているかもしれない。つまり、iPhoneユーザーはいい人ではなく、大食いして、良書を読まず、歩きもせずに、他人と協調しながら暮らしてはいないと思われている可能性がある、ということだ。iPhoneにとことん夢中になって、Siriに人生の意味を尋ねるようなハイテクマニアに対する、一種のステレオタイプである。Siriは、ユーザーがよりよい人間になるだけでなく、ステレオタイプ的なiPhoneユーザーにならないよう、示すようにプログラムをされている。人生の意味を、iPhoneに教えてもらわなければならないような人間にはなるな、と(回答8からも見て取れる)。このように、Siriはときに、ユーザーに罪の意識を感じさせ、その償い方を教えるようプログラムされているということだ。つまり、Siriは禁欲主義的僧侶の役割をするようプログラムされている。

禁欲主義的僧侶は従来の意味どおりの敬虔な僧侶である必要はない。ただ救済への道を説くという意味での僧侶の役割を担い、「救済は禁欲主義（自己否認）を通して得られるものである」と説くという意味で敬虔であれば十分だ。私たちが住む世界とは違う現実（世界否定）に対して敬虔であればよい、とも言える。ニーチェの時代の禁欲主義的僧侶は、感情の狂乱を伝道した。今の禁欲主義的僧侶は、クリックの狂乱を伝道する。これまで示してきたとおり、ネット荒らしは自己否認の一形態と見ることができる。フラッシュモブは世界否定の一形態と見ることができ、ネットリンチは自己否認と世界否定の両方の一形態と見ることが可能だ。一方、Siriの例でも明らかなように、僧侶が苦しみの仲介をする感情の狂乱と、テクノロジーが苦しみの仲介をするクリックの狂乱には、否定や罪の意識、儀式的な贖罪行動といった共通点があるばかりでなく、何度でも繰り返されるという共通点もある。

Siriは、答えを求めてグーグルやウィキペディアを延々と検索するところから発展してきたが、ネットリンチも、荒らしやフラッシュモブを通じて、延々と浄化を求めるところから発展してきた。また、クリックの狂乱を可能にするテクノロジーも同様に、感情の狂乱を通じて無限に贖罪を試みるところから発展してきたと言える。要するに、感情の狂乱にもクリックの狂乱にも、循環する性質があるということだ。これはシシュポスの神話に見られるような、永遠に繰り返される拷問の一形態であり、その繰り返しによってますます苦しみを増大させる類の拷問的な性質がある。しかし、感情の狂乱は拷問される者の苦しみを増大させるだけだったが、クリックの狂乱では、拷問される者がその拷問をシェアして広めることができる。シシュポスがフェイスブックのアカウントを持っていたとしたら、きっとシェアしただろう。

クリックの狂乱には循環する性質があるだけではない。それは、制御の効かないいらせんを描く傾向だ。禁欲主義的僧侶が出した感情の狂乱という名の処方箋は、「もはや人々は苦痛に対して歎き悲しむことはな」く、「苦痛を渇望し」て、「もっと苦痛を！　もっと苦痛を！」[24]と叫ぶ病人を生み出してしまったとニーチェは指摘する。それと同様に、テクノロジーが提供するクリックの狂乱の処方箋は、クリックに抵抗することから、もっとクリックをと要求する方へ向かう病人を生み出していることがわかる。だが、「もっと苦痛を！」と求めることは、罪の意識と自分に対する残忍さを増大させただけだったが、「もっとクリックを！」と求めることは、恥と他人に対する残忍さを増大させている。

すでに見てきたとおり、ネットリンチは荒らしとフラッシュモブが組み合わさったもので、大勢の人間が突如集まり、ソーシャルメディアを使って別のユーザーを一斉に攻撃する。ジャスティン・サッコのケースでは、彼女がツイッターで不道徳な内容のツイートを投稿したという理由により、何千人という人が悪意あるツイートをサッコめがけて放った。もちろん、サッコが問題のツイートを自分のフォロワー170人だけに送ったと考えていたのは間違いだったが、ネットリンチ参加者はそこで発生した怒りの波に乗ったのだ。意図的に悪意あるツイートを、同じ波に乗るほかの人々に見えるよう我先にと発信することで、自分の投げた侮辱の言葉に対して「いいね」やリツイートが期待できそうな人間の注意を引こうとしている。これはおそらく、サッコが自身のツイートで願っていたこと、つまり同類からの注意を引こうとする行為と何ら違わない。

では、どうしてサッコがネットリンチの標的になったのだろうか？　その答えは、ほかのツイッター・ユーザーが共感しなかったせいではないかもしれない。それよりむしろ、共感しすぎたせいかもしれない。サッコのツイートを読み、それに対する反応を見たツイッター・ユーザーは、彼女に自分を重ね合わせ、自分も簡単にネットリンチの標的になる可能性があると認識したのではないだろうか。きっと、彼女のツイートと、自分がこれまでに投稿して誰からも非難を浴びなかった品の悪いジョークとが、実際にはあまり変わらないことに気づいたのだろう。彼らがサッコに対するネットリンチに加わったのは、自分と彼女を同一視し、自分にもサッコと同じ衝動的行為があることを認識したためとも考えられる。

今述べたように、サッコのツイートはほかのツイッター・ユーザーに、彼らも同じ危険に直面していることを知らせた。ユーザーたちに自らの下品な衝動的行為を思い出させ、それが簡単にトラブルにつながるという教訓となった。さらにサッコは、あのようなジョークをわざわざツイートする行為を通じて、彼女の方が自分たちより大胆に、自分たちほど遠慮をせずにツイッターを使っていることも見せつけていた。いずれにしろ、サッコのツイートはほかのユーザーに自分自身を振り返る機会を与え、自分たちにも罪があって贖罪が必要なことを思い起こさせただろう。しかし一方のサッコは罪を感じていないように見え、謝罪もせず、ツイートの削除もしない〔実際にはフライト中でできなかった〕。そこで、彼女に罪を感じさせることがネットリンチの目的になった。自分が彼女のツイートを読んで体験した負い目を、彼女にも体験させてやりたかったのだ〔ニーチェは『道徳の系譜』第3論文19番にて、禁欲主義的僧侶は「負い目の感情」「良心の疚(やま)しさ」を、「罪」に変換していると指摘した〕。

この状況は、誰かが待ち行列に割り込んだときに起こることと同じである。誰か割り込みをする人を見ると、人は2つのことに気づく。1つは、割り込みができるのだということ。もう1つは、割り込みなんて思いつかないほど、自分は列にきちんと並ぶように「よくしつけられている」ことだ。子どもはすぐに要求を満たしたいものなので、初めは列に並ばない。しかしだんだんと行儀よくするようにしつけられる。行儀が悪いと叱られ、無理にでも列に並ばされてきたので、列に並ぶ人間に育つ。いつしか当たり前のこととして列に並び、自分は押さえつけられて、無理やりそうさせられていたことを忘れ、自分は品がよく、そうしたいからそうしていると考えるような人間に育っていく。

したがって、誰かが自分の列に割り込んできたときに感じる怒りは、必ずしも「割り込みという行為」のためではなく、「割り込みをした人が誰か」に起因する可能性がある。割り込みをした人に対する反発は、自分たちほど抑圧されていないことに対する反発でもあるからだ。そんなことをするなんて信じられないという思いを、「あいつは何様のつもりだ？」と吐き出すような感じだ。もう少し細かく表現すると、「社会のルールを破って許されると思っているなんて、いったい何者だ？」ということになる。もちろん、この言葉を割り込んできた人間に向けて直接投げつけることはまずない。その人物と対立することにも抵抗があるからだ。その代わりに、きちんと列に並んでいる別の人に向かって言い、割り込んできたやつが何者か、一緒になって憶測をたくましくする。

しかしインターネットでは、憶測をたくましくする必要はない。自分の想像を他者に投影しなくても、調査すれば誰がやったのかを突き止められるのだから。自分だったら絶対しないようなこと、自分がそれをするには善人すぎてできないことをするのは誰なのか、実際に知ることができる。そう、私たちは善人なので、悪だと思う人物のことはできるだけ暴いてやりたい衝動によく駆られるのだ。その衝動があまりに強いがために、自分だったらしないと思うことをする悪人に恥をかかせる新たな方法を、現実に編み出した。いわゆる「晒し（ドキシング）」と呼ばれる方法だ。個人情報という意味の俗語「ドクス（dox）」が使われているとおり、誰かを

「ドクスする」というのは、匿名アカウントなどの個人情報を公開し、人目に晒すことだ。[25] 晒し行為は、クリックの狂乱がどこまでエスカレートするか、そしてなぜエスカレートするかを示すものとなる。

デイヴィッド・ダグラス〔トゥエンテ大学教授（哲学）〕が明らかにしているように、晒しはさまざまな形を取り、さまざまな形で相手にダメージを与える。

晒し行為を3通りに分類することを提案する。匿名の人物の身元を暴く、標的にする、相手の正当性を認めない、の3つだ。いずれも対象者にふさわしくないもの、つまり匿名性、無名性、信頼性を剥奪したり、これらにダメージを与えたりする試みである。また、どのタイプの晒しも、晒しの対象にされた人物の生活をさらに妨害する新たな可能性を生み出す。まず、匿名の人物の身元を暴けば、対象者に関するほかの個人情報も容易に取得できるようになる。したがって、ほかの種類の晒しが起こる機会が広がることになるのだ。匿名や偽名によって対象者が得ようとしていた利点や保護したいものが何であれ、それは失われてしまう。標的にするタイプの晒しの場合、将来的に嫌がらせが物理的な形を取る可能性が生じ、それにより生活に不確実性が伴い、傷害につながるリスクを抱える。また、対象者が自分の個人情報を使ったなりすましの被害に遭うこともある。最後に、相手の正当性を認めないタイプの晒しは、対象者がいかに尊敬に値しないかを詳細に明らかにすることで、嫌がらせを行う動機をほかの人にも与え、さらなる晒しの機会を広げる可能性がある。[26]

ダグラスが明らかにしたとおり、晒しは荒らし行為を伴って相手をひどい目に遭わせる手段でもあり、さらに別の人間がその人をまたひどい目に遭わせることができるようにする手段にもなる。しかも晒しは、誰かをひどい目に遭わせることができる人間の数を増やすだけでなく、残忍な仕打ちの種類を増やすのにも貢献する。晒しは本質的に、インターネットの利点を拷問の手段に変換することで機能している。匿名性により手に入る自由は、迫害のツールにもなり得るのだ。好き勝手にオンラインのペルソナをつくれるという夢は、オフラインの現実を悪夢に変えることがある。デジタルメディアが約束する平等が、信用を剥奪する推進力になるかもしれない。

では、晒し行為をする側はどう考えているだろう。おそらく、晒しに悪いところなんてない、と反論するのではないだろうか。対象者の身元を調べるといっても、すでに公開されている情報より深入りしなければならないことは稀である。また、対象者が晒しを恐れるとしたら、それはその人物が何か皆に知られたくないことをしているからだ、という声も聞こえそうだ。最初の方の主張は、確かに個人のアカウントをハッキング（正確には「クラッキング」だが、本書では一般的なわかりやすさのため原書と同じく「ハック」の語を用いる）しなくても相手の身元を晒すことは可能だが、それでも多少は情報を探ることになるし、点と点をつなぎもしなければならない。ハッキングではないかもしれないが、ストーキングに似ている。あとの方の主張は、何か後ろ暗いところのある人だけが、身元を明らかにされるのを恐れるということだが、この主張はある含意を省略している。それは、単に身元を晒すだけで、その人が悪いことをしたように見せかけることができる、という効果がある点だ。

だが、ここでいちばん気になるのは、こうした主張の裏にある思想だ。つまり、晒される人にはそれだけの理由がある、という思想である。晒される人が自分の足跡を消し忘れたことに起因するかもしれないし、晒し行為をする側の考える何か悪い行いをしていたことに起因するかもしれないし、あるいはその両方かもしれないが、ここにもネットリンチの正当化に用いられるのと同じ主張が見られる。すなわち、ターゲットは攻撃の犠牲者ではなく、正義の裁きを受ける犯罪者だという主張だ。しかし、先の割り込みの例で見たとおり、ここでいう犯罪性と正義に対する判断は、行為そのものよりも、行為者に向けられている。晒し行為をする側にとって関心があるのは、晒される人が何をしたかではなく、「その人がそれをしたこと」だ。いったい誰がそんな行動をするのか、ぬけぬけと犯罪（的行為）ができるのは果たして誰なのか。

関心はそこにある。晒される人はルール違反者なのだ。もちろん、晒し行為だって別のルール違反である。だが、ここで肝心なのは、繰り返すが、ルール違反をできる人が**いる**のがおかしいと考えられている点だ。ほかの皆が恐ろしくてできないようなことを、その人ができるのは間違っている。自分にはできないのに、あいつにはできるなんておかしい。根底にはそうした感情がある。

ここで、晒しをする側もルール違反だという事実に注目しなければならない。ルール違反には力の兆し、ルール違反をしない人より力がある兆しが見える。すると、晒し行為はそれに対する報復と見ることができる。ルール違反に見られる力の顕示は、その人が思っているほど力がないという真実を告げる行為として、同様にルール違反であるはずの晒し行為を正当化するのに役立つ。しかし、重要なのは、晒しもルール違反であるからには、これもやはり力の顕示になるということだ。ほかの人より力があることをただ示そうとするのではなく、他人と比較して自己の力を行使する場合、それは特に際立つ。力で相手の情報を公開し、力で相手を晒し者にし、力で相手をねじ伏せ、ほかの人より力があると思っていたその人を破滅させる。したがって晒しは、誰か（晒される側）を傷つける行為であり、同時に誰か（晒す側）の力を強大にする行為といえる。だがもちろん、ルール違反によって自分の力を強大にすると、自分自身が晒しに値する標的になる。晒しはさらなる晒しを招き、これによりクリックの狂乱は循環するだけでなく、制御のきかないらせんのように簡単になってしまう。

これも割り込みの例で示したのと同じだが、晒し——あるいは、ルール違反者の身元を公表したい欲求——は新しいことではない。ただ昔と異なるのは、誰がルール違反したかを実際に突き止めることができ、その身元を公表できることだ。クリックの狂乱で本当に危険なのは、テクノロジーによって実現するこのルール違反者の調査と、その処罰が成功してしまう点だ。また、自分自身の罪を贖いたい気持ちから、他人にも罪を贖わせたい気持ちへと移行していくのも新しいことではないが、今までになく危険なのは、こうした試みが成功する確率の高さだ。

荒らしは荒らしを呼ぶ。ネットリンチはネットリンチを呼ぶ。晒しは晒しを呼ぶ。クリックの狂乱は留まることがなく、その強さと範囲を広げていく。荒らしがネットリンチにつながり、ネットリンチが晒しにつながることもある。そして誕生したのが、ドナルド・トランプ前大統領だ。トランプのキャンペーンでは、荒らしとネットリンチと晒し——クリックの狂乱のすべての形態——がソーシャルメディアでも従来メディアでも展開された。それを行ったのは、もちろん大統領候補だったトランプ自身である。クリックの狂乱には、まだ重要なポイントがある。クリックの狂乱は、力のある立場にいる人が無力になることと、無力だと思われている人にも力があることを明らかにする。それがらせんとなりエスカレートすると、個人を標的にするだけでは飽き足らず、政党や、場合によっては国全体がクリックの狂乱の標的にされてしまうのも時間の問題だろう。

インターネットの利点が、クリックの狂乱を通じて拷問のツールに変身するのとまったく同様に、民主主義の利点も戦争の武器に変わる。晒し行為がらせんとなり制御不能に陥る不吉な前兆は、「スワッティング」にエスカレートした際に見られた。スワッティングとは、選ばれた標的の識別情報を探し出し、警察に偽の犯罪情報を混ぜたうえで伝え、SWAT（スワット）（警察特殊部隊）に標的の家のドアを蹴破らせようという行為である。実際に晒しはスワッティングに発展して、人の命を危険に陥れる（アメリカでは2017年にネットゲームが原因で口論となった相手にスワッティングを仕掛け、仕掛けられた相手が自宅で警察官に射殺される事件が起きている）。こうした危険な発展は、トランプ大統領誕生やブレグジットのように、脅迫的に投票を煽る方向へと進む可能性があるのは実証ずみだ。こうなると1人の命に留まらず、1つの国を危険に陥れることになってくる。

感情の狂乱は危険だ。なぜなら、それは自己破壊につながるからである。そしてクリックの狂乱は、世界破壊への道に踏み出させるという意味で危険だ。ニーチェによると、禁欲主義的僧侶は集団（畜群）を守るため、人が苦悩する原因を他人のせいだと考えてその人に害を与えないよう、ルサンチマンの方向が苦悩者自身に向くよう説き伏せる。つまり全体で見れば、命を保護する側にいると理解されるべきである。ところが、これまで見てきたとおり、テクノロジーがかつて禁欲主義的僧侶の果たしていたこの役割を肩代わりしようとすると、禁欲主義的僧侶のようなダメージ・コントロールができない。テクノロジーは、人の破壊衝動を内側にではなく、そのまま外側に向けてしまう。罪の意識がネットリンチに変わり、浄化の儀式が民族主義者の決起集会になる。なぜなら、苦しみから気を逸らすために用いるはずのテクノロジーが、苦しみを周囲に押しつけるために用いるテクノロジーになるからだ。

原注

1. Nietzsche, Genealogy, 139-40.〔邦訳　フリードリヒ・ニーチェ『善悪の彼岸　道徳の系譜』「道徳の系譜」第3論文20番、信太正三訳、筑摩書房、1993年〕
2. Wilkinson College, "America's Top Fears 2016," Chapman University Blog, October 11, 2016, https://blogs.chapman.edu/wilkinson/2016/10/11/americas-top-fears-2016/.
3. Becky Gardiner, et al., "The Dark Side of Guardian Comments," Guardian, April 12, 2016, https://www.theguardian.com/technology/2016/apr/12/the-dark-side-of-guardian-comments
4. Gardiner, "The Dark Side."
5. Klint Finley, "A Brief History of the End of the Comments," Wired, October 8, 2015, https://www.wired.com/2015/10/brief-history-of-the-demiseof-the-comments-timeline/
6. Erin E. Buckels, et al., "Trolls Just Want to Have Fun," Personality and Individual Differences 67 (September 2014): 101.
7. Chris Mooney, "Internet Trolls Really Are Horrible People," Slate, February 14, 2014, http://www.slate.com/articles/health_and_science/climate_desk/2014/02/internet_troll_personality_study_machiavellianism_narcissism_psychopathy.html
8. Buckels et al., "Trolls," 101.
9. Larry Niven, "Flash Crowd," in Three Trips in Time and Space: Original Novellas of Science Fiction, ed. Robert Silverberg (New York: Hawthorn Books, 1973), 1-64.
10. Bill Wasik, "The Experiments," And Then There's This, http://www.andthentheresthis.net/mob.html

11. Bill Wasik, And Then There's This: How Stories Live and Die in Viral Culture (New York: Viking Penguin, 2009), 19.
12. Bill Wasik, " 'Flash Robs: Trying to Stop a Meme Gone Wrong," Wired, November 23, 2011, https://www.wired.com/2011/11/flash-robs/all/1
13. Zeynep Tufekci and Christopher Wilson, "Social Media and the Decision to Participate in Political Protest: Observations From Tahrir Square," Journal of Communication 62 (2012): 363-79.
14. Don Caldwell, "Occupy Wall Street," Know Your Meme, September 8, 2011, http://knowyourmeme.com/memes/events/occupy-wall-street
15. Ray Sanchez, "Occupy Wall Street: 5 Years Later," CNN, September 16, 2016, http://edition.cnn.com/2016/09/16/us/occupy-wall-street-protestmovements/index.html
16. Jason Plautz, "The Changing Definition of 'Flash Mob'," Mental Floss, August 22, 2011, http://mentalfloss.com/article/28578/changing-definitionflash-mob
17. Jon Ronson, So You've Been Publicly Shamed (New York: Riverhead Books, 2016), 10.〔邦訳 ジョン・ロンソン『ルポ ネットリンチで人生を壊された人たち』第3章、夏目大訳、光文社、2017年〕
18. Ronson, Publicly Shamed, 70.〔邦訳 ジョン・ロンソン『ルポ ネットリンチで人生を壊された人たち』第4章、夏目大訳、光文社、2017年〕
19. Ronson, Publicly Shamed, 54.〔邦訳 ジョン・ロンソン『ルポ ネットリンチで人生を壊された人たち』第3章、夏目大訳、光文社、2017年 一部を新たに訳出〕
20. Nietzsche, Genealogy, 67.〔邦訳 フリードリヒ・ニーチェ『善悪の彼岸 道徳の系譜』「道徳の系譜」第2論文6番、信太正三訳、筑摩書房、1993年〕
21. Whitney Phillips, "LOLing at Tragedy: Facebook Trolls, Memorial Pages and Resistance to Grief Online," First Monday 16, no. 12 (December 5, 2011): 2, available at: http://firstmonday.org/ojs/index.php/fm/article/view/3168/3115
22. Phillips, "LOLing," 2.

23. Will Wei, "We Asked Siri the Most Existential Question Ever and She Had a Lot to Say," Business Insider, July 9, 2015, http://www.businessinsider.com/siri-meaning-of-life-responses-apple-iphone-2015-7
24. Nietzsche, Genealogy, 141.〔邦訳　フリードリヒ・ニーチェ『善悪の彼岸　道徳の系譜』「道徳の系譜」第3論文20番、信太正三訳、筑摩書房、1993年〕
25. David M. Douglas, "Doxing: A Conceptual Analysis," Ethics and Information Technology 18, no. 3 (2016): 199-210.
26. Douglas, "Doxing," 203.

第9章

神は死んだ グーグルも死んだ

9.1——狂気の人間

諸君はあの狂気の人間のことを耳にしなかったか。白昼に、懐中電灯のアプリを点灯させながら、近くのスターバックスへ駆けてきて、ひっきりなしに「おれはグーグルを探している！　おれはグーグルを探している！」と叫んだ人間のことを。折しも、スターバックスの常連客の多くは、グーグルを利用することがカッコいいとはもはや思わない進んだ人たちだったので、たちまち彼はひどい物笑いの種となった。「グーグルが行方知れずになったというのか？」とある者は言った。「グーグルがダウンしているのか？　それでお前は怖くなったのか？」と他の者は言った。「グーグルは隠れん坊したのか？　グーグル検索はSiriと駆け落ちときめこんだのか？」彼らはやがてわめきたて嘲笑した。狂気の人間は彼らの中にとびこみ、一瞬、自分たちのノートパソコンから顔を上げさせた。

「グーグルがどこへ行ったかって？」、と彼は叫んだ、「おれがお前たちに言ってやる！　おれ・・・・・・・・・・・・・・・・・・・・・・・・たちがグーグルを殺したのだ——お前たちとおれがだ！　おれたちはみなグーグルの殺害者なのだ！　だが、どうしてそんなことをやったのか？　どうしておれたちはグーグル検索を信じられなくなることができたんだ？　Gmailを見ないなんてことを誰がおれたちに可能にさせたんだ？　この地球をグーグルアースから切り離すようなことを何かおれたちはやったのか？　おれたちはどっちへ動いているのだ？　あらゆるグーグルマップから離れ去ってゆくのか？　おれたちは絶えずさ迷ってゆくのではないか？　それも後方へなのか、側方へなのか、前方へなのか、四方八方へなのか？　グーグルのコードを埋葬するエンジニアたちのざわめきがまだ何もきこえてこないか？　グーグルの腐る臭いがまだ何もしてこないか？　アルゴリズムだって腐るのだ！　グーグルは死んだ！　グーグルは死んだままだ！　それも、おれたちがグーグルを殺したのだ！」

「殺害者中の殺害者であるおれたちは、どうやって自分を慰めたらいいのだ？　シリコンバレーがこれまでにつくったものの中で最も賢く、最も強力なもの、それがおれたちのスマートフォンで血まみれになって死んだのだ、おれたちが浴びたこの血を誰が拭いとってくれるのだ？　これを直せるどんなジーニアスバー〔アップルのサポートカウンター〕があるというのだ？　どんな贖罪の動画をユーチューブに投稿して、どんな謝罪のツイートを投稿しなければならなくなるだろうか？　こうした所業の偉大さは、おれたちの手にあまるものではないのか？　それをやるだけの資格があるとされるには、おれたち自身がマルチプラットフォームのインターネット企業とならねばならないのではないか？　これよりも偉大な所業はいまだかつてなかった――そしておれたちのあとから生まれてくるかぎりの者たちは、この所業のおかげで、これまでであったどんな検索履歴よりも一段と高い検索履歴に踏み込むのだ！」

ここで狂気の人間は口をつぐみ、あらためてスターバックスの客たちを見やった。客たちも押し黙り、訝（いぶか）しげに彼の写真をインスタグラムに投稿した。ついに彼は手にしたiPhoneを地面に投げつけたので、ガラスは砕け、再起動しなければならなくなった。「おれは早く来すぎた」、と彼は言った、「まだおれの来るときではなかった。この出来事のニュースはまだツイッターでトレンドに入っていない。この所業は、人間どもにとって、フェイスブックのアルゴリズムによって隠された投稿よりも遥かに遠いものだ――にもかかわらず彼らはこの所業をやってしまったのだ！」

なお人々の話では、その同じ日に狂気の人間はあちこちのスターバックスに押し入り、そこで彼の「グーグルの永遠鎮魂弥撒曲（ミサ）」を歌った、ということだ。バリスタに連れだされると、彼はただただこう口答えするだけだったそうだ――「これらWi-Fiスポットは、グーグルの追悼GIFにしてRIPハッシュタグでないとしたら、一体なんなのだ？」[1]

〔この節はニーチェの著作『悦ばしき知識』第3書125番のパロディ〕

9.2 ―― 神は死んだ

ニーチェは『悦ばしき知識』の第3書を次の警句（アフォリズム）で始めている。

> 仏陀の死んだ後も、なお幾世紀もの永いあいだにわたり、ある洞窟に彼の影が見られた――巨大な怖るべき影が。神は死んだ、――けれど人類の持ち前の然らしめるところ、おそらくなお幾千年の久しきにわたり、神の影の指し示されるもろもろの洞窟が存在するであろう。――そしてわれわれ――われわれはさらにまた神の影をも克服しなければならない！[2]

この第3書108番の中で私たちはまず、あの有名な言葉「神は死んだ」に出会う。これは、ほとんど何の説明もいらぬというような、ニーチェにとってはただの通過点のように見える。なぜなら、仏陀の死と同様に、歴史上の出来事として述べられているからだ。だが重要なのは、**できれば直面したくない**歴史的出来事として取り扱われていることだ。プラトンの「洞窟の比喩」を匂わせながらも、ニーチェは、私たちが洞窟を家と呼び、現実の状況に直面することを避け、偶像を通じて存在しない神を崇めたがっている、と指摘しているようだ。

同書125番でニーチェは再びこの主張に戻り、そこから話をさらに広げて、「狂気の人間」の話を持ち出している。[3] 神を探して物笑いの種になった男、自分に訝しげな目を向ける人々に向かって、神はただ死んだだけでなく、神を殺したのは自分たちだと言い返して応戦した男の話だ。狂気の人間はさらに続けて、神なしでどうやって私たちは行く道の方向を決めたらいいのだ、この殺害に見合う者になるためには、自分たちが神にならねばならないのではないかと問う。人々が彼の言うことを理解しないことを見て取ると、彼は自分が来るのが早すぎたと嘆き、私たちはまだ神の死に気づいておらず、自分たちがしでかしたにもかかわらず、その認識がないと宣言する。

この格言はマントラやTシャツにもなり、ニーチェについて聞いたこともないような人でも知っている言葉になった。ハムレットを読んだことのない人でも、シェイクスピアの「生きるべきか、死ぬべきか」の言葉は知っているのと同じである。「神は死んだ」という言葉は、本来の意味よりも直接的に受け取られた。すなわち、今日の人々は無神論の世界に生きており、したがって神聖なものなどなく、自分たちの疑問の答えは超自然的な存在に祈って求めるよりも、科学的な研究に求めるべきだ、という意味だと思われている。「神は死んだ」と誰かが言うとき、次のどちらか2つのスタンスを表す目安になる。1つは無神論と科学について語る場合で（その人は胸を張って「神は死んだ」と言う）、もう1つはニヒリズムとシニシズム（冷笑主義）について語る場合だ（その人はあきらめたように「神は死んだ」と言う）。

「神は死んだ」とは、文字どおり神を殺したとか、宗教の終わりを意味するものではなく、神が意味するものが死んだという意味である。神はもはや神の役割を果たさなくなった。しかしそれは科学が勝ったからではなく、ニヒリズムが勝ったからだ。ニヒリズム――価値、意味、願望の徹底的拒否――は、人を、神についての価値、意味、願望を拒否する方向に導いてきた。禁欲主義的僧侶はニヒリズムを治すのではなく、自己催眠、機械的活動、小さな喜び、畜群本能、感情の狂乱を推奨することでひとまずなだめて、キリスト教道徳の世界が爆発しないよう守ってきた。しかし、その世界は長く保護されすぎたために、崩落してしまった。ニーチェが『権力への意志』Iの2に書いたとおりだ。

ニヒリズムとは何を意味するのか？　――至高の諸価値がその価値を剥奪されるということ。目標が欠けている。『何のために？』への答えが欠けている。[4]

神は死んだ。なぜなら、神はもはや私たちの満足する答えを出してくれないからである。「神」はあまりにも長く、あらゆる「何のために？」にも答えを出してくれるものとして語られてきた。神の采配によって私たちに生が与えられ、神の采配によって私たちに苦難が与えられ、神の采配によって私たちに死が与えられると、あまりにも長く教えられてきた。しかし、とうとうそれらの答えが意味を失ったのだ。というのも、私たちは神がすべての答えだと教わってきたばかりでなく、そう聞かされるたびに、話は飾られ、拡大・拡張されてきた。ただ答えを与えるのではなく、神とはどのような存在であるか、神に何が期待できるか、神から何を受け取れるのかといった話まで含まれてきた。これが進んだ結果、神への要求が高まりすぎ、神の意味と価値を膨らませすぎたために、ニーチェが書いているとおり、神そのものの価値が剥奪されてしまったのである。神が全知全能の、慈愛に満ちた存在なのに、私たちの祈りを叶える力も、知恵も、愛もない、矛盾した存在になってしまった。神よ、神よ、と呼びかけたところで、私たちの疑問に答えることもできない。結果として、「神」の答えは「空飛ぶスパゲッティ・モンスター教」〔オレゴン州立大学物理学科卒業生のボビー・ヘンダーソンが、「知性ある何か」によって生命や宇宙の精妙なシステムが設計されたとする思想（インテリジェント・デザイン説）を公教育に持ち込むことを批判するために創始したパロディ宗教〕の答えと同じくらい意味のないものになった。

ひとたび答えが意味をなさなくなると、問いそのものが意味をなさなくなる危険が生じ（「何のために？」の答えを見つけられないから）、その時点で生きることが意味を失う（目的を達成できることはないから）。だがもし、ニーチェが言うように「生の本質は力への意志」であるとしたら、生きることが意味を失うと、意志を持つことも無意味になる。しかし私たちはあまりに長く、意志を持たずには生きられない生き方をしてきた。そしてニーチェが『道徳の系譜』の第3論文で議論を展開しているとおり、人は何も得られないのなら、代わりに虚無を欲するようになる。つまり虚無を欲するという形で意志を保つ、虚無への意志を持つのだ。人生が意味のないものである可能性に直面した私たちは、自分の問いの答えとしての「神」は拒否し、「神」を答えと構造的に等価なものとして置き換えた。言い換えると、人は幻想の意味に直面するよりも、意味という幻想を抱いておきたいのである。そのため、かねてからの問いに対し、新たな答えを見出し続けていたいのだ。人は、いない存在の影を「克服」するよりは、「幾千年の久しきにわたり、神の影の指し示されるもろもろの洞窟」を見ていたいのだ。

シュレーディンガーの猫のように、神は死んでいて、死んでいないことになる（シュレーディンガーの猫とは、物理学者エルヴィン・シュレーディンガーが量子力学の「ミクロ粒子は複数の状態が観測するまで共存する（観測することで粒子の状態が決まる）」という状態を否定するために提示した思考実験。ある原子が1時間後に崩壊する確率が50％としたとき、箱の中に、猫と、原子の崩壊と連動して毒ガスが放出される装置を入れた場合、1時間後の猫は箱を開けるまで生きている状態と死んでいる状態が共存することになるとして、量子力学の理論を批判した）。私たちの疑問の答えとしての「神」は死んでいる。一方、私たちの疑問の答えに至る方法としての「神」は死んでいない。しかし、私たちが問いから解放されて自分の生き方に戻れるような答えを求めるかぎり、神の答えは必ず私たちをがっかりさせる（「神」がキリスト教から空飛ぶスパゲッティ・モンスター教に移ったくらいの変化はあったかもしれないが）[6]。とすると、問題なのは答えではなく、私たちの問いの方にある。自分で生き方を決め、自分で目的を見つけて、自分なりに人生を意義のあるものにしようとせず、誰かに何をすべきでどう生きるべきかの指示を仰ぎ、人生の目的を教えてもらい、人生は意義あるものだと言ってもらわなければいけないところに問題があるのだ。神は死んだ。神を殺したのは私たちだ。しかし、ニーチェの狂気の人間が言うように、「それをやれるだけの資格があるとされるには、おれたち自身が神々とならねばならない[7]」のだろうか？

9.3 ── グーグルが守り続ける奴隷道徳

おそらく私たちはまだ「神々」になれていない。また神を死に追い「やれるだけの資格がある」者にもなれていない。なぜなら、人がつくった技術というものは、昨今ならグーグルがつくったテクノロジーのように、神に置き換わるだけのもので、神を克服できるものではないからだ。グーグルが証明したのは、人にはかつて神だけに与えられていた役割を果たす能力があるから、神など必要ない、ということだ。シヴァ・ヴァイディアナサン〔バージニア大学教授（メディア学・法学）〕は『グーグル化の見えざる代償―ウェブ・書籍・知識・記憶の変容』の中で次のように書いている。

グーグルはなんでも知っていて、なんでもでき、しかもどこにでもいるように見える。グーグルはまた、自ら善意を主張している。私たちがグーグルをほとんど神格化し、畏敬の念を抱くのはなんら驚くべきことではない。［中略］今や私たちは、ウェブ上あるいは世界において、何が重要で、適切で、真実なのかという判断を、もっぱらグーグルに委ねている。私たちは、グーグルが私たちに最良の利益をもたらすように振る舞うと期待し信じている。[8]

今日、全知全能（グーグル検索）で、何もかも見通せて（グーグルアース）、大いなる権力（グーグルのディープマインド）を持ち、慈愛に満ちた（グーグルアシスタント）役割を果たすのはグーグルだ。グーグルの創設者ラリー・ペイジとセルゲイ・ブリンは、たった1つの戒律「邪悪になるな」[9]を設けて、モーセの十戒までも時代遅れにしてしまった（「邪悪になるな（Don't be evil）」はグーグルが長年掲げていた行動規範。2018年にこの行動規範は削除されたという）。

この戒律、というよりグーグル社員の振る舞いを決めるプログラムは、グーグルと私たちの関係を見事に包み込んでいる。このスローガンは直感的だし、魅力的で、効果的だ。この教訓と比較すると、何千年の歴史を持つ宗教的思想や哲学的思想がバカバカしく思えてくる。大胆であり、ほかの類似する教訓を嘲るようなところがまた魅力的で、私たちにそれを信じさせてしまう。そして、人々はそこに信頼と信仰を抱くようになる。嘘偽りや偏見などの「悪」はグーグルのプログラムに反するものなので、そんなことをすればユーザーはグーグルに裏切られ、グーグルに捨てられたような気になってしまうため、グーグルには正直で客観的な情報を提供しなければならないことになっている。

多くの人にとってグーグルは多種多様なもので、さまざまな側面のある企業であり、さまざまなアプリケーションであり、さまざまなデバイスでもある。だが何よりも、グーグルはたった1つの非常に強力なもの、つまり「結果」だ。検索エンジンとしてスタートし、マルチサービス、マルチプラットフォームの、多国籍帝国へと発展してきた歴史を通じて、グーグルは「結果を出すもの」の代名詞以外であったことはない。神が提供できなかったものをグーグルは提供してくれる、と人が思うのもそのためだ。神の場合、求める結果を約束しておきながら、いつまでもとにかく待ち続けなさいと言う。それがどんどん苦しく感じられるようになり、人は神への信仰を失った。そして空を見上げなくなり、スクリーンを見つめるようになった。すると、グーグルが、私たちが切望していたものを提供してくれたのだ。問いではなく答えの世界、結果の世界だ。

イアン・ボゴスト〔アメリカの哲学者でありゲームデザイナー〕は自身の記事「What Is 'Evil' to Google?（グーグルにとっては何が『悪』か？）」の中で、グーグルの定義する「悪」が、「グーグルの脈々と続く伝統の1つを示す可能性がある」と指摘している。[10] そして、「グーグルにとって悪が意味するものを理解することが、現代文化におけるグーグルの役割を理解するカギを握っているかもしれない」[11]と述べている。ボゴストによると、グーグルは倫理的にではなく、技術的な話として「悪」を定義しているようだ。グーグルにとっての「悪」は、美徳よりも進歩の妨げになるものである。とりわけ、グーグルの進歩の妨げになるものを指す。グーグル・ユーザーである私たちが疑問に思わなければならないのは、果たしてグーグルの求めていることが私たちの求めていることなのか、私たちの定義する「悪」とグーグルの定義する「悪」は同じか、ということだ。ボゴストの答えは「ノー」である。彼は次のように書いている。

すべてがこれほど狡猾に見えるのは、次のことによる。グーグルが「邪悪になるな」というスローガンを発表しておきながら、その水準を満たしていないためではない。すなわちグーグルは、アーレント（政治哲学分野で第2次大戦後に大きな影響を与えたハンナ・アーレントのこと）が言うように、自分の役割を果たし、期待されることをしているだけではない。そうではなく、グーグルはそのスローガンによって巧みに悪を、広く一般的に「役に立たないこと」、特に大事業に発展した情報サービスの「役に立たないこと」と再定義してきたのだ。美徳はグーグルにとって問題にならない。グーグルの振る舞いは基本的に、グーグルがしてきたことの結果であり正しいとされる。グーグルは「何を成し遂げるか」以外にいっさいモラルの判断をする必要がない。最大のリスク——最大の悪——は、自分たちのビジョンを効果的に実現できないことにある。「邪悪になるな」は「自分に正直になれ」のシリコンバレー・バージョンだ。これはグーグルにとってトートロジー（無条件に真であること）であり、自己愛である。[12]

グーグルにとって「よい」ことは、グーグルのすること。そしてグーグルにとって「悪い」ことは、グーグルがしないこと。ボゴストはこれを「自己愛」と表している。ニーチェならこれを「奴隷道徳」と呼ぶだろう。おそらくニーチェもこの価値観が「狡猾」だということには同意すると思うが、しかしそれはボゴストが主張しているような意味ではないだろう。

ボゴストの見るグーグルの狡猾なところは、グーグルが道徳的世界観として示しているものが、実際には道徳など関係ない、自己保全のための世界観である点だ。これまで見てきたとおり、ニーチェにとって自己保全は、禁欲主義的僧侶の目的にほかならない。「美徳」には禁欲がつきまとうのであり、自己否認、自己犠牲、抑制がつきまとうのだ。そうした否認や犠牲、抑制は社会に役立つものであるから、これらが「モラル」で「正しいこと」と解釈される。だがニーチェにしてみれば、そのような形での社会への貢献が重視されるようになったのには、2つの理由がある。1つは、それによって人間の残忍な本能を好きに解放できるからだ。たとえそれが、自分に対してしか残忍になれないとしてもである。そしてもう1つは、それによって人の反社会的な本能やルサンチマン、ニヒリズムから社会が守られるからだ。言い換えると、道徳は自己保全に反するものではなく、そこから発展したものということになる。

第2章で見てきたとおり、ニーチェによると、「悪」の概念は奴隷道徳に端を発する。支配者の価値を評価し直して、それまでの「よい（good）」を「悪い（evil）」に変換し、それまでの「わるい（bad）」を「善い（good）」にしたところから始まっているのである。支配者（強者）が価値を置くもの（肉体的な力、猛烈さ、喜び）は奴隷（弱者）によって価値を下げられ「悪」となり、支配者が価値を置いていなかったもの（黙考、抜け目のなさ、禁欲）が奴隷によって価値を与えられて「善」となった（貴族（支配者）道徳と奴隷道徳の善悪の価値転換について詳細に知りたい方は、ニーチェ著作や解説書を参照のこと）。支配者の価値観と奴隷の価値観は相反するものであるが、その人が価値を置いたものがその人の特徴を物語り、その人が価値を認めなかったものは、その人と性質が反対の人の特徴を物語る、という点は共通している。しかし、支配者は自分たちと違う人間を見下しており、だからこそ支配者は奴隷を単純に「悪」とみなしたのに対して、奴隷も自分たちと違う人間を見下し、この概念をぶち壊そうとした。だからこそ奴隷は支配者を「悪」と見る。「悪い」人は自分より下の人間であり、存在していてはいけない。そして「邪悪になるな」は、キリスト教道徳の世界とニヒリズムの誕生のきっかけとなった奴隷の価値観をひと言で表したものと言える。

したがって、ニーチェが見出すであろうグーグルの狡猾さは、グーグルが人々に道徳とは関係のなさそうな世界観として提供しているものが、実際にはグーグルの自己保全のための道徳によってつくられた世界観だ、という点だろう。グーグルは、人が神を死に追いやれる資格を持つようになった証拠でもなければ、人が神を克服した証拠でもない。グーグルはいわば「神

2・0」だ。だがボゴストが指摘するように、「グーグルのロジックはほかのテクノロジー企業と何ら変わらない」。というのも、「自分たちの原理は皆に当てはまるはずとの信念[13]」があるからだ。しかし、このロジックもテクノロジー企業に限ったものではなく、禁欲主義的僧侶の信念と同じであり、目新しいものではない。

私たちはかつて、禁欲主義的僧侶に信頼を置いていた。なぜなら、禁欲主義的僧侶は私たちの苦しみ、ニヒリズムを治してくれると思っていたからである。しかし、その苦しみの根源はそもそも、禁欲主義的僧侶が守ろうとしていた世界にあったので、禁欲主義的僧侶が試みたのは苦しみを治すことではなく、和らげることだった。そのために、私たちに自分と向き合わない方法や、本能の矛先を変える方法、すなわち自己催眠や機械的活動、小さな喜び、畜群本能、感情の狂乱に逃げる方法を授けた。こうして苦しみを治そうとせず、和らげるに留めた結果、人間のニヒリズムを弱めるどころか強めてしまい、結局は人がニヒリズムを増強させて、禁欲主義的僧侶、神、キリスト教道徳の世界への信頼を瓦解させてしまった。

だからといって、人々は信仰を完全に失ってしまったわけではない。今の私たちはグーグルのようなテクノロジー企業を信頼しきっている。私たちは今、私たちが期待するものを生み出してくれる企業が、私たちの苦しみを治し、もう禁欲主義的僧侶や神が何かを与えてくれるのを待たなくていいようにしてくれると信じている。だからこうしたテクノロジー企業がこれほど狡猾になれるのだ。道徳など関係ない、無神論の、ポストヒューマン的で、ポストキリスト教的な世界では、こうしたテクノロジー企業が私たちを導いてくれると信じている。ところが、こうした企業が与えてくれるのは、せいぜい変化の幻想だ。革新が起こるという幻想、旧世界が崩壊するという幻想である。しかし実際には、ボゴストが指摘しているとおり、これらのテクノロジー企業は自己保全にしか興味がない。現在の世界が本当に崩壊してしまったら、彼らが覇権を握る今の状態も崩壊してしまうわけで、自己克服に興味などあるはずがない。人々が舞台から引きずり降ろした禁欲主義的僧侶と同様に、新しく舞台に上がったテクノロジー企業も人々の苦しみを和らげるだけで、治してはくれない。そして、気晴らしさせて人々が壊れないようにしつつ、皆が克服したものと思い込んでいるキリスト教的道徳の世界を守り続けている。

9.4 ――― テクノロジーと死のスパイラル

これまで見てきたとおり、テクノロジー催眠、データドリブンな活動、娯楽経済、畜群ネットワーキング、クリックの狂乱など、今日においては苦しみを和らげる方法は変わったかもしれない。だが、これらの「僧侶的治療」がもたらす結果は変わっていない。人々はニヒリズムを弱めるどころか、強めていくに違いない。テクノロジー企業のおかげで、私たちはぼんやりとした時間を過ごせる。効率も追求できるし、他人を助けることだってできる。オンラインで友達もつくれる一方で、敵を攻撃することもできる。私たちはこうした活動に意味を見出し、幸せな気分にさせてくれる活動だと思っているかもしれないが、だからといってこれらがニヒリスティックではないことを意味するのではない。誤解のないように言っておくと、ニヒリズムは人生が無意味だという意味ではない。ニヒリズムとは、人生の意味を私たちの外部にある、何か超越的な源に求めるということだ。自分ではないもの、自分の人生の外にあるものに生きる意味を求めることで、結果的に自分の人生を生きないということである。何を「無意味だ」と思うかではなく、何に「意味を見出すか」を考えなければいけないのも、そのためだ（能動的ニヒリズム）。

ニーチェは人々に自分の価値観を疑ってみるよう求めていた。それは私たちの価値観が意味のないものだと示すためではなく、その価値観が必ずしも、それが与えてくれると私たちが思っているものを与えてくれるわけではないことを示すためだ。「よいこと」に高い価値を置いているからといって、そうした「よいこと」から恩恵を受けられるわけではない。その「よいこと」のために自分の本能を否定し、自分の個性を否定して、ニーチェが「確定しない」と呼ぶものを否定しなければならない場合は、特にそうだ。『善悪の彼岸』の中でニーチェは、「人間はまだ確定しない動物である」と述べている。だからキリスト教や仏教などの宗教は、「病気に悩むごとく生に悩む者たちのすべてを正しいと認め、そしてそれ以外の生の感じ方のすべてが虚偽とされ不可能となるようにしてしまおうとする」ため、「無気味な危険性」があるといううう。[14] 人生とは、適応しながら乗り越えていき、成長していかなければならない課題であるはずなのに、人はそうは考えずに、宗教が求める禁欲の姿勢に染まり、人生を苦しいものだと見る。そして自分の弱さや悪の傾向を盾にして、それをいつまでも持続させて、死後の世界を価値あるものにするためには、この人生の重荷を背負っていかなければならない、と自分を納得させようとするのだ。

ニーチェは、禁欲を唱える宗教が、世の中をより安全で、弱者が強者を恐れなくてすむ、よりよい場所にするのに役立ってきたという見方に異議を唱えているわけではない。ニーチェが示そうと試みたのは、より安全で道徳的な、よりよい世界が、どうしてニヒリスティックになるのかということだ。よりよい世界のはずなのに、どうして人は沈滞し、苦しみもなくならずに、苦しみを背負う者として決定づけられなければならないのか? ニーチェが見たところ、人間は苦悩する存在だ。だがそれは、人生が苦しいものだからではない。人が苦悩するのは、人生を苦しむからである。今よりもよい世界が死後に待っている、という福音を受け入れ、それを受け入れ続けているから、人は苦悩するのだという。禁欲を唱える宗教は、人の目を人生からも、世界からも、自分自身からも背けさせ、生なき生、世界なき世界の超自然世界に目を向けさせることで、人々のニヒリズムを膨らませている。したがって、人とニヒリズムの関係とは、死後の世界を約束し、生きながらにして死を体験させることで、人々の苦しみを和らげることだ。そして、生きることの重荷、自己を顧みる重荷、意思決定の重荷、弱さの重荷、孤独の重荷、責任の重荷から自分を解放したときに、これは実現する。

ここでもまた、テクノロジー企業がいかに禁欲主義的僧侶のようなやり方をしているか、テクノロジーがいかに禁欲を唱える新しい宗教になったかがわかる。第2章のトランスヒューマニズムのところで見たとおり、テクノロジーは人の視線を人生から逸らし、死後の世界に向けさせることができる。ポストヒューマンな、人としての苦しみのない人生だ。トランスヒューマニズムの思想では、キリスト教や仏教と同じく、人であることはすなわち苦悩することを意味する。しかし、トランスヒューマニズムの場合、苦しいのは「あるがままの自分」であることであり、その「あるがままの自分」は、人間的な自由を追求することではなく、テクノロジー的に自由を追求することで克服できる。したがって「ニヒリズム－テクノロジーの関係」は、ポストヒューマンな生活を約束し、それを味わわせ、人間でいながらにしてテクノロジーでもあるという体験をさせることで、苦しみを和らげる。人であることの重荷、想像力に限界があることの重荷、情報も影響力も限られていることの重荷、相互交流やインパクトに限界があることの重荷から解放することで、これは実現される。

確かに、テクノロジー企業は世の中をよりよくしようとしている。より安全で、弱者も強者もおらず、単に限界の度合いに程度の差があるだけの世界にしようとしている。テクノロジー企業が描く夢は、スマートなデバイスがあり、スマートな都市があり、スマートな人々のいる世界で、人も物もすべてが接続され統合されており、常にオン、常に最新、常に限界を超えていく世界だ。しかし、これはテクノロジー企業が私たちに押しつけている夢ではないことを認識しなければならない。これは私たちの夢でもあるのだ。テクノロジー企業が「われわれは人々が求めるものを提供しているだけだ」と言って、自分たちの行いを正当化するのは、間違ってはいないのである。だが一方、第3章で議論したとおり、テクノロジーは私たちの体験、つまり世界と自分とのあいだを仲介するものなので、私たちが求めていることにテクノロジーの影響がない証にはならない。

今日、私たちが人生にさまざまな限界を感じて、苦しい人生を歩んでいるとしたら、それはテクノロジーが人生をそのように見せているからだ。テクノロジーは人生における限界を示すことで、人生を苦しみの源であるように見せる。テクノロジーは、不可能だと思っていたことを実現させてくれる。ヘッドセットを使ってバーチャルな世界に入り込むことや、アルゴリズムを使って行動を予測すること、ウェブサイトを使って自分の家の一室を貸し出すこと、ハッシュタグを使って知らない人とつながること、手のひらサイズの機械を使って自宅のソファから抗議行動に参加できること。ひと昔前までは想像もつかなかったことだ。そして、これこそがポイントだ。昔はそんなことができるなど思ってもみなかったから、上に挙げた例のようなことができなくても、限界を感じなかった。この意味において、人間の能力が劣っていると感じたことはなかった。ところが、ひとたびそうしたものが登場すると――あるいは、そういうものが登場する可能性が宣伝されただけでも――自分自身に対する見方は変わり始める。私たちは自分のことを二元論的に見るようになり、「自分が何者か」と「自分に何ができるか」を分けて考えるようになってしまったのだ。そのため、自分の能力の増強が、予測不可能な、おそらくは好ましくないアイデンティティの変化を生むとは考えずに、「自由」を与えてくれるものと盲目的に考える。この二元論的な（ネオ・デカルト的な）[15]考え方により、精神ばかりをもてはやすやし、肉体を軽んじて、能力の面でしか肉体を見なくなった。そして、能力は限界の程度でのみ測られるようになり、そうした限界はない方がいいもの、好ましくないもの、不公平なものだと考えるようになっていく。

たとえば、テクノロジー企業は私たちに、従来の対面のコミュニケーションは非効率であることを示してきた。会話は「聞く」と「話す」とに分けられる。そして人の話を聞くだけであれば、相手を見ていなくてもいい。だから会話しながら、よそを見ていることもできるし、別のことをしていても構わない。電話だったら、手も目も空いた状態で会話が可能だ。パソコンなら、あるウィンドウで仕事をして、別のウィンドウでフェイスブックをチェックしながら、さらに別のアプリケーションで会話をすることもできる。ビデオ会議のアプリケーションも同じで、しかも半分はパジャマ姿でもいい。このようなイノベーションは、人のコミュニケーション能力を拡張してくれた。だが、それでコミュニケーションがより豊かで意味のある体験になったわけではなく、コミュニケーションが肉体的能力の一部を使って実現する、精神的には意味のないただの作業になってしまった。しかもその肉体的能力と精神的な作業とは分離され、より多くの作業がこなせるように強化されていく。それはまるで、コミュニケーションが目標ドリブンな活動であり、コミュニケーションを積極的に行う唯一の目標は作業をこなすことであるかのようだ。

　テクノロジー企業は私たちの求めるものを与えてくれると同時に、どんなことを求めていくべきか、という私たちの考えを形づくる重要な役割も果たしている。テクノロジー企業のおかげで私たちは、ただ単にテクノロジーで実現する能力を求めるだけでなく、その要求がエスカレートしてきている。ゼン・ワンとジョン・チェルノフ〔ともにオハイオ州立大学教授〕は、論文「The "Myth" of Media Multitasking（メディア・マルチタスキングの『神話』）」の中で、「意識的なニーズはメディア・マルチタスキングで満足させられることはないが、楽しいとか、リラックスするといった精神的なニーズは満足させられる」ことが自分たちの研究でわかったと書いている。その結果、人がより生産的でなくなり、どんどん「メディア・マルチタスキングにのめり込んでいく」という[16]。能力を精神と分離し、強化するテクノロジーは、意識的なものであれ、感情的なものであれ、人の強い欲望を満足させてはくれない。テクノロジーはそうした欲望を人々の中に生み出し、それを増幅させるだけだ。人間を能力で解釈し、能力を限界で測ることの危険性は、そこにある。なぜなら、限界を超えたときの喜びなんてものは、そのうち消えていくからだ。しかもそのうち、どんな新しい能力も、超えなければならない新しい限界に見えてくる。より具体的に言えば、テクノロジーに与えられた能力を感謝すべきものとしてではなく、アップグレードされていくべきものと見るようになり、新たなアップグレードで実現した、限界を超えるどんな新しい能力でも、すぐに興奮が冷め、次はどんなアップグレードがあるのだろうかと、そちらに目が行ってしまう。

テクノロジーが実現してくれるこうした能力を利用すればするほど、そうした能力がアリストテレスの言う第2の自然になっていく。私たちはテクノロジー企業から、自然にあるものを見下すよう学んできた。すなわち当たり前に存在しているものは、超えなくてはいけない限界である、と。その結果、私たちはテクノロジーが実現してくれる新しい能力をも、超えるべき新たな自然として見下してしまうようになる。ニヒリズム－テクノロジーの関係が苦しみを治すのではなく、和らげることしかできないのもそのためで、テクノロジーは進歩し、見下されることを繰り返す。このように人とテクノロジーの関係は堂々巡りの性質を帯びており、人がテクノロジーに慣れるのがますます速くなってきたために、その循環の速度も増している。すると行き着く先はどうなるだろう？　きっと神と同じように、テクノロジーも苦しみを和らげることとすらできなくなるに違いない。そして、テクノロジー自体が苦しみの根源になり、克服されるべきだった苦しみ――もとはといえばテクノロジーが私たちの中に芽生えさせた苦しみ――の源になる可能性がある。結局人は、自分の値打ちを下げることに最高の価値を置いている、ということだ。

テクノロジーに自分の苦しみを緩和してもらうことを期待し続けているかぎり、この歓喜と失望の繰り返しは、苦しみだけでなく、ニヒリズムまで増大させてしまうだろう。なぜなら人はテクノロジーに対し、「もっともっと進歩して、自分が人生の困難に適応しなくていいようにしてくれ」という要求を突きつけているからだ。テクノロジーは混沌や想定外のことから人を守り、また平凡な日常の退屈からも守ってくれる。それによって人は、従来の世間から隔絶されたメディアに囲まれた環境で活気を失い、テクノロジーを通した人生だけが生きる価値のある人生だという、テクノロジー企業やトランスヒューマニズムの福音に惹かれている。私たちがこのサイクルから抜け出し、ニヒリスティックな死のスパイラルから抜け出すつもりなら、まず、テクノロジーとの関係における危険性と望ましい効果を見極め、危険な影響がいかに広範囲に及ぶかを認識する必要がある。これは、テクノロジーを拒否しろというのではない。もちろん人生をよくしようとする気持ちを捨てろということでもない。私が言いたいのは、テクノロジーを妄信し、よりよい人生とはよりテクノロジー的なものだという信仰に、もっと批判的な目を向けるべきだ、ということだ。

テクノロジー企業は、まず私たちが自分で自分の欲しいものを決められるようにならないかぎり、人が何を求めているかで自分たちの行動を正当化してはならない。ところが、私たちはテクノロジーに積極的に関わってもらわないかぎり、自分の体験と世界の体験を仲介する手立てがないため、自分の欲しいものを見つけられない。だからこそ、私たちはテクノロジーから逃げようとしてはいけないのだ。たとえばスマートフォンを置いて森を散歩すれば、その素晴らしい体験が画面越しになることはないが、ここで言いたいのはそういうことではない。たとえそのときだけスマートフォンを家に置いてきても、テクノロジーは絶えず私たちに影響を及ぼしている。森を歩いていてかわいい動物を見かけたら、インスタグラムで映えそうだと思うだろう。あるいは、歩いている途中で印象的なものを見かけたら、ツイッターでウケそうだという考えが頭をよぎるはずだ。別の言い方をすると、インスタグラムやツイッターなどのテクノロジーは、人がかわいいと感じる基準を決め、思い出に残るかどうかの基準を決めている。まるで、世界を自分の目ではなく、インスタグラムやツイッターの目で見ているかのようだ。

私たちはアプリケーションやデバイスからログアウトするかもしれないが、アプリケーションやデバイスは私たちのログを手離さない。だから私たちはテクノロジーから逃げようとしてはいけないし、テクノロジー的な仲介からわずかにでも逃れようとしてもいけないのだ。「その気になればいつでもテクノロジーから逃れられる」などと思い込んでもムダである。その思考は、「テクノロジーは私たちが使っているときにしか、私たちに影響を及ぼさない」という幻想を強めるだけだ。テクノロジーには、プライバシーの面はもとより、私たちの知覚に対しても侵略性がある。現在のところ、テクノロジーを取り巻く議論といえば、どうやってテクノロジーをより安全・安心に、柔軟性のある、入手しやすいものに改良するかという話ばかりだ。それよりも先に、私たちには考えるべきことがある。どうやって自分自身を成長させるか、そしてテクノロジーの進歩は自己啓発の役に立つのか、あるいは妨げになるのか。私たちは、「自分にとって『成長』は何を意味するのか」を自分に問うことを忘れている。ニーチェ哲学の観点からすると、これは特徴であってバグではない。テクノロジーについて考えている時間は、自分自身について考えていない時間ということになる。自分について考えないようにし、自分に疑問を持たず、自分で判断するのを避けようとすることが、テクノロジーを受け入れるニヒリズムに人を向かわせ、またテクノロジー企業を受け入れるニヒリズムに向かわせていると言っていい。

9.5 ―― 能動的ニヒリズムでテクノロジーから自分を取り戻す

最後は、ニーチェによる受動的ニヒリズムと能動的ニヒリズムの区別に戻って、話を締めくくろう。第2章では、受動的ニヒリズムが能動的ニヒリズムを引き起こすことを示唆した。あるものの価値を下げれば、新たな価値創出に必要なスペースが開ける可能性がある、ということだ。私はまた、テクノロジー的なニヒリズムは受動的と捉えるべきか、それとも能動的と捉えるべきか、との疑問も投げかけたままにしておいた。人がテクノロジーで自分を向上させる試みに失望し、夢から覚め、壊れていくのを見てきた今、受動的ニヒリズムが突きつける疑問を考える準備が整ったといえよう。その疑問とは、「テクノロジーで人は何を目指しているのか？」と「テクノロジーを追い求める理由は何か？」である。

この2つの疑問の答えを探ると、どうやら私たちの目的は人類の進歩で、人類の進歩は技術の進歩を通じてしかあり得ず、そうでなければならないと人は信じている、ということになりそうだ。これは、ケビン・ワーウィック、レイ・カーツワイル、ニック・ボストロムだけが出した答えではなく（第2章を参照）、ルチアーノ・フロリディ〔イタリア出身の哲学者。「忘れられる権利」に関するGoogleの諮問委員を務めるなど情報哲学や情報倫理学の分野を研究〕からピーター・ポール・フェルベーク、シャノン・ヴァラー〔アメリカ出身の技術哲学・コンピュータ倫理学者。グーグルのAI倫理コンサルティング・メンバーでもある〕まで、さまざまな現代のテクノロジー思想家が出した答えでもある。たとえば、フロリディは次のように書いている。

AIの終末論的なビジョンはどんなものでも無視できる。予見できるかぎりの未来において、問題なのはテクノロジーではなく人であるし、人でなければならない。〔中略〕私たちは、人をより人間的にしてくれるAIをつくらなければならない。リスクとして深刻なのは、人がスマートなテクノロジーを誤用し、大半の人間と地球全体に不利益をもたらしてしまうことだ。ウィンストン・チャーチルは「われわれが建物をつくり上げる。するとその建物がわれわれをつくり上げる」と言った。この言葉は、情報圏(インフォスフィア)やそこで利用されるスマートテクノロジーにも当てはまる。[17]

また、フェルベークは次のように書いている。

基本的にテクノロジーは私たちがどういう種類の人間であるかに影響を及ぼすものであったとしても、そこに、ハイデガーの思想を支持する人たちが信じさせたがっているような、

「人間性」は「テクノロジー」に支配されているという意味は含まれない。［中略］したがって、倫理学は「テクノロジー」から「人間性」を守ることを目指すべきではなく、テクノロジーによる媒介を注意深く評価し、実験して、テクノロジーのある文化の中で人が主体性を形づくれるような道を明確にするために、存在しなければならない。[18]

ヴァラーの見解も紹介しよう。

選択肢は、テクノロジーに屈するか、テクノロジーから自分を解放するか、ではない。人は根本的に技術道徳（テクノモラル）を持った生きものである。つまり、人は自分たちがつくったものが自分たちを再形成するのを許しているし、常に許してきた。唯一問題なのは、このプロセスがよく考えたうえでの賢明なものか、軽率で無頓着なものかということだ。[19]

フロリディ、フェルベーク、ヴァラーにとって人類の進歩はテクノロジーによって形づくられるものだ。だからこそ私たちは、どうすれば自分をいちばんよく形づくれるかを学ぼうとするなら、テクノロジーをいちばんよく形づくる方法を学ばなければならない。

ニーチェにとって人類の進歩は、ニヒリズムによって形づくられるものだ。したがって人類の進歩は、奴隷が支配者を倒し、禁欲的な価値観が戦士的な価値観に置き換わって、自己否定で自分を形づくることが自己表現で世界を形づくることに取って代わって、初めて始まる。

言い換えると、テクノロジーの進歩と人類の進歩が互いに絡み合っているなら、そして「進歩」の定義が根本的にニヒリスティックなものであるなら、テクノロジーの進歩がテクノロジー催眠、データドリブンな活動、娯楽経済、畜群ネットワーキング、クリックの狂乱に帰結しても驚くにはあたらないということだ。

おそらくニーチェは、テクノロジーの進歩が人類の進歩を促進したというフロリディ、フェルベーク、ヴァラーの意見に賛成するだろう。あるいは、少なくとも私たちが人類の進歩だと考えているものに関しては。確かに人は、テクノロジーを使って「なりたい自分」になっている。しかしニーチェ哲学の観点からすると、その目的はニヒリスティックなものと考えることができる。なぜテクノロジーの進歩を追求するかという疑問への答えは、「自分自身と向き合う現実が欲しくないから」だ。第3章で見てきたように、アイディは人がテクノロジーに求める願望を「状況の変化を求める願望」と表現している。「地球に住んで、場合によっては地球を越えてどこかへ行きたい」願望だという。したがってテクノロジーと人の関係はただニヒリスティックなのではなく、受動的でニヒリスティックなものである。テクノロジーは創造のために伝統を壊しているが、創造しようとしているのは新たな価値ではなく、新たな人間、ポストヒューマンだ。にもかかわらず、こうしたポストヒューマンは、人間的な目的に沿って形づくられる。その目的は人間的な、あまりに人間的なもので、これがかつてはキリスト教道徳の世界を誕生させ、現在は「技術道徳（テクノモラル）」な世界の創造を導いている。

ニヒリズムを克服しようとするのではなく、受動的ニヒリズムを能動的ニヒリズムに変える努力をしなければならない。ポストヒューマンを追求する中で、あらゆる昔ながらの生き方、他者との伝統的な関係、世の中との旧来の関わり方を壊したい気持ちは、私たちにとって最大の危険であると同時に、最大のチャンスとなる。現実に満足していない者が、テクノロジーがもたらしたあらゆる新たな現実に落胆すると、自分自身を壊したくなるか、その自己破壊への道に導いた価値や価値観を壊したくなる可能性がある。受動的ニヒリズムによって、テクノロジーの進歩に逆らうと思われるあらゆる価値を疑問に思い始めたとする。すると近い将来、受動的ニヒリズムは、テクノロジーの進歩の価値と、それに伴う人類の進歩の価値に対しても、疑いの目を向けさせるかもしれない。

先に述べたとおり、こうした流れは「グーグルの死」の先触れになるとも考えられる。だが、神が死んだときと同じく、そうした死によって視点が失われ、確かさが失われ、方向が失われると、新しい別の視点を探すのではなく、代替となる次のグーグルを求めるようになるだろう。だから私たちは、今、こうしたニヒリスティックな段階に到達することを予想して、新たな視点を模索するべきだ。ニーチェに倣って、私たちもまず自分の価値観や、中でも「『人類の進歩』と『テクノロジーの進歩』の関係」といった、一見無害な考え方の裏に潜む価値観を批判的に見つめられるようにする必要がある。つまり、これまで見てきたような受動的ニヒリズムが示してくれたものを、活用する努力をしなければならない。

なぜ、そうした批判的な目が必要なのか。そうした批判的な目とはどういうものか。それらを知るために、身近な例として、オフィスビルの生産性を向上させる照明システムの開発などの、ごく日常的なテクノロジーが進歩した話に注目してみよう。あるオフィスビルは、蛍光灯を昼光色の照明に変えるなど、屋外をオフィスに取り込んだような設計にすることで、従業員が早く退社したいと思う建物でなくなった。その照明は、より自然な感じがするだけでなく、採光に合わせた制御もできる。[20] これは従業員の勤務態度とパフォーマンスに関する調査にもとづいた照明（テクノロジー）を介入させることで、従業員の福利に大きく影響した例だ。要するに、こうした新しい照明システムは、従業員の生産性の問題に対するテクノロジー的な解決策を見出したことになる。

しかし、ニーチェ哲学の観点では、そうした照明システムが生産性と福利を向上させるかどうかではなく、「生産性と福利を、テクノロジーで解決すべき問題と考えることが何を意味するか」を考えなければならない。従業員がより快適になるよう設計された照明システムが与えられると、その環境で働く従業員はより快適に感じなければならないという、「規範の重み」が伴う。すなわち、心地よく働けない、幸せに感じない、生産性が上がらないといった問題の原因が、職場から、(快適な環境を用意したのにそう感じない)従業員に移ることになる。言い換えると、幸せでないから世の中に疑問を持ち、居心地の悪さを生み出している世の中の構造に疑問を持つという発想を剥奪されてしまう。こうした照明システムのようなテクノロジーの仲介の仕方では、人は自分たちに問題があると感じ、己を疑うようになる。この例のように、裏づけとなる調査があるならなおさらだ。

しかし、こうした「調査」も曲者である。なぜなら調査対象の人々は、こうしたテクノロジーの仲介にどのように反応することが期待されているか、だいたいにおいて気づくからだ。人をより幸せにするよう設計されたテクノロジーが与えられたにもかかわらず、幸せを感じないなどといったら、人間ではないように思われるのではないか。意識的か無意識かを問わず、こういった調査では、多くの人はおそらくポジティブな回答をするだろう。つまりは、生産性や福利のような基準だけで技術的なイノベーションを評価すると、人のアイデンティティや人間性への影響が考慮されず、さらには技術的なイノベーションがその評価の信頼性に与える影響まで見落としてしまう。

テクノロジーをニーチェ哲学の批判的な視点で見れば、私たちがテクノロジーをいかにニヒリスティックに利用しているかがわかるはずだ。たとえば私たちは、なぜその環境が自分にとって幸せではないのかを先に疑うことなく、「これは人をより幸せにしようとするテクノロジーだ」と言われて与えられたら利用するだろう。

また、ニーチェ哲学の批判的な視点は、私たちがテクノロジーをいかにニヒリスティックに評価しているかを認識するのにも役立つはずだ。たとえば私たちは、人間であることの意味を考えることなく、人類の進歩はテクノロジーの進歩によってもたらされるという関係も、疑う必要がないと思っている。

受動的ニヒリズムによって人は、テクノロジーを「よりよい」人間になるための手段と見るようになった。より生産的になるか、あるいは生産的になるのは最低条件で、それでいてより幸せな人間になるための手段がテクノロジーだと考えている。しかし、受動的ニヒリズムは、人間の病気を悪化させるものとしてテクノロジーを捉えるようにもなってきた。これが進むと、どれほど「よい」人間になっても満足することのない、無限のサイクルに囚われる。

一方で受動的ニヒリズムは、私たちを能動的ニヒリズムに向かわせることもできる。本当に「よりよい」の意味がわかっているかどうか、疑いの目を持つ力を与えてくれるのだ。よりよくなる目的は何か、本当にわかっているか？　よりよくなるためだけに、よりよくなろうとしているのか？　それとも何かから何かへ変わろうとすることを通じて、よりよくなろうとしているのか？　あるがままの自分が嫌だから、よりよくなろうとしているのか？　ポストヒューマンの追求は、単なる人間以外のものになりたいというニヒリスティックな欲求によって動かされているため、人間でなくなる危険性について考慮していないのではないか？

これらの答えを探ることで、私たちは初めて、創造のための破壊ができるようになる。新たな価値、新たな目標をつくるために。そして、「『人類の進歩』と『テクノロジーの進歩』の関係」に対する新たな視点を得るための創造と破壊が実現するだろう。

原注

1. この警句のオリジナル・バージョンについては、Nietzsche, The Gay Science, 181-82を参照。〔邦訳　フリードリヒ・ニーチェ『悦ばしき知識』「第3書125番、信太正三訳、筑摩書房、1993年〕
2. Nietzsche, The Gay Science, 167.〔邦訳　フリードリヒ・ニーチェ『悦ばしき知識』第3書108番、信太正三訳、筑摩書房、1993年〕
3. Nietzsche, The Gay Science, 181-82.〔邦訳　フリードリヒ・ニーチェ『悦ばしき知識』第3書125番、信太正三訳、筑摩書房、1993年〕
4. Nietzsche, The Will to Power, 9.〔邦訳　フリードリヒ・ニーチェ『権力への意志　上』第1書I-1-2、原佑訳、筑摩書房、1993年〕
5. Kathy Gilsinan, "Big in Europe: The Church of the Flying Spaghetti Monster," The Atlantic, November 2016, https://www.theatlantic.com/magazine/archive/2016/11/big-in-europe/501131/.
6. Bobby Henderson, "About," Church of the Flying Spaghetti Monster, https://www.venganza.org/about/参照。
7. Nietzsche, The Gay Science, 181.〔邦訳　フリードリヒ・ニーチェ『悦ばしき知識』第3書125番、信太正三訳、筑摩書房、1993年　原注には「The Will to Power」と記載されていたが、内容から『悦ばしき知識』の誤りであると判断し修正した〕
8. Siva Vaidhyanathan, The Googlization of Everything: (And Why We Should Worry) (Berkeley and Los Angeles, University of California Press, 2011), xi.〔邦訳　シヴァ・ヴァイディアナサン『グーグル化の見えざる代償―ウェブ・書籍・知識・記憶の変容』緒言、久保儀明訳、インプレス、2012年〕
9. Alphabet, "Google Code of Conduct," Alphabet Investor Relations, https://abc.xyz/investor/other/google-code-of-conduct.html.

10. Ian Bogost, “What Is ‘Evil’ to Google?,” The Atlantic, October 15, 2013, https://www.theatlantic.com/technology/archive/2013/10/what-is-evil-togoogle/280573/, 6.
11. Bogost, “Evil,” 3.
12. Bogost, “Evil,” 6.
13. Bogost, “Evil,” 7.
14. Friedrich Nietzsche, Beyond Good and Evil, ed. Rolf-Peter Horstmann, trans. Judith Norman (Cambridge: Cambridge University Press, 2002), 55-56.〔邦訳 フリードリヒ・ニーチェ『善悪の彼岸　道徳の系譜』「善悪の彼岸」第3章62番、信太正三訳、筑摩書房、1993年〕
15. Ian Hacking, “Our Neo-Cartesian Bodies in Parts,” Critical Inquiry 34 (August 2007): 78-105.
16. Zheng Wang and John Tchernev, “The ‘Myth’ of Media Multitasking: Reciprocal Dynamics of Media Multitasking, Personal Needs, and Gratifications,” Journal of Communication 62, no. 3 (2012): 509.
17. Luciano Floridi, “Should We Be Afraid of AI?,” Aeon, May 9, 2016, https://aeon.co/essays/true-ai-is-both-logically-possible-and-utterlyimplausible
18. Peter-Paul Verbeek, Moralizing Technology: Understanding and Designing the Morality of Things (Chicago and London: University of Chicago Press, 2011), 82.
19. Shannon Vallor, “Moral Deskilling and Upskilling in a New Machine Age: Reflections on the Ambiguous Future of Character,” Philosophy of Technology 28 (2015): 118.
20. Molly Greenberg, “Flick of a Switch: How Lighting Affects Productivity and Mood,” Business, February 22, 2017, https://www.business.com/articles/flick-of-a-switch-how-lighting-affects-productivity-and-mood/

謝辞

本書はトゥエンテ大学（ＵＴ）哲学研究科の同僚や学生たちの惜しみない協力がなければ実現しなかった。特に、ピーター・ポール・フェルベークの研究グループのメンバーたちは、本書の各章をテーマにした私の議論について２年にわたり討論の機会を設け、それにより大きな収穫をもたらしてくれた。ピーター・ポール・フェルベーク、チアーノ・アイディン、マイケル・ネーゲンボーグ、メリス・バス、ジョン・ホーク、オルヤ・クディナ、バス・デ・ボア、フィリップ・ブレイ、マリアンヌ・ボーニンク、マイケル・クーラー、スティーヴン・ドレスティン、その他大勢の人たちの貴重なフィードバックが大いに役に立った。私の研究助手であるアナ・フェルナンデス・インガンゾとアンナ・カロライナ・ザイダードゥインは、分析対象とすべきテクノロジーを執筆初期に絞り込んでくれた。また、同じく研究助手のエミルス・ビルカフスには執筆の最後まで手伝ってもらった。そして、時間を割いて各章を読み、非常に有益な意見をくれたデイヴィッド・ダグラス、メリス・バス、バベット・バビッチ、ジョン・グリーンアウェイ、ミランダ・ネルには特別な感謝の意を表したい。

本書には、ＵＴだけでなく、フランクフルトのＴＥＤｘ、ケンブリッジ大学の哲学研究会、ダブリン大学トリニティ・カレッジのＡＤＡＰＴセンター、リバプール大学の機械学習シンポジウム、哲学やエンジニアリング、テクノロジーに関するフォーラムであるｆＰＥＴ、４Ｓ（Society for Social Studies of Science）と欧州科学技術社会論会議（EASST）の合同カンファレンス、ＣａＴａＣ（Culture, Technology, Communication）のカンファレンス、ユトレヒト大学のトーマス・モアのサマースクールで発表したものも含まれている。

マーク・コッケルバーグ、ジョセフ・サヴィリムス、ウェッセル・レイジャース、ジェイムス・ディッキンソン、ケヴィン・マクミラン、スルジャン・ヴセティック、ステファニー・イグンボルには、それぞれの団体で本研究発表の機会を与えてくれたことにお礼を申し上げる。同様の機会をくれた２つの企業にも感謝したい（秘密保持契約を結んでいるため社名の公表は控える）。リスク、安全、セキュリティに関する4TU.Centre for Ethics and Technology（オランダの４大学の科学哲学分野の共同研究会）のタスクフォースにコーディネーターとして参加したことで、さまざまなワークショップやパネルディスカッションで、本書に関連する研究発表の機会が得られた。

教えることと研究することとは別物だと言われることが多く、場合によっては学問の世界の対立する側面と考えられている。しかし私にとってこれらは相互作用をもたらすもので、本書の研究では人に教えることは不可欠な要素だった。本書で展開している議論の多くは、２年にわたって私の授業のテーマとなった。あらためて、私の授業や課題の中でその議論に参加して意見を戦わせてくれたUTの学生たちに大きな謝意を表したい。中でも、修士論文の完成に向けて、指導や審査で私に協力を求めてくれた学生たちには感謝している。

アナ・フェルナンデス・インガンゾ、クリスチャン・ポーリ、ピーター・セガーズ、ジェラルド・ムンタース、ギース・デ・ボーア、ダーク・ベイテン、アンナ・メルニク、セレン・エレン、サマンサ・ヘルナンデス、デニス・オプデン・カンプたちとの密な共同作業は楽しいだけでなく、お互いに哲学的な議論を発展させていく大きな助けとなった。また、PSTS（Philosophy of Science, Technology and Society）のフィロラボ（PhiloLab）コースの3つの学生グループ（シモーネ・カシラギとルース・デ・ジョン、アンナ・メルニクとクリス・フリース、セレン・エレンとアラン・ウオとヨーナス・リンデマン）が、本書の各章をもとに論文を書いてくれたのも私にとっては収穫だった。

長年にわたり、多くの方々から助言とインスピレーションをいただいた。私の指導にあたってくださった教授陣の、ジェイ・バーンスタイン、ジェイムス・ドッド、サイモン・クリッチリー、ニコラス・デ・ウォーレン、アグネス・ヘラー、イルミヤフ・ヨベル、ジェイムス・ミラー、ジェイムス・ウィルソン・クエール。同じように、次の人たちにも感謝している（順不同）。マイルズ・マクラウド、ドミニク・ベーンケ、マイリ・マーテンス、ジョニー・ソラカー、エイミー・ヴァン・ウィンズベルゲ、サスキア・ネーゲル、ランツ・フレミング・ミラー、ブラント・ヴァン・ダー・ガースト、マルゴ・ゴンザレス・ヴォーゲ、ステファニー・ゴーティア、ルイサ・マーリン、ステファン・コラー、ロバート・ジャン・ゲールツ、パー・エリック・ミラム、ペトラ・ブルールセマ、アダ・クルーシュープ、ジャン・ネリセン、サビーネ・ローザー、スヴェン・ナイホルム、ジェマ・カルデロン、アイリス・ハウス・イント・ヴェルト、ノエル・シャーキー、ロビン・ジェイムス、パトリック・リン、チェルシー・ハリー、マイケル・ニュー、ボブ・ブレッチャー、イルナ・ヴァン・ダー・モーレン、クリスティーナ・コシオネロ、マリーン・ノヴォトニー、マシュー・ビアード、ジャン・ミエスコフスキー、ナスタラン・タヴァコリ・ファー、エフライム・ローゼンバウム、サラ・マーフィー、ブリッタア・スクーナー・ロフタス、クリスティーナ・ナボルツ・マクロード、スコット・ステファンス、ロバート・ローゼンバーガー、クリスタ・トマーソン、フィリップ・ラフリン、アルブレヒト・フリーチェ、チャールス・エス、トム・ブルックス、シャノン・フレンチ、ステファニー・カルヴァン、ジョン・アダムス、マリーナ・アダムス。加えて、イソベル・カウパー・コールズ、ナタリー・リン・ボルダーストン、スヴェン・オーヴ・ハンソン、そのほか本書の出版元であるローマン・アンド・リトルフィールドの関係者たちのサポートにも感謝の意を表したい。

私の家族にも感謝している。特に祖母のシルヴィアは、おそらく私にテレビを消して外に出かけるよう促してくれた人物だ。私の兄弟のベネット（ケイティ、ディラン、イーサンも）、姉妹のリンネ（マイクとタイラーも）はいつも私のそばにいてくれた。私のパートナーであるミランダは、本書の執筆全般を通して貴重な意見をくれたばかりでなく、私を鼓舞し、相談相手になって、よきパートナーでいてくれた。息子のザカリーは常にインスピレーションの源だった。それは、どんなテクノロジーでもあっという間にマスターしてしまう息子の能力、どんなに暗い話でもどこかコミカルにしてしまう息子の能力が、私に畏怖の念を抱かせたためだ。もしこの本が誰かに向けて書かれたものだとすれば、それは息子に向けてということになるだろう。

www. andthentheresthis.net/mob.html.

———. " 'Flash Robs' : Trying to Stop a Meme Gone Wrong." Wired, November 23, 2011. Accessed June 1, 2017. https://www.wired.com/2011/11/flash-robs/all/1.

Wei, Will. "We Asked Siri the Most Existential Question Ever and She Had a Lot to Say." Business Insider, July 9, 2015. Accessed August 1, 2017. http://www.businessinsider.com/ siri-meaning-of-life-responses-apple-iphone-2015-7.

White, Gillian B. "Uber and Lyft Are Failing Black Riders." The Atlantic, October 31, 2016. Accessed February 26, 2017. https://www.theatlantic.com/business/archive/2016/10/uber- lyft-and-the-false-promise-of-fair-rides/506000/.

Wilkinson College. "America' s Top Fears 2016." Chapman University Blog, October 11, 2016. Accessed May 5, 2017. https://blogs.chapman.edu/wilkinson/2016/10/11/americas- top-fears-2016/.

YouTube. "Advertiser-Friendly Content Guidelines." YouTube Help. Accessed August 18, 2017. https://support.google.com/youtube/answer/6162278?hl=en&ref_topic=1121317.

———. "History of Monetization at YouTube." YouTube 5 Year Anniversary Press Site. Accessed August 14, 2017. https://sites.google.com/a/pressatgoogle.com/youtube5year/ home/history-of-monetization-at-youtube.

Zoia, Christopher. "This Guy Makes Millions Playing Video Games on YouTube." The Atlan- tic, March 14, 2014. Accessed August 15, 2017. https://www.theatlantic.com/business/ archive/2014/03/this-guy-makes-millions-playing-video-games-on-youtube/284402/.

Zuckerberg, Mark. "We Just Passed an Important Milestone." Facebook, August 27, 2015. Accessed April 9, 2017. https://www.facebook.com/zuck/posts/10102329188394581.

December 7, 2011. Accessed April 25, 2017. http://www.npr.org/2011/12/07/143013503/how- twitters-trending-algorithm-picks-its-topics.

Symonds, John Addington. "Twenty-three Sonnets from Michael Angelo." Contemporary Review 20 (1872): 505–15.

Trend Watching. "5 Consumer Trends for 2017." Trend Watching. Accessed January 15, 2017. http://trendwatching.com/trends/5-trends-for-2017/.

Tufekci, Zeynep, and Christopher Wilson. "Social Media and the Decision to Participate in Political Protest: Observations from Tahrir Square." Journal of Communication 62 (2012) : 363–79.

Tuncel, Yunus, editor. Nietzsche and Transhumanism: Precursor or Enemy? Cambridge: Cambridge Scholars Publishing, 2017.

TV Tropes. "Red Shirt." TV Tropes. Accessed August 14, 2017. http://tvtropes.org/pmwiki/pmwiki.php/Main/RedShirt.

Tyson, Gareth, Vasile C. Perta, Hamed Haddadi, and Michael C. Seto. "A First Look at User Activity on Tinder." arXiv, July 7, 2016. https://arxiv.org/pdf/1607.01952v1.pdf.

Vaidhyanathan, Siva. The Googlization of Everything: (And Why We Should Worry) . Berke- ley and Los Angeles, University of California Press, 2011.

Vallor, Shannon. "Moral Deskilling and Upskilling in a New Machine Age: Reflections on the Ambiguous Future of Character." Philosophy of Technology 28, no. 1 (2015): 107–24.

Verbeek, Peter-Paul. Moralizing Technology: Understanding and Designing the Morality of Things. Chicago and London: University of Chicago Press, 2011.

———. What Things Do. Translated by Robert P. Crease. University Park: Pennsylvania State University Press, 2005.

Wang, Zheng, and John Tchernev. "The 'Myth' of Media Multitasking: Reciprocal Dynamics of Media Multitasking, Personal Needs, and Gratifications." Journal of Communication 62, no. 3 (2012): 493–513.

Warzel, Charlie. "How Ferguson Exposed Facebook' s Breaking News Problem." BuzzFeed, August 19, 2014. Accessed April 19, 2017. https://www.buzzfeed.com/charliewarzel/in- ferguson-facebook-cant-deliver-on-its-promise-to-deliver.

Wasik, Bill. And Then There' s This: How Stories Live and Die in Viral Culture. New York: Viking Penguin, 2009.

———. "The Experiments." And Then There' s This. Accessed May 24, 2017. http://

Sommer, Andreas Urs. "Nihilism and Skepticism in Nietzsche." In A Companion to Nietzsche, edited by Keith Ansell-Pearson, 250–69. Oxford: Blackwell, 2006.

Spinello, Richard A. "Privacy and Social Networking Technology." International Review of Information Ethics 16 (12/2011) : 41–46.

Statista. "Fitbit—Statistics & Facts." Statista. Accessed February 7, 2017. https://www.statista.com/topics/2595/fitbit/.

———. "Leading Reasons for Using Emojis According to U.S. Internet Users as of August 2015." Statista. Accessed April 1, 2017. https://www.statista.com/statistics/476354/reasons-usage-emojis-internet-users-us/.

———. "Most Famous Social Network Sites Worldwide as of September 2017, Ranked by Number of Active Users (in Millions)." Statista. Accessed August 13, 2017. https://www. statista.com/statistics/272014/global-social-networks-ranked-by-number-of-users/.

———. "Negative Effects of Binge Viewing TV Shows According to TiVo Subscribers in the United States as of March 2015." Statista. Accessed August 20, 2017. https://www.statista. com/statistics/448177/tv-show-binging-negative-effects-usa/.

———. "Number of Monthly Active Facebook Users Worldwide as of 3rd Quarter 2017 (in Millions) ." Statista. Accessed April 9, 2017. https://www.statista.com/statistics/264810/ number-of-monthly-active-facebook-users-worldwide/.

———. "Reasons for Binge Viewing TV Shows among TV Viewers in the United States as of September 2017." Statista. Accessed 20 August 2017. https://www.statista.com/statistics/620114/tv-show-binging-reactions-usa/.

Steinicke, Frank. Being Really Virtual: Immersive Natives and the Future of Virtual Reality. Cham, Switzerland: Springer International, 2016.

Sterling, Bruce. "Augmented Reality: 'The Ultimate Display' by Ivan Sutherland, 1965." Wired, citing the Proceedings of IFIP Congress, 1965: 506–8, available online at: https://www.wired.com/2009/09/augmented-reality-the-ultimate-display-by-ivan-sutherland- 1965/.

Sternbergh, Adam. "Smile, You' re Speaking Emoji." New York Magazine, November 16, 2014. Accessed April 4, 2017. http://nymag.com/daily/intelligencer/2014/11/emojis-rapid- evolution.html.

Sunstein, Cass. Republic.com 2.0. Princeton, NJ: Princeton University Press, 2007.

Sydell, Laura. "How Twitter' s Trending Topics Algorithm Picks Its Topics." NPR,

Purvis, Jeanette. "Finding Love in a Hopeless Place: Why Tinder Is So 'Evilly Satisfying'." Salon, February 12, 2017. Accessed February 20, 2017. http://www.salon.com/2017/02/12/finding-love-in-a-hopeless-place-why-tinder-is-so-evilly-satisfying/.

Raffoul, François. The Origins of Responsibility. Bloomington and Indianapolis: Indiana University Press, 2010.

Richter, Felix. "The Fastest-Growing App Categories in 2015." Statista, January 22, 2016. Accessed April 1, 2017. https://www.statista.com/chart/4267/fastest-growing-app-categories-in-2015/.

Ronson, Jon. So You' ve Been Publicly Shamed. New York: Riverhead Books, 2016.

Roose, Kevin. " 'Netflix and Chill' : The Complete History of a Viral Sex Catchphrase." Splin- ter, August 27, 2015. Accessed August 19, 2017. http://splinternews.com/netflix-and-chill- the-complete-history-of-a-viral-sex-1793850444.

Rosenberger, Robert, and Peter-Paul Verbeek. "A Field Guide to Postphenomenology." In Postphenomenological Investigations: Essays on Human-Technology Relations, edited by Robert Rosenberger and Peter-Paul Verbeek, 9–41. London: Lexington Books, 2015.

Ryckaert, Vic. "Sex Offender Caught Playing Pokémon Go with Teen." USA Today, July 14, 2016. Accessed February 8, 2017. http://www.usatoday.com/story/news/nation-now/2016/ 07/14/indiana-sex-offender-caught-playing-pokemon-go-teen/87083504/.

Sanchez, Ray. "Occupy Wall Street: 5 Years Later." CNN, September 16, 2016. Accessed June 4, 2017. http://edition.cnn.com/2016/09/16/us/occupy-wall-street-protest-movements/index.html.

Sartre, Jean-Paul. Being and Nothingness. Translated by Hazel Barnes. New York:Washing- ton Square Press, 1992.

———. "The Humanism of Existentialism." In Essays in Existentialism, edited by Wade Baskin, 31–62. New York: Citadel Press, 1965.

Schneier, Matthew. "The Post-Binge-Watching Blues: A Malady of Our Times." New York Times, December 6, 2015. Accessed August 20, 2017. https://www.nytimes.com/2015/12/ 06/fashion/post-binge-watching-blues.html.

Small, Alonzo. "Pokémon Go Player Assaulted, Robbed in Dover." USA Today, July 20, 2016. Accessed February 8, 2017. http://www.usatoday.com/story/news/crime/2016/07/19/ pokemon-go-player-assaulted-robbed-dover/87304022/.

New York: Vintage Books, 1989.
———. Twilight of the Idols. Translated by Duncan Large. Oxford: Oxford University Press, 1998.
———. The Will to Power. Translated by Walter Kaufmann and R. J. Hollingdale. New York: Vintage Books, 1967.
Niven, Larry. “Flash Crowd.” In Three Trips in Time and Space: Original Novellas of Science Fiction, edited by Robert Silverberg, 1–64. New York: Hawthorn Books, 1973.
Olson, Dan. “Vlogs and the Hyperreal.” Folding Ideas, July 6, 2016. Accessed August 19, 2017. https://www.youtube.com/watch?v=GSnktB2N2sQ.
Oxford Dictionaries. “Word of the Year 2015.” Oxford Dictionaries Blog. Accessed April 7, 2017. http://blog.oxforddictionaries.com/2015/11/word-of-the-year-2015-emoji/.
Pasquale, Frank. The Black Box Society: The Secret Algorithms that Control Money and Information. Cambridge, MA: Harvard University Press, 2015.
———. “Digital Star Chamber.” Aeon, August 18, 2015. Accessed February 10, 2017. https://aeon.co/essays/judge-jury-and-executioner-the-unaccountable-algorithm.
Pew Research Center. “The Future of World Religions: Population Growth Projections, 2010–2050.” Pew Research Center, April 2, 2015. Accessed April 10, 2017. http://www. pewforum.org/2015/04/02/religious-projections-2010-2050/.
Phillips, Whitney. “LOLing at Tragedy: Facebook Trolls, Memorial Pages and Resistance to Grief Online.” First Monday 16, no. 12 (December 5, 2011) . Accessed August 1, 2017. Available at: http://firstmonday.org/ojs/index.php/fm/article/view/3168/3115.
Pinsker, Joe. “How to Succeed in Crowdfunding: Be Thin, White, and Attractive.” The Atlantic, August 3, 2015. Accessed February 26, 2017. https://www.theatlantic.com/business/archive/2015/08/crowdfunding-success-kickstarter-kiva-succeed/400232/.
Plato. Republic. Translated by G. M. A. Grube. Indianapolis: Hackett, 1992.
Plautz, Jason. “The Changing Definition of ‘Flash Mob’ .” Mental Floss, August 22, 2011. Accessed June 1, 2017. http://mentalfloss.com/article/28578/changing-definition-flash-mob.
Plotz, David. “My Fake Facebook Birthdays.” Slate, August 2, 2011. Accessed April 19, 2017. http://www.slate.com/articles/technology/technology/2011/08/my_fake_facebook_birthdays.html.
Pokémon Company, The. “Pokémon GO Safety Tips.” Pokémon GO. Accessed February 7, 2017. http://www.pokemongo.com/en-us/news/pokemon-go-safety-tips.

Luminoso Blog, September 4, 2013. Accessed April 8, 2017. https://blog.luminoso.com/2013/09/04/ emoji-are-more-common-than-hyphens/.

Marx, Karl. "Alienated Labor." In Karl Marx: Selected Writings, edited by Lawrence H. Simon, 58–67. Indianapolis: Hackett, 1994.

———. "The Communist Manifesto." In Karl Marx: Selected Writings, edited by Lawrence H. Simon, 157–86. Indianapolis: Hackett, 1994.

Matofska, Benita. "The Secret of the Sharing Economy." TEDxFrankfurt, November 29, 2016. Accessed February 26, 2017. Available at: https://www.youtube.com/watch?v=-uv3JwpHjrw.

McDowell, Edwin. "C.B. Radio Industry Is More in Tune After 2 Years of Static." New York Times, April 17, 1978. Accessed March 27, 2017. http://www.nytimes.com/1978/04/17/ archives/cb-radio-industry-is-more-in-tune-after-2-years-of-static-added.html.

Miller, Ryan W. "Teens Used Pokémon Go App to Lure Robbery Victims, Police Say." USA Today, July 11, 2016. Accessed February 8, 2017. http://www.usatoday.com/story/tech/ 2016/07/10/four-suspects-arrested-string-pokemon-go-related-armed-robberies/ 86922474/.

Mooney, Chris. "Internet Trolls Really Are Horrible People." Slate, February 14, 2014. Accessed May 16, 2017. http://www.slate.com/articles/health_and_science/climate_desk/ 2014/02/internet_troll_personality_study_machiavellianism_narcissism_psychopathy. html.

Mufson, Beckett. "Author Translates All of 'Alice in Wonderland' into Emojis." Vice, January 2, 2015. Accessed April 8, 2017. https://creators.vice.com/en_uk/article/author-translates- all-of-alice-in-wonderland-into-emojis.

Netflix. "How Does Netflix Work?" Netflix Help Center. Accessed February 9, 2017. https:// help.netflix.com/en/node/412.

Nietzsche, Friedrich. Beyond Good and Evil. Edited by Rolf-Peter Horstmann. Translated by Judith Norman. Cambridge: Cambridge University Press, 2002.

———. The Gay Science. Translated by Walter Kaufmann. New York: Random House, 1974.

———. On the Genealogy of Morality. Translated by Carol Diethe. Cambridge: Cambridge University Press, 1994.

———. On the Genealogy of Morals and Ecce Homo. Translated by Walter Kaufmann.

imdb. com/title/tt0117561/quotes?ref_=tt_ql_trv_4.

Kelly, Heather. "Apple Replaces the Pistol Emoji with a Water Gun." CNN, August 2, 2016. Accessed April 8, 2017. http://money.cnn.com/2016/08/01/technology/apple-pistol-emoji/.

Koblin, John. "Netflix Studied Your Binge-Watching Habit. That Didn' t Take Long." New York Times, June 8, 2016. Accessed August 20, 2017. https://www.nytimes.com/2016/06/ 09/business/media/netflix-studied-your-binge-watching-habit-it-didnt-take-long.html.

Kooragayala, Shiva, and Tanaya Srini. "Pokémon GO Is Changing How Cities Use Public Space, But Could It Be More Inclusive?" Urban Wire, August 1, 2016. Accessed August 26, 2017. http://www.urban.org/urban-wire/pokemon-go-changing-how-cities-use-public- space-could-it-be-more-inclusive.

Kramer, Adam D. I., Jamie E. Guillory, and Jeffrey T. Hancock. "Experimental Evidence of Massive-Scale Emotional Contagion through Social Networks." PNAS 111, no. 24 (2014) : 8788–90.

Kriss, Sam. "Emojis Are the Most Advanced Form of Literature Known to Man." Vice, November 18, 2015. Accessed April 6, 2017. https://www.vice.com/en_dk/article/sam-kriss-laughing-and-crying.

LaFrance, Adrienne. "Not Even the People Who Write Algorithms Really Know How They Work." The Atlantic, September 18, 2015. Accessed February 15, 2017. https://www. theatlantic.com/technology/archive/2015/09/not-even-the-people-who-write-algorithms- really-know-how-they-work/406099/.

———. "Why Can' t Americans Find Out What Big Data Knows About Them?" The Atlantic, May 28, 2014. Accessed February 9, 2017. https://www.theatlantic.com/technology/ archive/2014/05/why-americans-cant-find-out-what-big-data-knows-about-them/371758/.

Lee, Stephanie M. "How Many People Actually Use Their Fitbits?" BuzzFeed News, May 9, 2015. Accessed February 7, 2017. https://www.buzzfeed.com/stephaniemlee/how-many- people-actually-use-their-fitbits.

Luckerson, Victor. "Here' s How Facebook' s News Feed Actually Works." TIME, July 9, 2015. Accessed February 9, 2017. http://time.com/collection-post/3950525/facebook-news-feed-algorithm/.

Luminoso. "Emoji Are More Common than Hyphens. Is Your Software Ready?"

Grossman, Lev. “2045: The Year Man Becomes Immortal.” TIME, February 10, 2011. Ac- cessed February 17, 2018. http://content.time.com/time/magazine/article/0,9171,2048299,00.html.

Hacking, Ian. “Our Neo-Cartesian Bodies in Parts.” Critical Inquiry 34 (August 2007) : 78–105.

Hall, Melinda. The Bioethics of Enhancement: Transhumanism, Disability, and Biopolitics. Lanham, MD: Lexington Books, 2017.

Harwell, Drew. “Online Dating’ s Age Wars: Inside Tinder and eHarmony’ s Fight for Our Love Lives.” Washington Post, April 6, 2015. Accessed March 3, 2017. https://www. washingtonpost.com/news/business/wp/2015/04/06/online-datings-age-wars-inside-tinder- and-eharmonys-fight-for-our-love-lives/.

Heidegger, Martin. Being and Time. Translated by John Macquarrie and Edward Robinson. New York: Harper & Row, 1962.

———. The Essence of Human Freedom: An Introduction to Philosophy. Translated by Ted Sadler. London and New York: Continuum, 2002.

———. “Letter on ‘Humanism’ .” In Pathmarks, edited by William McNeill, translated by Frank A. Capuzzi, 239–76. Cambridge: Cambridge University Press, 1998.

———. “The Question Concerning Technology.” In The Question Concerning Technology and Other Essays, translated by William Lovitt, 3–35. New York: Harper & Row, 1977. ———. “The Word of Nietzsche: ‘God is Dead’ .” In The Question Concerning Technology and Other Essays, translated by William Lovitt, 53–112. New York: Harper & Row, 1977. Henderson, Bobby. “About.” Church of the Flying Spaghetti Monster. Accessed October 22, 2017. https://www.venganza.org/about/.

Hill, Kashmir. “Facebook Manipulated 689,003 Users’ Emotions for Science.” Forbes, June 28, 2014. Accessed April 11, 2017. https://www.forbes.com/sites/kashmirhill/2014/06/28/ facebook-manipulated-689003-users-emotions-for-science/.

Holsendolph, Ernest. “Fading CB Craze Signals End to Licensing.” New York Times, April 28, 1983. Accessed March 26, 2017. http://www.nytimes.com/1983/04/28/us/fading-cb- craze-signals-end-to-licensing.html.

Ihde, Don. Technics and Praxis. Dordrecht: D. Reidel, 1979.

———. Technology and the Lifeworld. Bloomington and Indianapolis: Indiana University Press, 1990.

IMDb. “Schizopolis (1996) Quotes.” IMDb. Accessed February 14, 2017. http://www.

Feron, James. "Problems Plague Citizens Band Radio." New York Times, April 2, 1974. Accessed March 28, 2017. http://www.nytimes.com/1974/04/02/archives/problems-plague-citizens-band-radio-violations-abound.html.

Finley, Klint. "A Brief History of the End of the Comments." Wired, October 8, 2015. Accessed May 9, 2017. https://www.wired.com/2015/10/brief-history-of-the-demise-of-the-comments-timeline/.

Fitbit. "How Does My Fitbit Device Count Steps?" Fitbit Help. Accessed February 6, 2017. https://help.fitbit.com/articles/en_US/Help_article/1143.

Floridi, Luciano. "Should We Be Afraid of AI?" Aeon, May 9, 2016. Accessed September 22, 2017. https://aeon.co/essays/true-ai-is-both-logically-possible-and-utterly-implausible.

Fuller, Steve. "We May Look Crazy to Them, But They Look Like Zombies to Us: Transhu- manism as a Political Challenge." Institute for Ethics and Emerging Technologies, Sep- tember 8, 2015. Accessed October 3, 2016. https://ieet.org/index.php/IEET2/more/ fuller20150909.

Gardiner, Becky, Mahana Mansfield, Ian Anderson, Josh Holder, Daan Louter, and Monica Ulmanu. "The Dark Side of Guardian Comments." Guardian, April 12, 2016. Accessed May 12, 2017. https://www.theguardian.com/technology/2016/apr/12/the-dark-side-of- guardian-comments.

Gertz, Nolen. "Autonomy Online: Jacques Ellul and the Facebook Emotional Manipulation Study." Research Ethics 12, no. 1 (2016) : 55–61.

———. The Philosophy of War and Exile. Basingstoke: Palgrave Macmillan, 2014.

Gilsinan, Kathy. "Big in Europe: The Church of the Flying Spaghetti Monster." The Atlantic, November 2016. Accessed October 22, 2017. https://www.theatlantic.com/magazine/ archive/2016/11/big-in-europe/501131/.

Goodrow, Cristos. "You Know What' s Cool? A Billion Hours." YouTube Official Blog, Febru- ary 27, 2017. Accessed August 14, 2017. https://youtube.googleblog.com/2017/02/you- know-whats-cool-billion-hours.html.

Graham, Jefferson. "YouTube Keeps Video Makers Rolling in Dough." USA Today, Decem- ber 16, 2009. Accessed August 12, 2017. https://usatoday30.usatoday.com/tech/news/ 2009-12-16-youtube16_CV_N.htm.

Greenberg, Molly. "Flick of a Switch: How Lighting Affects Productivity and Mood." Busi- ness, February 22, 2017. Accessed December 19, 2017. https://www.business.com/ articles/flick-of-a-switch-how-lighting-affects-productivity-and-mood/.

Episodes per Sitting." Deloitte Press Releases, March 23, 2016. Accessed August 20, 2017. https:// www2.deloitte.com/us/en/pages/about-deloitte/articles/press-releases/digital-democracy- survey-tenth-edition.html.

Dent, Steve. "The Roomba 960 Is iRobot' s Cheaper App-Driven Robot Vacuum." engadget, August 4, 2016. Accessed November 1, 2016. https://www.engadget.com/2016/08/04/ irobots-roomba-960-is-its-cheaper-app-driven-robot-vacuum/.

Douglas, David M. "Doxing: A Conceptual Analysis." Ethics and Information Technology 18, no. 3 (2016) : 199–210.

Dvorak, John C. "Chat Rooms Are Dead! Long Live the Chat Room!" PCMag, December 11, 2007. Accessed March 28, 2017. http://www.pcmag.com/article2/0,2817,2231493,00.asp.

Economist, The. "The Rise of the Sharing Economy." The Economist, March 9, 2013. Accessed February 22, 2017. http://www.economist.com/news/leaders/21573104-internet- everything-hire-rise-sharing-economy.

Edelman, Benjamin, Michael Luca, and Dan Svirsky. "Racial Discrimination in the Sharing Economy: Evidence from a Field Experiment." American Economic Journal: Applied Economics (forthcoming) . Available online: http://www.benedelman.org/publications/ airbnb-guest-discrimination-2016-09-16.pdf.

Edgar, James. " 'Captain Cyborg' : The Man Behind the Controversial Turing Test Claims," Telegraph. June 10, 2014. Accessed February 17, 2018. http://www.telegraph.co.uk/news/ science/science-news/10888828/Captain-Cyborg-the-man-behind-the-controversial- Turing-Test-claims.html.

Eldrick, Ted. "I Love Lucy." Director' s Guild of America Quarterly, July 2003. Accessed August 13, 2017. https://www.dga.org/Craft/DGAQ/All-Articles/0307-July-2003/I-Love- Lucy.aspx.

Ellul, Jacques. The Technological Society. Translated by John Wilkinson. New York: Vintage Books, 1963.

Evans, Vyvyan. "Beyond Words: How Language-like Is Emoji?" OUPblog, April 16, 2016. Accessed April 8, 2017. https://blog.oup.com/2016/04/how-language-like-is-emoji/.

Federal Trade Commission. "Data Brokers: A Call for Transparency and Accountability." Federal Trade Commission, May 2014. Accessed February 9, 2017. https://www.ftc.gov/ system/files/documents/reports/data-brokers-call-transparency-accountability-report- federal-trade-commission-may-2014/140527databrokerreport.pdf.

Mood Shifts." Sunday Morning Herald, November 12, 2017. Accessed November 13, 2017. http://www.smh.com.au/technology/innovation/tech-support-how-our-phones-could-save- our-lives-by-detecting-mood-shifts-20171106-gzfrg5.html.

bigkif. "Ivan Sutherland : Sketchpad Demo (1/2)." YouTube. Published on November 17, 2007. Accessed August 20, 2017. https://www.youtube.com/watch?v=USyoT_Ha_bA.

Bignell, Paul. "Happy 30th Birthday Emoticon! :-)" Independent, September 8, 2012. Accessed April 4, 2017. http://www.independent.co.uk/life-style/gadgets-and-tech/news/happy-30th-birthday-emoticon-8120158.html.

Blagdon, Jeff. "How Emoji Conquered the World." The Verge, March 4, 2013. Accessed April 4, 2017. http://www.theverge.com/2013/3/4/3966140/how-emoji-conquered-the-world.

Bogost, Ian. "What Is 'Evil' to Google?" The Atlantic, October 15, 2013. Accessed October 20, 2017. https://www.theatlantic.com/technology/archive/2013/10/what-is-evil-to-google/ 280573/.

Bostrom, Nick. "In Defense of Posthuman Dignity." Bioethics 19, no. 3 (2005) : 202–214. Bowerman, Mary. "Driver Slams into Baltimore Cop Car While Playing Pokemon Go." USA Today, July 20, 2016. Accessed February 8, 2017. http://www.usatoday.com/story/news/ nation-now/2016/07/20/driver-slams-into-baltimore-cop-car-while-playing-pokemon-go- accident/87333892/.

Buckels, Erin E., Paul D. Trapnell, and Delroy L. Paulhus. "Trolls Just Want to Have Fun." Personality and Individual Differences 67 (September 2014): 97–102.

Burnham, Douglas. The Nietzsche Dictionary. London and New York: Bloomsbury, 2015. Burrell, Jenna. "How the Machine 'Thinks' : Understanding Opacity in Machine Learning Algorithms." Big Data & Society 3, iss. 1 (January–June 2016): 1–12.

Caldwell, Don. "Occupy Wall Street." Know Your Meme, September 8, 2011. Accessed June 3, 2017. http://knowyourmeme.com/memes/events/occupy-wall-street.

Cicero. On the Good Life. Translated by Michael Grant. London: Penguin Books, 1971. Clarke, Kristen. "Does Airbnb Enable Racism?" New York Times, August 23, 2016. Accessed February 24, 2017. https://www.nytimes.com/2016/08/23/opinion/how-airbnb-can-fight- racial-discrimination.html.

Crystal, Bonnie, and Jeffrey Keating. The World of CB Radio. Summertown, NY: Book Publishing Company, 1987.

Deloitte. "70 Percent of US Consumers Binge Watch TV, Bingers Average Five

参考文献

Adorno, Theodor. “How to Look at Television.” In The Culture Industry, edited by J. M. Bernstein, 158–77. London and New York: Routledge Classics, 2001.

Alleyne, Richard. “YouTube: Overnight Success Has Sparked a Backlash.” Telegraph, July 31, 2008. Accessed August 13, 2017. http://www.telegraph.co.uk/news/uknews/2480280/YouTube-Overnight-success-has-sparked-a-backlash.html.

Alphabet. “Google Code of Conduct.” Alphabet Investor Relations. Accessed October 24, 2017. https://abc.xyz/investor/other/google-code-of-conduct.html.

Anders, Günther. “The World as Phantom and as Matrix.” Dissent 3, no. 1（Winter 1956）: 14–24.

Aristotle. Nicomachean Ethics. Edited by Roger Crisp. Cambridge: Cambridge University Press, 2000.

Aydin, Ciano. “The Posthuman as Hollow Idol: A Nietzschean Critique of Human Enhancement.” Journal of Medicine and Philosophy 42, iss. 3 (June 1, 2017): 304–27.

Ayers J. W., E. C. Leas, M. Dredze, J. Allem, J. G. Grabowski, and L. Hill. “Pokémon GO— A New Distraction for Drivers and Pedestrians.” JAMA Internal Medicine 176, no. 12 (December 1, 2016): 1865–66.

Babich, Babette. “Ex aliquo nihil: Nietzsche on Science, Anarchy, and Democratic Nihilism.” American Catholic Philosophical Quarterly 84, no. 2 (2010): 231–56.

———. The Hallelujah Effect: Philosophical Reflections on Music, Performance Practice, and Technology. Farnham: Ashgate, 2013.

———. “Nietzsche’ s Post-Human Imperative: On the ‘All-too-Human’ Dream of Transhu- manism.” In Nietzsche and Transhumanism: Precursor or Enemy?, edited by Yunus Tun- cel, 101–32. Cambridge: Cambridge Scholars Publishing, 2017.

———. “On Schrödinger and Nietzsche: Eternal Return and the Moment.” In Antonio T. de Nicolas: Poet of Eternal Return, edited by Christopher Key Chapple, 157–206. Ahmeda- bad, India: Sriyogi Publications & Nalanda International, 2014.

Bauman, Zygmunt. Liquid Modernity. Cambridge: Polity Press, 2000.

BBC News. “Google Buys YouTube for $1.65bn.” BBC News, October 10, 2006. Accessed August 13, 2017. http://news.bbc.co.uk/1/hi/business/6034577.stm.

Biegler, Paul. “Tech Support: How Our Phones Could Save Our Lives by Detecting

本書内容に関するお問い合わせについて

このたびは翔泳社の書籍をお買い上げいただき、誠にありがとうございます。弊社では、読者の皆様からのお問い合わせに適切に対応させていただくため、以下のガイドラインへのご協力をお願い致しております。下記項目をお読みいただき、手順に従ってお問い合わせください。

●ご質問される前に

弊社Webサイトの「正誤表」をご参照ください。これまでに判明した正誤や追加情報を掲載しています。

正誤表　https://www.shoeisha.co.jp/book/errata/

●ご質問方法

弊社Webサイトの「刊行物Q&A」をご利用ください。

刊行物Q&A　https://www.shoeisha.co.jp/book/qa/

インターネットをご利用でない場合は、FAXまたは郵便にて、下記“翔泳社 愛読者サービスセンター”までお問い合わせください。
電話でのご質問は、お受けしておりません。

●回答について

回答は、ご質問いただいた手段によってご返事申し上げます。ご質問の内容によっては、回答に数日ないしはそれ以上の期間を要する場合があります。

●ご質問に際してのご注意

本書の対象を越えるもの、記述個所を特定されないもの、また読者固有の環境に起因するご質問等にはお答えできませんので、予めご了承ください。

●郵便物送付先およびFAX番号

送付先住所　〒160-0006　東京都新宿区舟町5
FAX番号　03-5362-3818
宛先　（株）翔泳社 愛読者サービスセンター

著者紹介

ノーレン・ガーツ（Nolen Gertz）

トゥエンテ大学 助教授（応用哲学）。4TU. Centre for Ethics and Technology（オランダ４大学の科学哲学分野の共同研究会）上級研究員。著書に『The Philosophy of War and Exile』（2014年）がある（未邦訳）。『アトランティック』、『ワシントン・ポスト』、『ABC Australia』に研究記事掲載。ニヒリズムとテクノロジーの関係についての研究は、Twitter（@ethicistforhire）で発信している。

訳者紹介

南沢 篤花（みなみさわ・あいか）

大阪府立大学工学部卒。慶應義塾大学文学部卒。英日翻訳家。主な訳書に『セールスライティング・ハンドブック』（翔泳社刊）、『コーディネーター』（論創社刊）、『命に〈価格〉をつけられるのか』（慶応義塾大学出版会刊）などがある。

装丁・本文デザイン――斉藤よしのぶ

DTP――株式会社シンクス

Cover Image――©iStock.com/CSA-Printstock

ニヒリズムとテクノロジー

2021年8月5日　初版第1刷発行

著　者	ノーレン・ガーツ
訳　者	南沢 篤花
発行人	佐々木 幹夫
発行所	株式会社 翔泳社（https://www.shoeisha.co.jp）
印刷・製本	日経印刷 株式会社

本書へのお問い合わせについては、463ページに記載の内容をお読みください。

落丁・乱丁はお取り替えいたします。03-5362-3705 までご連絡ください。

ISBN978-4-7981-6195-2　Printed in Japan